GOODBYE MY PRINCESS

14

東宫

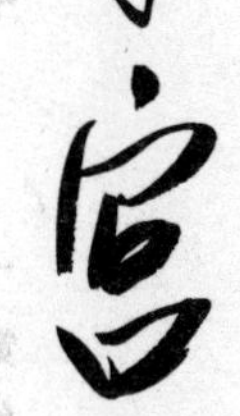

匪我思存 著

FEIWOSICUN WORKS

新世界出版社

图书在版编目（CIP）数据

东宫 / 匪我思存著.—北京：新世界出版社，2010.6
ISBN 978-7-80228-862-1
Ⅰ. ①东… Ⅱ. ①匪… Ⅲ. ①长篇小说－中国-当代
Ⅳ. ①I247.5

中国版本图书馆CIP数据核字（2010）第102306号

东 宫

策　　划：记忆坊图书
作　　者：匪我思存
责任编辑：吕　晖　　董晓琼
特约编辑：四　喜　　小　歪
出版发行：新世界出版社
社　　址：北京市西城区百万庄路24号（100037）
总编室电话：（010）68995424（010）68326679（传真）
发行部电话：（010）68995968（010）68998733（传真）
本社中文网址：www.nwp.com.cn
本社英文网址：www.newworld-press.com
版权部电子信箱：frank@nwp.com.cn
版权部电话：+86（10）68996306
印　　刷：环球印刷（北京）有限公司
经　　销：新华书店
开　　本：880×1230　1/32
字　　数：200千　印张：9.5
版　　次：2010年7月第1版　2014年6月北京第12次印刷
书　　号：ISBN 978-7-80228-862-1
定　　价：28.00元

蜜炬红烛翠袖单，小楼听雨夜初寒。
明朝酒醒繁花落，从此浮生作梦看。

平直

我又和李承鄞吵架了。每次我们吵完架，他总是不理我，也不许旁人同我说话。

我觉得好生无趣，便偷偷溜上街玩。阿渡跟着我，她一直在我身边，无论走到哪里都甩不掉，像个影子似的。好在我并不讨厌阿渡这个人，她除了有点儿一根筋之外，样样都好，还会武功，可以帮我打跑坏人。

我们去茶肆里听说书，说书先生口沫横飞，讲到剑仙如何如何千里之外取人项上人头，我问阿渡："喂，你相不相信这世上有剑仙？"

阿渡摇摇头。

我也觉得不可信。

这世上武林高手是有的，像阿渡的那柄金错刀，我看见过她出手，快得就像闪电一般。可是千里取人头，我觉得那纯粹是吹牛。

走出茶肆的时候我们看到街头围了一圈人，我天生爱凑热闹，自然要挤过去看个究竟。原来是个一身缟素的姑娘跪在那里哭哭啼啼，身后一卷破席，裹着一具直挺挺的尸首，草席下只露出一双僵直的脚，连鞋都没有穿。周围的人都一边摇头一边叹气，对着她身前写着“卖身葬父”四个墨字的白布指指点点。

“哇，卖身葬父！敢问一下，这位小姐打算把自己卖多少钱？”

所有人全都对我怒目而视。我忘了自己还穿着男装，于是缩了缩脖子，吐了吐舌头。这时候阿渡拉了拉我的衣角，我明白她的意思，阿渡总是担心我闯祸，其实我虽然成天在街上晃来晃去，但除了拦过一次惊马打过两次恶少送过三次迷路的小孩回家追过四次还是五次小偷之外，真的没有多管过闲事……

我偷偷绕到人群后头，仔细打量着那破席卷着的尸首，然后蹲下来，随手抽了根草席上的草，轻轻挠着那僵直的脚板心。

挠啊挠啊挠啊……挠啊……

我十分有耐心地挠啊挠，草席里的“尸首”终于忍不住开始发抖，越抖越厉害，越抖越厉害……周围的人终于发现了异样。有人大叫一声指着发抖的草席，牙齿格格作响，说不出话来；还有人大叫“诈尸”；更多的人瞠目结舌，呆立在那里一动不动。我不屈不挠地挠着，草席里的“尸首”终于忍不住那钻心奇痒，一把掀开席子，大骂：“哪个王八蛋在挠我脚板心？”

我牙尖嘴利地骂回去：“王八蛋骂谁？”

他果然上当：“王八蛋骂你！”

我拍手笑：“果然是王八蛋在骂我！”

他一骨碌爬起来便朝我一脚踹来，阿渡一闪就拦在我们中间。我冲他扮鬼脸：“死骗子，装挺尸，三个铜板挺一挺！”

骗子大怒，那个浑身缟素的姑娘同他一起朝我们冲过来。阿渡素来不愿意在街上跟人打架，便拉着我飞快地跑了。

我有时候非常不喜欢跟阿渡在一块儿，因为往往有趣的事刚刚做了一半，她就拉着我当逃兵。可是她的手像铁钳似的，我怎么也挣不开，只好任凭她拉着我，踉踉跄跄一路飞奔。就在我们夹杂在人流中跑过半条街的时候，我突然看到一间茶楼前，有个人正瞧着我。

那个人长得很好看，穿一件月白袍子，安静地用乌黑的眼珠盯着我。

不知道为什么，我心里突然一跳。

到了牌坊底下，阿渡才松开我的手，我回头再看那个人，他却已经不在了。

阿渡没有问我在看什么，她就是这点好，从来不问东问西。我觉得自己今天有点儿心神不定，也许是因为和李承鄞吵架的缘故。虽然他每次都吵不赢我，我总可以将他气得哑口无言，但他会用别的方式来还击，比如让旁人都不理睬我，就如同我是一个所有人都看不见的人。那种滋味实在不好受，如果我不偷偷溜出来街上玩，迟早会被活活闷死。

我觉得好生无趣，低头踢着石子，石子一跳一跳，就像蹴鞠一样。李承鄞是蹴鞠的高手，小小的皮球在他足尖，就像是活物一般，任他踢出好多种花样。我并不会蹴鞠，也没有学过，因为李承鄞不肯教我，也不肯让别人教我，他一直非常小气。

我用力稍大，一脚将石子踢进了阴沟里，“扑通”一响，我才发现不知不觉竟然已经走到了一条巷子里。两边都是人家的高墙，这里的屋子总建得很高，还有形状古怪的骑墙，我突然觉得有点儿毛骨悚然……就是那种后颈里汗毛竖起来的感觉。

我回过头去，竟然没有看到阿渡，我大声叫：“阿渡！”

巷子里空落落的，回荡着我的声音。我前所未有地恐慌起来，几年来阿渡一直和我形影不离，连我去如厕，她都会跟在我身边。我醒的时候她陪着我，我睡觉的时候她睡在我床前，她从来没有不声不响离开过我周围一丈以外，现在阿渡突然不见了。

我看到了那个人，那个穿月白色袍子的人，他站在巷子那头，远远地注视着我。

我方寸大乱，回头叫着："阿渡！"

这个人我并不认识，可是他刚刚在街上瞧着我的样子，奇怪极了。我现在觉得他瞧着我的样子，也奇怪极了。

我问他："喂！你有没有看到阿渡？"

他并没有答话，而是慢慢地朝着我走过来。太阳照在他的脸上，他长得真好看，比李承鄞还要好看。他的眉毛像是两道剑，眼睛黑得像宝石一样，鼻梁高高的，嘴唇很薄，可是形状很好看，总之他是个好看的男人。他一直走到我的面前，忽然笑了笑："小姐，请问你要找哪个阿渡？"

这世上还有第二个阿渡么，我说："当然是我的阿渡，你有看见她么？她穿着件黄色的衫子，像只小黄鹂一样。"

他慢吞吞地说："穿着件黄色的衫子，像只小黄鹂一样——我倒是看见了这样一个人。"

"她在哪里？"

"就在我的面前。"他离我太近了，近得我可以看见他眼中熠熠有神的光芒，"难道你不是么？"

我低头看了看自己的衣裳，我穿的是件淡黄色的男衫，同阿渡那件一样，这个人真的好生奇怪。

他说："小枫，几年不见，你还是这样，一点儿都没有变。"

我不由得大大地一震，小枫是我的乳名，自从来了上京，再也没有人这样称呼过我。我眨着眼睛，有点儿迷惘地看着他："你是谁？"

他淡淡地笑了笑，说道："嗯，你不知道我是谁。"

"你是我爹派来的么？"我眨了眨眼睛，看着他。临走的时候阿爹答应过我，会派人来看我，给我送好吃的。结果他说话不算话，一直都没有派人来。

他并没有回答我，只是问我："你想回家吗？"

我当然想回家，做梦都想要回家。

我又问他："你是哥哥派来的么？"

他对我微笑，问我："你还有哥哥？"

我当然有哥哥，而且有五个哥哥，尤其五哥最疼我。我临走的时候他还大哭了一场，用鞭子将泥地上的沙土全都抽得东一条西一条。我知道他是因为舍不得我，舍不得我到这么远的地方来。

这个人连我有哥哥都不知道，看来并不是家里派来的人，我略微有点儿失望。问他："你怎么会知道我的名字？"

他说："你曾经告诉过我。"

我告诉他的？我原来认识他么？

为什么我一点儿印象都没有了。

可是不知道为什么，我却不觉得这个人是骗子。大约因为不会有这么奇怪的骗子，这世上的骗子都会努力把自己扮成正常人，他们才不会奇奇怪怪呢，因为那样容易露出破绽，被人揭穿。

我歪着头打量他，问："你到底是什么人？"

他说："我是顾剑。"

他没有说别的话，仿佛这四个字已经代表了一切。

我压根儿都没有听说过这个名字，我说："我要去找阿渡了。"

他对我说："我找了三年才见到你，你就不肯同我多说一会儿话么？"

我觉得好生奇怪："你为什么要找我？你怎么会找了我三年？三年前我认识你么？"

他淡淡地笑了笑，说道："三年前我把你气跑了，只好一直找，直到今天才找到你。可是你已经不认得我了。"

我觉得他在骗人，别说三年前的事，就是十三年前的事我都记得清清楚楚。我的记性可好啦，我两三岁时，刚记事不久，就记得不少事了。比如，阿娘曾给我吃一种酸酸的果子浆，我很不爱吃；又或者阿娘抱着我，看父王跑马归来，金色的晨曦镀在父王身上，他就像穿了一件金色的盔甲一般，威风凛凛。

我决意不再同他说话。我转身就走，阿渡会到哪里去了呢？我一边想一边回头看了一眼，那个顾剑还站在那里看着我，他的目光一瞬不瞬地望着我，看见我回头看他，他又对我笑了笑。他都对我笑了好几次了，我突然觉得他的笑像水面上浮着的一层碎冰，就像对着我笑，其实是件让他非常难受的事似的。

真是一个奇怪的人，还硬说我认识他，我可不认识这样的怪人。

我走出巷子的时候，才发现阿渡就坐在桥边。她呆呆地看着我，我问她："你跑到哪里去了，我都担心死了。"

阿渡一动不动地坐在那里，我摇她她也不动。这时候那个顾剑走过来，他朝着阿渡轻轻一弹指，只听"嗤"一声，阿渡就"呼"地跳起来，一手拔出她那柄金错刀，另一只手将我拉到她的身后。

那个顾剑悠悠地笑着，说道："三年前我们就交过手，刚刚我一指就封住了你的穴道。你难道不明白，如果我真的想做什么，就凭你是绝对不拦不住我的么？"

阿渡并不说话，只是凶狠地看着他，那架式像是护雏的母鸡似的。有一次李承鄞真的把我气到了，阿渡也是这样瞪着他的。

我没想到这个顾剑能封住阿渡的穴道，阿渡的身手非常了得，寻常人根本接近不了她，更别提轻易制住她了，这个顾剑武功高得简直是匪夷所思。我瞠目结舌地瞧着他。

他却只是长长叹了口气，看着拔刀相向的阿渡，和在阿渡身后探头探脑的我……然后他又瞧了我一眼，终于转身走了。

我一直看着他走远，巷子里空荡荡的，那个怪怪的顾剑终于走得看不见了。我问阿渡："你不要紧吧？有没有受伤？"

阿渡摇了摇头，做了一个手势。

我知道那个手势的意思，她是问我是不是很难过。

我为什么要难过？

我觉得她莫名其妙，于是大大地朝她翻了个白眼。

天色渐渐暗下来，我带着阿渡上问月楼去吃饭。

我们出来街上闲逛的时候，总是到问月楼来吃饭，因为这里的双拼鸳鸯炙可好吃了。

坐下来吃炙肉的时候，卖唱的何伯带着他的女儿福姐儿也上楼来了。何伯是个瞎子，可是拉得一手好胡琴，每次到问月楼来吃酒，我都要烦福姐儿唱上一首小曲儿。

福姐儿早就和我们相熟了，对我和阿渡福了一福，叫我："梁公子。"

我客气地请她唱两首曲子，她便唱了一曲《采桑》。

吃着双拼鸳鸯炙，温一壶莲花白酒，再听着福姐儿唱小曲儿，简直是人生最美不过的事情。

肉还在炙子上滋滋作响，阿渡用筷子将肉翻了一个个儿，然后将烤好的肉沾了酱汁，送到我碟中。我吃着烤肉，又喝了一杯莲花白酒，这时候有一群人上楼来，他们踩得楼板"咚咚"直响，他们哄然说笑，令人侧目。

我开始跟阿渡瞎扯："你看那几个人，一看就不是好人。"

阿渡不解地望着我。

我说："这些人虽然都穿着普通的衣裳，可是每人都穿着粉底薄靴，腰间佩刀，而且几乎个个手腕上戴着护腕，拇指上绑着鹿皮韘。这些人既惯穿快靴，又熟悉弓马，还带着刀招摇过市……又长成这种油头粉面的德性，那么这些家伙一定是羽林郎。”

阿渡也不喜欢羽林郎，于是她点了点头。

那些羽林郎一坐下来，其中一个人就唤：“喂，唱曲儿的！过来唱个《上坡想郎》！”何伯颤巍巍地向他们赔不是，说道：“这位公子点了两首曲子，刚刚才唱完一首。等这首唱完，我们就过来侍候几位郎君。”

那羽林郎用力将桌案一拍：“放屁！什么唱完不唱完的！快快过来给咱们唱曲儿，不然我一刀劈死你这个老瞎子。”另一个人瞧了我一眼，笑嘻嘻地说：“你们瞧那小子，细皮嫩肉像个姑娘似的，长得倒是真俊。”这时候先前那人也瞧了我一眼，笑道：“要说俊，还真俊，比那个唱小曲儿的娘子长得还好。喂！兔儿爷相公，过来陪咱们喝一盅。”

我叹了口气，今天我本来不想跟人打架，看来是避免不了了。我放下筷子，懒懒地道：“好好一家店，怎么突然来了一帮不说人话的东西？真教人扫兴！”

那些人一听大怒，纷纷拍桌：“你骂谁？”

我冲他们笑了笑：“哦，对不住，原来你们不是东西。”

起先骂人的那个人最先忍不住，拔剑就朝我们冲过来。阿渡轻轻将桌子一拍，桌上的那些碟啊碗啊都纹丝未动，只有箸筒被震得跳起来。她随手抽了支筷子，没等箸筒落回桌面，那人明晃晃的刀尖已经刺到我面前。电光石火的刹那，阿渡将筷子往下一插，只闻一声惨叫，紧接着“铛”一声长剑落在地上，那人的手掌已经被那支筷子生生钉在桌子上，顿时血流如注。那人一边惨叫一边伸手去拔筷子，但筷子透过整个手掌钉穿桌面，便如一枝长钉一般，如何拔得动分毫。

那人的同伴本来纷纷拔刀，想要冲上来，阿渡的手就搁在箸筒之上，冷冷地扫了他们一眼。那群人被阿渡的气势所慑，竟然不敢上前一步。

被钉在桌上的那个人还在像杀猪般叫唤着，我嫌他叫得太烦人，于是随手挟起块桂花糕塞进他嘴里，他被噎得翻白眼，终于叫不出声来。

我拿着刚刚挟过桂花糕的筷子，用筷头轻轻拍着自己的掌心，环顾众人，问道："现在你们哪个还想跟我喝酒？"

那群人吓得连大气也不敢出。我站起来，朝前走了一步，他们便后退一步，我再走一步，他们便再退一步，一直退到了楼梯边，其中一个人大叫一声："快逃！"吓得他们所有人一窝蜂全逃下楼去了。

太不好玩了……我都还没来得及告诉他们，我可不会像阿渡一样拿筷子插人，我只是吓唬吓唬他们而已。

我坐回桌边继续吃烤肉，那个手掌被钉在桌上的人还在流血，血腥气真难闻，我微微皱起眉头。阿渡懂得我的意思，她把筷子拔出来，然后踢了那人一脚。那人捧着受伤的手掌，连滚带爬地向楼梯逃去，连他的刀都忘了拿。阿渡用足尖一挑，弹起那刀抓在手中，然后递给了我。我们那里的规矩，打架输了的人是要留下自己的佩刀的，阿渡陪我到上京三年，还是没忘了故乡旧俗。

我看了看刀柄上錾的铜字，不由得又皱了皱眉。

阿渡不明白我这次皱眉是什么意思，我将刀交给阿渡，说道："还给他吧。"这时候那人已经爬到楼梯口了，阿渡将手一扬，刀"铮"地钉在他身旁的柱子上。那人大叫一声，连头都不敢回，就像个绣球似的，骨碌碌直滚下楼梯去了。

从问月楼出来，倒是满地的月色，树梢头一弯明月，白胖白胖地透着亮光，像是被谁咬了一口的糯米饼。我吃得太饱，连肚子都胀得好疼，愁眉苦脸地捧着肚子，一步懒似一步跟在阿渡的后头。照我现在这种蜗牛似的爬法，只怕爬回去天都要亮了。可是阿渡非常有耐心，总是走一步，停一步，等我跟上去。我们刚刚走到街头拐角处，突然黑暗里“呼啦啦”涌出一堆人，当先数人都执着明晃晃的刀剑，还有人喝道：“就是他们俩！”

定睛一看，原来是刚刚那群羽林郎，此时搬了好些救兵来。

为什么每次出来街上乱逛，总是要以打架收场呢？我觉得自己压根儿不是一个喜欢寻衅滋事的人啊！

看着一片黑压压的人头，总有好几百的样子，我叹了口气。

阿渡按着腰间的金错刀，询问似的看着我。

我没告诉阿渡，刚刚那柄刀上錾着的字，让我已经没了打架的兴致。既然不打，那就撒丫子——跑呗！

我和阿渡一路狂奔，打架我们俩绝不敢妄称天下第一，可是论到逃跑，这上京城里我们要是自逊第二，估计没人敢称第一。三年来我们天天在街上逃来逃去，被人追被人撵的经验委实太丰富了，发足狂奔的时候专拣僻街小巷，钻进去四通八达，没几下就可以甩掉后面的尾巴。

不过我们这次遇上的这群羽林郎也当真了得，竟然跟在后头穷追不舍，追得我和阿渡绕了好大一个圈子也没把他们甩掉……我吃得太饱，被那群混蛋追了这么好一阵工夫，都快要吐出来了。阿渡拉着我从小巷穿出来到了一条街上，而前方正有一队人马迎面朝我们过来，这些人马远远看上去竟也似是羽林郎。

不会是那群混蛋早埋下一支伏兵吧？我扶着膝盖气喘吁吁，这下子非打架不可了。

身后的喧哗声越来越近，那群混蛋追上来了。这时迎面这队人马所执的火炬灯笼也已经近在眼前，带头的人骑着一匹高大的白马，我突然发现这人我竟然认识，不由得大喜过望：“裴照！裴照！”

骑在马上的裴照并没有看真切，只狐疑地朝我看了两眼。我又跳起来大叫了一声他的名字，他身边的人提着灯笼上前一步，照清楚了我的脸。

我看见裴照身子一晃，就从马上下来了，干脆利落地朝我行礼："太……"

我没等他说出第二个字，就急着打断他的话："太什么太？后头有一帮混蛋在追我，快帮我拦住他们！"

裴照道："是！"站起来抽出腰间所佩的长剑，沉声发令，"迎敌！"

他身后的人一片"刷拉拉"拔刀的声音，这时候那帮混蛋也已经追过来了，见这边火炬灯笼一片通明，裴照持剑当先而立，不由得都放缓了脚步。带头几个人还勉强挤出一丝笑容，只不过牙齿在格格轻响："裴……裴……裴将军……"

裴照见是一群羽林郎，不由得脸色遽变，问道："你们这是在做什么？"

裴照是金吾将军，专司职管羽林郎。这下子那些泼皮可有得苦头吃，我拉着阿渡，很快乐地趁人不备，溜之大吉。

我和阿渡是翻墙回去的，阿渡轻功很好，无声无息，再高的墙她将我轻轻一携，我们俩就已经上去了。夜深了，四处静得吓人。这里又空又大，总是这样的安静。

我们像两只小老鼠，悄悄溜进去。四处都是漆黑一片，只有很远处才有几点飘摇的灯火。地上铺了很厚的地毡，踩上去绵软无声，我摸索着找床，我那舒服的床啊……想着它我不由得就打了个呵欠："真困啊……"

阿渡忽然跳起来，她一跳我也吓了一跳。这时候四周突然大放光明，有人点燃了灯烛，还有一堆人持着灯笼涌进来，当先正是永娘。隔着老远她就眼泪汪汪扑地跪下去："太子妃，请赐奴婢死罪。"

我顶讨厌人跪，我顶讨厌永娘，我顶讨厌人叫我太子妃，我顶讨厌动不动死罪活罪。

“哎呀，我这不是好好地回来了嘛。”

每次我回来永娘都要来这么一套，她不腻我都腻了。果然永娘马上就收了眼泪，立时命宫娥上前来替我梳洗，把我那身男装不由分说脱了去，给我换上我最不喜欢的衣服，穿着里三层外三层，一层一层又一层，好像一块千层糕，剥了半晌还见不着花生。

永娘对我说：“明日是赵良娣的生辰，太子妃莫要忘了，总要稍假辞色才好。”

我困得东倒西歪，那些宫娥还在替我洗脸，我襟前围着大手巾，后头的头发披散开来，被她们细心地用牙梳梳着，梳得我更加昏昏欲睡。我觉得自己像个人偶，任凭她们摆布，永娘对我唠唠叨叨说了很多话，我一句也没听进去，因为我终于睡着了。

这一觉睡得十分黑甜，吃得饱，又被人追了大半夜，跑来跑去太辛苦了。我睡得正香的时候，突然听到“砰”一声巨响，我眼睛一睁就醒了，才发现天已经大亮，原来这一觉竟睡到了日上三竿。我看到李承鄞正怒气冲冲地走进来，永娘带着宫娥惊惶失措地跪下来迎接他。

我披头散发脸也没洗，可是只得从床上爬起来，倒不是害怕李承鄞，而是如果躺在床上跟他吵架，那也太吃亏，太没气势了。

他显然是来兴师问罪的，冷冷地瞧着我：“你还睡得着？”

我打了个大大的呵欠，然后才说：“我有什么睡不着的？”

“你这个女人怎么这般恶毒？”他皱着眉毛瞧着我，那目光就像两枝冷箭，硬生生像是要在我身上钻出两个窟窿似的，“你别装腔作势了！”

这不是他惯常和我吵架的套路，我觉得莫名其妙：“怎么了？”

“怎么了？”他咬牙切齿地对我说，“赵良娣吃了你送去的寿面，上吐下泻，你怎么用心如此之毒？”

我朝他大大地翻了一个白眼：“我没送寿面给谁，谁吃了拉肚子也不关我的事！”

“敢做不敢认？”他语气轻蔑，“原来西凉的女子，都是这般没皮没脸！”

我大怒，李承鄞跟我吵了三年，最知道怎么样激怒我，我跳起来：“西凉的女子才不会敢做不敢认，我没做过的事情我为什么要认？我们西凉的女子从来行事爽快，漫说一个赵良娣，我若是要害谁，只会拿了刀子去跟她拼命，才不会做这种背后下毒的宵小！倒是你，不问青红皂白就来冤枉人，你算什么堂堂上京的男人？”

李承鄞气得说：“你别以为我不敢废了你！便拼了这储位不要，我也再容不下你这蛇蝎！”

我嘎嘣扔出四个字：“悉听尊便。”

李承鄞气得拂袖而去，我气得也睡不着了，而且胃也疼起来，阿渡替我揉着。永娘还跪在那里，她显然被吓到了，全身抖得像筛糠一样。我说：“由他去吧，他每年都扬言要废了我，今年还没说过呢。”

永娘又泪眼汪汪了：“太子妃恕罪……那寿面是奴婢遣人送去的……”

我大吃一惊，永娘道：“可奴婢真没在里头做什么手脚，奴婢就是想，今日是赵良娣的生辰，太子妃若不赏赐点什么，似乎有点儿……有点儿……太子妃高卧未醒，奴婢就擅自作主，命人送了些寿面去，没想到赵良娣她吃了会上吐下泻……请太子妃治奴婢死罪……”

我满不在乎地说：“既然咱们没做手脚，那她拉肚子就不关咱们的事，有什么死罪活罪的。你快起来吧，跪在那里腻歪死我了。”

永娘站起来了，可是仍旧泪汪汪的：“太子妃，那个字可是忌讳，不能说的。”

不就是个死字么？这世上谁不会死？东宫的这些规矩最讨厌，这不让说那也不能做，我都快要被闷死了。

因为赵良娣这一场上吐下泻，她的生辰自然没有过好。李承鄞终于咽不下这口气，大闹了一场。他想废了我是不可能的，不用他父皇发话，就是太傅们也会拦着他。但我还是倒了霉，因为李承鄞在太皇太后面前告了我一状，太皇太后派人送了好几部《女训》《女诫》之类的书来，罚我每册抄上十遍。我被关在屋子里，叫天不应，叫地不灵，一连抄了好多天，抄得手都软了还没有抄完。

将所有书抄到第五遍的时候，永娘告诉我一个消息，侍候李承鄞的一个宫娥绪娘遇喜了，这下子赵良娣可吃瘪了。

我不解地问她：“什么叫遇喜啊？”

永娘差点儿没一口气背过去，她跟我绕圈子讲了半天，我才恍然大悟，原来遇喜就是有娃娃了。

我兴冲冲地要去看热闹，到上京这几年，我还没有见过身边谁要生娃娃，这样稀罕的事我当然要插一脚。结果被永娘死死拉住：“太子妃，去不得！据说太子殿下曾经答应过赵良娣，绝不会有二心。那日太子殿下也是醉了，才会宠幸绪娘。眼下赵良娣正哭哭涕涕，闹不痛快。太子妃如果此时去探视绪娘，赵良娣会以为太子妃是故意示威……”

我真不明白，为什么永娘会这样想，东宫里所有人都奇奇怪怪，她们想事情总是绕了一个圈子又绕一个圈子。我叹了口气，永娘说赵良娣会那样想，说不定她真的就会那样想，我不想再和李承鄞吵架了，他要再到太皇太后面前告我一状，还不罚我抄书抄死了?

晚上的时候，皇后召我进宫去。

我很少独自见到皇后，每次都是同李承鄞一起。皇后对我说的话也仅限于“平身”“赐座”“下去歇着吧”。这次她单独召见我，永娘显得非常的不安，她亲自陪我去见皇后。

阿渡在永安殿外等我们，因为她既不愿解下身上的金错刀，又不愿离我太远。

其实皇后长得挺漂亮，她不是李承鄞的亲娘，李承鄞的亲娘是淑妃，传说是一个才貌无双的美人，深得皇帝宠爱，可惜刚生下李承鄞不久就病死了。皇后一直没有生育，于是将李承鄞抱到中宫抚养长大，然后李承鄞就成了名正言顺的太子。

皇后对我说了一大篇话，说实话我都没太听懂，因为太文绉绉了……皇后可能也看出我如坠云雾中的表情，终于长长叹了口气：“你终归还是太年幼，东宫的事情，怎么一点也不上心呢?算了，我命人收拾一处僻静宫殿，命那绪娘进宫待产吧。至于赵良娣那里，你要多多安抚，不要让鄞儿烦恼。”

这几句大白话我总算听懂了。皇后又对永娘说了些话，她仍旧说得文绉绉的，我大约猜出是批评永娘对我教导不力，因为永娘面如死灰一直跪在那里重复：“奴婢死罪。”

见皇后很无聊，挨训更无聊。我偷偷用脚尖在地毯上画圈，这里的地毯都是吐火鲁所贡，长长的绒毛一脚踏下去绵软得像雪一样，画一个圈，地毯上的花就泛白一片，再反方向画过来，地毯上的花又恢复了原来的颜色……再用脚尖画过去，花朵又泛白了……我正玩得开心，突然听到皇后咳嗽了一声，抬头一看她正盯着我。

我赶紧坐好，把脚缩回到裙子里头去。

从永安殿出来，永娘对我说：“太子妃您就体恤体恤奴婢，您要是再率性闯祸，奴婢死不足惜……”

我不耐烦地说："知道了知道了，这么多天我一直被关在屋子里抄书，哪里有闯祸啊！"

永娘安抚我说："太子妃这几日确实是十分乖顺，不过皇后嘱太子妃去慰藉赵良娣，太子妃一定要去看看她才好。"

我无聊地掰着自己的手指头，悻悻地说："李承鄞不许我靠近那个女人住的地方，我才不要去看她，不然李承鄞又要同我吵架。"

"这次不一样，这次太子妃是奉了皇后的旨意，光明正大地可以去看赵良娣。而且趁这个机会，太子妃应该同赵良娣示好，赵良娣正烦恼绪娘之事，如果太子妃微露交结之意，赵良娣定然会觉得十分感激。如果太子妃此时能够与赵良娣修好，到时即使绪娘产下男婴，必然也成不了什么气候……"

我不知道永娘脑子里成天想的是什么，不过她从前是太皇太后最信任的女官，我被正式册立为太子妃之前，她就被遣到我身边来，陪我学习册立大典的礼仪。然后她陪着我度过了在东宫最难熬的一段岁月，那时候李承鄞根本对我不闻不问，东宫都是一双势利眼睛，我初来乍到，又是西凉人，动辄被人笑话，连当杂役的内官都敢欺负我。我想家想得厉害，成天只知道抱着阿渡哭，哭来哭去哭出了一场大病，李承鄞还硬说我是装病，不让人告诉太医院和宫里。拖到最后滴水不进，是永娘同阿渡一起，守在我床前，一勺勺喂我汤药，硬是把我从阎王爷那里抢回来。

所以虽然她有时候想法很奇怪，我也会顺着她一点儿，毕竟东宫里除了阿渡，就是永娘真心对我好。

"那好吧，我去看她。"

"不仅要去看望，太子妃还应当送赵良娣几件稀罕的礼物，好好地笼络她。"

稀罕的礼物，什么东西是稀罕的礼物呢？

我苦思冥想。

最后我郑重地选了一副高昌进贡的弓箭，两盒玉石棋子，几对抓着玩儿的骨拐，还有摆夷进贡的西番莲酒。永娘看到这些东西的时候，脸上的表情古怪极了。

“呃……这些都是我觉得挺稀罕的好东西。”我瞧了瞧永娘的脸色，“你觉得不好么？”

永娘呼了一口气，说道：“还是让奴婢替太子妃选几样礼物吧。”

永娘最后选的礼物我也看过了，什么和阗玉镶金跳脱、赤金点翠步摇、红宝缺月珊瑚钗、螭龙嵌珠项圈……然后还有什么燕脂膏茉莉粉，不是金灿灿就是香喷喷。我委实不觉得这些东西是稀罕的好东西，但永娘很有把握地说：“赵良娣一定会明白太子妃的一片苦心。”

不过跟赵良娣的这次见面，我还是挺期待的。我就见过赵良娣一次，是我被册立为太子妃后的第二天，她晋封了良娣，按大礼来参拜我。我对她的全部印象就是一个穿着鞠衣的女人，在众人的簇拥下向我行礼，因为隔得太远，我都没看清楚她长得什么样子。

不过李承鄞是真喜欢她。听说他原本不肯娶我，是皇后答允他，册我为太子妃，他便可以立赵良娣为良娣，于是我便成了那个最讨厌的人。李承鄞总担心我欺负了赵良娣，所以平日不让她到我殿里来，更不许我到她住的院子里去。不知道他听谁说的，说西凉女子生性善妒，还会施法术放蛊害人，所以平常同他吵架，只要我一提赵良娣，他就像是被踩了尾巴的猫似的跳起来，唯恐我真的去加害赵良娣。

有时候我真有点儿嫉妒赵良娣，倒不是嫉妒她别的，就是嫉妒有人对她这样好。我在上京举目无亲，孤苦无依，永娘虽然对我好，可我又不爱同她说话，有些话便说了她也不会懂。

比如我们西凉的夜里，纵马一口气跑到大漠深处，风吹过芨茏草，发出“沙啦沙啦”的声音。而蓝得发紫的夜幕那样低，那样清，那样润，像葡萄冻子似的，酸凉酸凉的，抿一抿，就能抿到嘴角里。永娘都没有见过葡萄，她怎么会晓得葡萄冻子是什么样子。阿渡虽然明白我的话，可是我说得再热闹，她也顶多只是静静地瞧着我。每当这个时候，我就格外想家，想我热热闹闹的西凉。我越想西凉，就越讨厌这冷冷清清的东宫。

我去见赵良娣是个晴朗的下午，永娘陪着我，身后跟着十二对宫娥，有人提着熏炉，有人打着翟扇，有人捧着那些装礼物的锦匣。我们这样的行列走在东宫，非常的引人注目。到了赵良娣住的院子里，她大约早就听人说我要来了，所以大开了中门，立在台阶下等我。

她院子里种了一株很香的枸橘树，结了一树绿绿的小橘子，像是无数只小灯笼。我从前没有见过，觉得很好玩，扭着脖子去看。这么一分神，我没留意脚下，踩到了自己的裙子，“啪”地就摔了一跤。

虽然三年来我苦心练习，可是还是经常踩到自己的裙子。这下子摔得太狼狈，赵良娣连忙迎上来搀我：“姐姐！姐姐没事吧？”

其实我比她还要小两岁……不过被她扶起来我还在龇牙咧嘴，太疼了简直。

赵良娣一直将我搀入殿中，然后命侍儿去沏茶。

我刚才那一下真的摔狠了，坐在胡床上一动也不敢动，动一下就抽抽地疼。

永娘趁机命人呈上了那些礼物，赵良娣离座又对我行礼：“谢姐姐赏赐，妹妹愧不敢受。”

我不知道要说什么才好，好在有永娘，她一手搀起了赵良娣：“良娣请起，其实太子妃一直想来看望良娣，只是不得机会。这次皇后命人接了绪娘入宫，太子妃担心良娣这里失了照应，所以今日特意过来。这几样礼物，是太子妃精心挑选，虽然鄙薄一些，不过是略表心意罢了。日后良娣如果缺什么，只管吩咐人去取，在这东宫，太子妃视良娣为左膀右臂，万望良娣不要觉得生分才好。”

赵良娣道：“姐姐一片关爱之心，妹妹明白。”

老实说，她们说的话我半懂不懂，只觉得气闷得紧。不过赵良娣倒不像我想的那样漂亮，但是她人很和气，说话的声音温温柔柔的，我虽然并不喜欢她，但也觉得没办法很讨厌她。

我在赵良娣的院子里坐了一下午，听赵良娣和永娘说话。永娘似乎很让赵良娣喜欢，她说的话一套一套的，听得赵良娣掩袖而笑，然后赵良娣还夸我，夸我有这样得力的女官。

从赵良娣的院子里出来，我遇上了裴照。他今天当值，领着羽林军正从直房里出来，看到我前呼后拥从赵良娣的院子里出来，他显得很惊讶似的，不过他没说什么，因为有甲胄在身，只是拱手为礼：“末将参见太子妃。”

“免礼。”

想到上次幸亏他出手相救，我不禁生了感激之情：“裴将军，那天晚上多谢你啊！”不然我非被那群混蛋追死不可，虽然大不了再打一架好脱身，可那帮混蛋全是东宫的羽林郎，万一打完架他们记仇，发现我竟然是太子妃，那可大大的不妙。

裴照却不动声色：“太子妃说什么，末将不明白。”

我还没来得及再跟他多说几句话，已经被永娘拉走了。回到殿中永娘才教训我：“男女授受不亲，太子妃不宜与金吾将军来往。”

男女授受不亲，如果永娘知道我溜出去的时候，常常跟男人吃酒划拳听曲打架，一定会吓得晕过去吧。

我的大腿摔青了一大块，阿渡替我敷上了金创药。我又想偷偷溜出去玩儿，因为书终于抄完了。不过永娘最近看得紧，我打算夜深人静再出去。可是没能成功，因为这天晚上李承鄞突然来了。

他从来没有晚上到我这里来过，所以谁都没提防，永娘已经回房睡了，值夜的宫娥也偷懒在打盹，我和阿渡两人在打叶子牌，谁输了谁就吃橘子。阿渡连和了四把，害我连吃了四个大橘子，胃里直泛酸水，就在这时候李承鄞突然来了。

根据当初我在册立大典前死记硬背的那一套，他来之前我这里应该准备奉迎，从备的衣物，熏被用的熏香，炉里掩的安息香，夜里备的茶水，第二日漱口的浸汁……都是有条例有名录写得清清楚楚的。但那是女官的事，我只要督促她们做好就行了。问题是李承鄞从来没在夜里来过，于是从我到永娘到所有人，大家都渐渐松懈了，底下人更是偷懒，再没人按那条条框框去一丝不苟地预备。所以当他走进来的时候，只有我和阿渡坐在桌前，兴高采烈地打叶子牌。

我正抓了一手好牌，突然看到李承鄞，还以为自己是看错了，放下牌后又抬头看了一眼。咦，还真是李承鄞！

阿渡站起来，每次李承鄞来都免不了要和我吵架，有几次我们还差点打起来，所以他一进来，她就按着腰里的金错刀，满脸警惕地盯着他。

李承鄞仍旧像平日那样板着一张脸，然后一屁股坐在了床上。

我不知道他要干吗，只好呆呆看着他。

他似乎一肚子气没处发，冷冷道："脱靴！"

这时候值夜的宫娥也醒了，见到李承鄞竟然坐在这里，顿时活像见到鬼似的，听得他这么一说，才醒悟过来，连忙上前来替他脱靴子。谁知李承鄞抬腿就踹了她一记窝心脚："叫你主子来！"

她主子再没旁人，起码她在这殿里名义上的主子，应该是我。

我把那宫娥扶起来，然后拍桌子："你怎么能踹人？"

"我就踹了！我还要踹你呢！"

阿渡"刷"一声就拔出了金错刀，我冷冷地问："你又是来和我吵架的？"

他突然笑了笑："我不是来和你吵架的，我是来这儿睡觉的。"

然后他指了指阿渡："出去！"

我不知道他想干吗，不过瞧他来意不善，这样一闹腾，惊动了不少人。睡着的人全醒了，包括永娘。永娘见他深夜来了，不由得又惊又喜，惊的是他一脸怒容，喜么，估计永娘觉得他来我这里就是好事，哪怕是专程来和我吵架的。

永娘一来气氛就没那么剑拔弩张了，她安排人打点茶水、洗漱、寝衣……所有人一阵忙，乱排场多得不得了。我被一堆人围着七手八脚地梳洗了一番，然后换上了寝衣，等我出来的时候永娘正拉阿渡走，本来阿渡不肯走，永娘附在她耳边不晓得说了句什么，阿渡就红着脸乖乖跟她走了。总之一阵兵荒马乱之后，殿里突然就只剩下我和李承鄞了。

我从来没有穿着寝衣独个儿呆在一个男人面前，我觉得怪冷的，而且刚才那一番折腾也累着我了。我打了个呵欠，上床拉过被子就睡了。

至于李承鄞睡不睡，那才不是我操心的事情呢。

不过我知道后来李承鄞也上床来睡了，因为只有一条被子，他狠狠地踢了我一下子："你过去点儿！"

我都快要睡着了，又被他踢醒了。

我快睡着的时候脾气总是特别好，所以我没跟他吵架，还让了一半被子给他。他裹着被子，背对着我，很快就睡着了。

那天晚上我没怎么睡好，因为李承鄞总是翻身，而我又不习惯跟人睡一条被子，半夜他把被子拉过去，害我被冻醒，我只好踹了他一脚又把被子拉回来。我们在半夜为了被子又吵了一架，他气得说："要不是瑟瑟劝我，我才不会到这里来！"

瑟瑟是赵良娣的名字，他说到她名字的时候，神情语气总会特别温柔。

我想起下午的时候，赵良娣说过的那些话，还有永娘说过的那些话，我终于有点儿明白过来了，突然就觉得心里有点儿难过。

其实我并不在乎，从前他不来的时候，我也觉得没什么好难过的，可是今天晚上他来了，我倒觉得有点儿难过起来。

我知道夫妻是应该睡在一起的，可是我也知道，他从来不曾将我当成他的妻子。

他的妻应该是赵良娣，今天我去看了赵良娣，并且送了她好些礼物，她可怜我，所以劝他来了。

我们西凉的女子，从来不要人可怜。

我爬起来，对他说："你走吧。"

他冷冷地道："你放心，天亮我就走。"

他背对着我就又睡了。

我只好起来，穿上衣服，坐在桌子前。

桌子上放着一盏纱灯，里面的红烛被纱罩笼着滟滟的光，那团光晕暖暖的，像是要溢出来似的，我的心里也像是有东西要溢出来。我开始想阿爹阿娘，我开始想哥哥们，我开始想我的那匹小红马，我开始想我的西凉。

每当我孤独的时候，我就会想起西凉，在上京的日子总是很孤独，所以我总是想起西凉。

就在这个时候，我突然看到窗上有个淡淡的影子。

我吓了一跳，伸手推开窗子。

夜风的凉气将我冻得一个哆嗦，外头什么人都没有，只有满地清凉的月色。

我正打算关上窗子，突然看到远处树上有团白色的影子，定睛一看，竟然是个穿白衣的人。

我吓得瞠目结舌，要知道这里是东宫，戒卫森严，难道会有刺客闯进来?

这穿白衣的刺客也忒胆大了。

我瞪着他，他看着我，夜里安静得连风吹过的声音都听得到，桌子上的灯火被吹得飘摇不定，而他立在树颠，静静地瞧着我。风吹着枝叶起伏，他沐着一身月光，也微微地随势起伏，在他的身后是一轮皓月，大风吹起他的衣袖和长发，他就像站在月亮中一般。

我认出他来了，是顾剑，那个怪人。

他怎么会到这里来?

我差点儿咬到了自己的舌头。就在我眨了眨眼睛的时候，那个顾剑已经不见了。

我要么是看错了，要么就是在做梦。

我觉得自己犯了思乡病，做什么事情都无精打采。李承鄞倒是第二天一早就走了，而且再也没有来过。永娘把这一晚上当成一件喜事，提到就眉开眼笑，我都不忍心告诉她，其实什么事都没有。

别看我年纪小，我和阿渡在街上瞎逛的时候，曾经去勾栏瓦肆好奇地围观过，没吃过猪肉，却见过猪跑。

永娘感激赵良娣的好意，一意拉拢她来同我打叶子牌。

那天也不知道怎么回事，我一直输一直输，一把也和不了。情场失意倒也罢了，连赌场也失意，永娘还以为我是突然开窍了，故意输给赵良娣，哄她高兴。

赵良娣从此常常到我这里来打叶子牌，她说话其实挺讨人喜欢的，比如她夸我穿的西凉小靴好看："咱们中原，可没这样的精致硝皮。"

我一高兴就答应她，下回如果阿爹遣人来，我就让他们带几双好靴子来，送给她。

赵良娣一边打叶子牌一边问我："太子妃几时进宫去看绪娘呢？"

我闹不懂为什么我要进宫去看绪娘，她好好地住在宫里，有皇后遣人照顾，我干吗还要去看她？再说永娘告诉我，赵良娣曾经为了绪娘的事狠狠闹了一场，哭了好几天，害得李承鄞赌咒发誓，哪怕绪娘生个儿子，他也绝不看绪娘一眼。我觉得赵良娣肯定挺讨厌绪娘，可是她偏偏还要在我面前提起来，假装大方。

永娘在旁边说："现在绪娘住在宫里，没有皇后娘娘的宣召，太子妃也不便前去探视呢。"

赵良娣"哦"了一声，浑似没放在心上。那天我牌运还不错，赢了几个小钱，等赵良娣一走，永娘就对我说："太子妃一定要提防，不要被赵良娣当枪使了。"

永娘有时候说话我不太懂，比如这句当枪使。

永娘说："赵良娣这么恨绪娘，一定会想方设法让她的孩子生不下来。她要做什么，太子妃不妨由她去，乐得顺水推舟，可是太子妃自己断不能中了她的圈套。"

我又闹不懂了，孩子都在绪娘的肚子里了，赵良娣还有什么办法让这孩子生不下来。永娘说："法子可多了，太子妃是正派人，不要打听这些。"

我觉得永娘是故意这么说的，因为我从来不觉得自己正派，可她这么一说，我就不好意思觍着脸追问下去了。

天气渐渐地凉了，我终于找到机会同阿渡溜出去。

还是街上好，人来人往，车如流水马如龙，多热闹。我们上茶肆听说书，原来的说书先生不知道到哪里去了，换了一个说书先生，讲的也不是剑仙的故事，而是几十年前朝廷西征之事。

"那西凉这一败，从此被天朝大军吓得望风披靡，纳贡称臣。宣皇帝仁厚，与西凉相约结为世代秦晋之好，并且将天朝明远公主赐婚给西凉可汗。两国和睦了十余载，没想到西凉老可汗一死，新可汗又妄称天可汗，便要与天朝开战，天朝大军压境，新可汗见了天朝的威势，后悔不迭，奉上自己的女儿和亲，才换得天朝网开一面……”

茶肆里所有人哄笑起来，阿渡跳起来摔了杯子，平常都是她拉着我不让我打架，这次轮到我怕她忍不住要出手伤人，于是把她拉出了茶肆。

外头的太阳明晃晃的，我记得明远公主，她是个好看的女人，穿衣打扮同西凉的女子都不一样，她病死的时候，阿爹还非常地伤心。

阿爹待她很好，阿爹说，待她好，便是待中原好。

我们西凉的人，总以为自己待别人好，别人自然也会待自己好。可不像上京的人，心里永远盘着几个弯弯，当面说一套，背后又做一套。

若是在三年前，我一定会在茶肆中同人打架，可是现在已经心灰意懒。

我和阿渡坐在桥边歇脚，运河里的船帆吃饱了风，船老大拿着长长的篙杆，一下子插进水底，然后慢慢地向后一步步退去。记得初到上京的时候，见到行船我还大惊小怪，车子怎么可以在水中走？见到桥我就更惊诧了，简直像彩虹一样，是谁把石头垒成了彩虹？在我们西凉，虽然有河，可河水总是极为清浅，像匹银纱铺在草原上，河水“哗啦啦”响着，骑着马儿就可以蹚过去了，那里没有船，也没有桥。

来到上京之后我见到许多从前没有见过的事物，但我一点儿也不开心。

就在我发呆的时候，忽然不远处“扑通”一声响，紧接着有人大叫：“快来人啊！我哥哥掉河里了！快救人啊！”

我抬头一看，就在不远处站着一个七八岁的女孩，正在那里哭喊："快救救我哥哥！他掉到河里去了！"

我看到一个小脑袋在水面上浮起来一下，又沉下去，我不假思索就跳到水里去，压根儿忘了自己不识水性这档子事。等我抓着那孩子的胳膊时，我自己也呛了不知道多少口水，我想这次坏了，没救起人来，自己反倒淹死了。我被淹死了不打紧，我死了可没人照顾阿渡了，她一个人也不知道晓不晓得回西凉的路……

我连着喝了好多水，整个人直往下沉，阿渡把我从河里捞起来的时候，我都快不醒人事了。阿渡将我放在河岸边的一块大石头上，我咕嘟咕嘟吐出好多水，想当年第一次在东宫见到水晶缸里养着的金鱼时，我觉得稀罕极了，它怎么会有那么大那么可爱的圆滚滚的肚子，而且总是慢悠悠地吐着泡泡？现在我明白了，原来它肚子里全是水。

阿渡全身上下都湿透了，她蹲在我身边，衣裳还往下滴着水。她神色焦虑地盯着我，我晓得我要是再不醒过来，这傻丫头就真的要急哭了。

"阿渡……"我又昏昏沉沉吐了一大口水，"那孩子呢……"

阿渡将那落水的孩子拎起来给我看，他全身也湿嗒嗒滴着水，乌溜溜一双眼睛只管瞧着我。

我头昏脑涨地爬起来，周围已经围了好些人，大约都是瞧热闹的。我成天在街上瞧热闹，没想到这次也被别人瞧了一回。就在我和阿渡绞着衣服上的水时，有人哭着喊着，跌跌撞撞挤进了人圈："我的儿啊！我的儿！"

看那模样应该是对夫妻，他们俩抱着那落水的孩子就放声大哭起来，那个女孩也在一旁揉着眼睛。

一家团聚，我觉得开心极了，成日在茶肆里听说书的讲侠义英雄，没想到今天我也英雄了一把。谁知道一个念头还没转完，突然那落水的孩子就哭起来：“爹，是那个坏人把我推下河的！”说着他抬手一指，就正正地指向了我。

我瞠目结舌，不知道这是怎么回事。

“我也看见了，就是他把哥哥推下河去的！”小姑娘嫩嫩的嗓子，听在我耳中简直是五雷轰顶。

“现在人心肠怎么这样狠毒！”

“小孩子碍到他什么事了？”

“真是瞧不出来，长得这么斯文，却做出这么禽兽的事情！”

“斯文败类！衣冠禽兽！”

“可不能轻饶了他们！”

“对！”

“不能轻饶了他们！”

周围的人一涌而上，七手八脚就来推搡我们。阿渡显然也没闹明白发生了什么事，只是看着我。我太阳穴上青筋一跳一跳，没想到做好人却做成了恶人，太让人愤怒了！

“把孩子送到医馆去，让大夫看看！”

“这得赔钱！无缘无故把人家孩子推下河去，赔钱！”

我说：“明明是我们救了这小孩儿，怎么能青口白牙，硬说是我将他推下去的！”

“不是你推的你救什么？”

我只差没有一口鲜血喷出来，这是……什么歪理？

“我儿子受了这样的惊吓，要请神延医！”

“对！要先请大夫看看，到底伤着没有！”

“这孩子好端端的，哪儿伤着了？再说明明是我救的他……”

“这坏人还嘴硬！不赔钱请大夫也成，我们上衙门去！”

周围的人都在叫：“押他去衙门！”

只听一片吵嚷声："去衙门！"

我怒了，去衙门就去衙门，身正不怕影子斜，有理总说得清。

我们这样一堆人，吵吵闹闹走在街上本来就引人注目，再加上小孩儿的父母，抱着孩子一边走一边哭一边说："快来看看呵……没天理了……把孩子推到河里去，还愣说是自己救了孩子。孩子可不会撒谎……"

于是我和阿渡只差没有成过街老鼠，卖菜的朝我们扔菜皮，路边的闲人也往地上狠狠地啐一口唾沫。幸得阿渡身手好，那些扔菜皮的没一个能扔到我们身上来，但越是这样，我越是怒不可遏。

等进了万年县县衙，我的火气才稍微平了一点点，总会有说理的地方。再说这个地方我还是第一次来，看上去还挺讲究的。京兆尹辖下为长安、万年二县，取长安万年之意，长安县和万年县也因此并称为天下首县。升堂的时候威风八面，先是衙役低声喝威，然后万年县县令才踱着步子出来，慢条斯理地落座，开始询问原告被告姓名。

我这时才知道那对夫妻姓贾，就住在运河岸边，以卖鱼为生。问到我的时候，我自然诌了个假名，自称叫"梁西"，平日在街上瞎逛，我都是用这个名字。只是万年县县令问我以何为业，我张口结舌答不上来，旁边的师爷看我的样子，忍不住插话："那便是无业游民了？"

这倒也差不离，无业游民，我便点了点头。

万年县县令听完了那对夫妻的胡说八道，又问两个小孩，两个小孩异口同声，说是我将哥哥推下去的。万年县县令便不再问他们，转而问我："你识不识水性？"

"不识。"

万年县县令便点了点头，说道："你无故推人下河，差点儿闹出人命，还有什么好说的？”

我气得跳脚：“我明明是看他掉到水里，才去救他。我怎么会把他推下去，我把他推下去做什么？”

万年县县令道：“你不识水性，却去救他，如果不是你推他下去的，你为何要舍命救他？”

我说道：“救人之际，哪容得多想！我看他落到水中，便不假思索去救他，哪顾得上想自己识不识得水性！”

万年县县令说道：“可见胡说八道！人本自私，最为惜命，你与他素不相识，又不识水性，却下水去救他，不是心虚是什么？若不是你推下去的，又何必心虚，既然心虚，那么必是你推下去的无疑！”

我看着他身后“明镜高悬”四个大字，太阳穴里的青筋又开始缓缓地跳动。每跳一下，我就想着捋袖子打架。

万年县县令见我无话可说，便道：“你无故推人下水，害得人家孩子受了不小的惊吓，现在本县判你赔贾家钱十吊，以抚他全家。”

我怒极反笑：“原来你就是这样断案的？”

万年县县令慢吞吞地道：“你觉得本老爷断得不公？”

“当然不公！青天朗朗，明明是我救了此人，你偏听一面之辞，却不肯信我。”

“你一口咬定孩子不是你推下去的，你有何人证物证？”

我看了看阿渡，说道：“这是阿渡，她看着我救人，最后也是她将我和孩子捞起来的。”

万年县县令道：“那便叫他上前回话。”

我忍住一口气，说道：“她不会说话。”

万年县县令哈哈大笑：“原来是个哑巴！”他一笑我便知道要糟，果然阿渡“刷”地就拔出了金错刀，若不是我眼疾手快拉住她，估计她早已经割下了那县令的一双耳朵。阿渡站在那里，对那万年县县令怒目而视，周围的差役却呵斥起来：“公堂之上不得携带利刃！”

阿渡身形一动，并没有挣开我的手，只是刀尖已经如乱雪般轻点数下，旋即收手。她这一下子快如闪电，还没等众人反应过来，万年县大案上那盒红签突然“啵”一声轻响，爆裂开来，里面的红签散落一地，每支签竟然都已经被劈成两半。这签筒里起码插着数十支签，竟然在电光石火的一瞬间，全都被阿渡的刀剖开来，而且每一支都是从正中劈开，不偏不倚。公堂上的众人目瞪口呆，门外瞧热闹的老百姓起哄：“好戏法！”

门里的差役却晓得，这并不是戏法而是刀法。万年县县令吓得一张脸面如土色，却勉强镇定：“来……来人！公堂之上，怎么可以玩弄兵器！”

便有差役壮着胆子上前要夺阿渡的刀，我说道：“你们如果谁敢上前，她要割你们的耳朵我可不拦着。”

万年县县令道：“这里是堂堂的万年县衙，你们这样莫不是要造反？”

我说道：“大人，你冤枉我了。”

万年县县令道：“不想造反便快将刀子交出……”他话音未落，阿渡瞪了他一眼，他便改口道，“快将刀子收起来！”

阿渡把金错刀插回腰间，我想今天我们的祸可闯大了，就是不知该怎么收场。

万年县县令看阿渡把刀收起来了，似乎安心了一点儿，对着师爷使了个眼色，师爷便走下堂来，悄悄地问我：“两位英雄身手了得，不知道投效在哪位大人府上？”

我没大听懂，朝他翻了个白眼：“说明白点！”

师爷耐着性子，压低声音：“我们大人的意思是，两位的身手一看就不同凡响，不知道两位是替哪位大人办事的？”

这下我乐了，原来这万年县县令也是欺软怕硬，我们这么一闹，他竟然以为我们大有来头，八成以为我们是权贵府中养着的游侠儿。我琢磨了一会儿，报李承鄞的名字吧，这个县丞肯定不相信。我灵机一动，有了！

我悄悄告诉他：“我家大人，是金吾将军裴照。”

师爷一脸的恍然大悟，甚至背过身子，暗暗朝我拱了拱手，低声道：“原来是裴大人手下的羽林郎，怪不得如此了得。”

羽林郎那群混蛋，我才不会是跟他们一伙儿的呢！不过这话眼下可不能说，中原有句话说的好：好汉不吃眼前亏。

师爷走回案后去，附在县令耳边叽里咕噜说了一通。

万年县县令的脸色隐隐变得难看起来，最后将惊堂木一拍：“既然是金吾将军的人奉命行事，那么有请裴将军来此，做个公证吧！”

我身子一歪，没想到县令会来这么一招，心想要是裴照今日当值东宫，这事可真闹大了。他如果不来，或者遣个不知道根底的人来，我可惨了，难道说真要在这公堂上打一架，而后逃之夭夭？

后来裴照告诉我，我才知道，万年县县令虽然只是七品官儿，可是因为是天子脚下皇城根前，乃是个最棘手不过的差事。能当这差事的人，都是所谓最滑头的能吏。万年县县令被我们这样一闹，收不了场，听说我是裴照的人，索性命人去请裴照。官场的这些乱七八糟的事，哪怕裴照给我讲上半晌，我也想不明白。

凑巧今天裴照没有当值，一请竟然还真的请来了。

今天裴照没穿甲胄，只是一身武官的制袍。我从来没有看他穿成这样，我从前和他也就是打过几次照面而已，大部分时间都是他在东宫当值，穿着轻甲。所以他走进来的时候，我都没大认得出来他。因为他的样子跟平常太不一样了，斯文得像个翩翩书生似的。

他见着我和阿渡，倒是一点儿也不动声色。万年县县令早就从座位上迎下来，满脸堆笑：“惊动将军，实在是万不得已。”

“听说我的人将一个无辜孩子推下河去，我自然是要来看一看的。”

“是是！将军请上座！”

“这里是万年县县衙，还是请你继续审案，本将军旁听就好。”

“是是！”

万年县县令将原告被告又从头问了一遍。

我觉得真真无趣。

尤其听那县丞说道：“人本自私，最为惜命，你与他素不相识，又不识水性，却下水去救他，不是心虚是什么？若不是你推下去的，又何必心虚，既然心虚，那么必是你推下去的无疑！”

我再次朝他大大地翻了个白眼。

最后还是那俩孩子一口咬定是我把人推下水，而我则断然否认。

万年县县令故意为难地问裴照：“裴将军，您看……”

裴照道：“我可否问那孩子几句话。”

万年县县令道：“将军请便！”

裴照便道：“还请大人将那小女孩先带到后堂去，给她果饼吃，等我问完她哥哥，再教她出来。”

万年县县令自然连声答应，等小女孩被带走，裴照便问那落水的孩子：“你适才说，你蹲在水边玩水，结果这人将你推落河中。”

那孩子并不胆怯，只说：“是。”

“那她是从背后推你？”

“是啊。”

“既然她是从背后将你推下河，你背后又没有眼睛，怎么知道是她推的你而不是旁人？”

那孩子张口结舌，眼珠一转：“我记错了，他是从前面推的我，我是仰面跌下河去的。”

“哦，原来是仰面跌下河。”裴照问完，便转身道，“县令大人，带这孩子去换件衣服吧，他这身上全湿透了，再不换衣，只怕要着凉受病。”

县令便命人将落水的男孩带走，裴照再令人将女孩带到堂前来，指了指我，问道：“你看着这个人把你哥哥推下河去了？”

“就是他！”

“那你哥哥蹲在河边玩，是怎么被她推下去的？”

“就那样推的呀，他推了我哥哥，哥哥就掉河里了。”

裴照问：“她是推的你哥哥的肩膀，还是推的你哥哥的背心？”

小女孩想了片刻，很有把握地说道：“他推我哥哥的背。”

“你可想清楚了？到底是肩膀，还是背心？”

小女孩犹豫了一会儿，说道：“反正不是肩膀就是背，哥哥蹲在那里，他从后头走过去，就将哥哥一把推下去了。”

裴照朝上拱了拱手：“大人，我问完了。两个孩子口供不一，前言不搭后语，疑点甚多，请大人细断。”

万年县县令脸上早已经是红一阵白一阵，连声道：“将军说的是！”连拍惊堂木，命人带了男孩上来，便呵斥他为何撒谎。那男孩起先还抵赖，后来县令威胁要打他板子，他终于哭着说出来，原来他父母住在河边，常做这样的圈套。

他与妹妹自幼水性便好，经常假装落水诓得人去救，等将他们救起来，便一口咬定是被人推下河去的，贾氏夫妻便趁机讹诈钱财，一般救人的人百口莫辩，自认晦气，总会出钱私了。没想到我今天硬气，非得上衙门里来，进衙门贾氏夫妻倒也不怕，因为大半人都觉得小孩子不会撒谎，更不会做出这样荒谬的圈套。

我在一旁，直听得目瞪口呆，没想到世上还有这样的父母，更没想到世上还有这样的圈套。

裴照道："现下真相大白，我的部下无辜救人反倒被诬陷，委实冤枉，大人断清楚了，本将军便要带走这两人了。"

县令脸有愧色，拱手道："将军请便。"

我却道："我还有话说。"

裴照瞧了我一眼，我上前一步，对县令道："你适才说道，人本自私，最为惜命，我与这孩子素不相识，又不识水性，却下水去救他，不是心虚是什么？这句话大大的不对！我舍命救他，是因为他年纪比我小，我以为他失足落水，所以没有多想。爱护弱小，救人危难，原该是所谓正义之道。你自己爱惜性命，却不知道这世上会有人，危难当头不假思索去搭救其他人。你原先那样糊涂断案判我罚钱，岂不教天下好心人齿寒，下次还会有谁挺身而出，仗义救人？我不敢说我做了如何惊天动地的事，但敢说，我无愧于心。告诉你，这次虽然遇上了骗子，下次遇上这样的事情，我还是会先救人！"

我转身往外头走的时候，外头看热闹的百姓竟然拍起巴掌来，还有人朝我叫好。

我满脸笑容，得意扬扬朝着叫好的那些人拱手为礼。

裴照回头瞧了我一眼，我才吐了吐舌头，连忙跟上去。

他原是骑马来的，我一看到他的马儿极是神骏，不由得精神大振："裴将军，这匹马借我骑一会儿。"

出了公堂，裴照就对我很客气了，他说道："公子，这匹马脾气不好，末将还是另挑一匹坐骑给您……"

没等他说完，我已经大大咧咧翻身上马。那马儿抿耳低嘶，极是温驯。裴照微微错愕，说道："公子好手段，这马性子极烈，平常人等闲应付不了，除了末将之外，总不肯让旁人近身。"

“这匹马是我们西凉贡来的。”我拍了拍马脖子，无限爱惜地抚着它长长的鬃毛说道，“我在西凉有匹很好的小红马，现在都该七岁了。”

裴照命人又牵过两匹马，一匹给阿渡，一匹他自己骑。我看他翻身上马的动作，不由得喝了声彩。我们西凉的男儿，最讲究马背上的功夫，裴照这一露，我就知道他是个中好手。

因为街上人多，跑不了马，只能握着缰绳缓缓朝前走。上京繁华，秋高气爽，街上人来人往，裴照原本打马跟在我和阿渡后头，但我的马儿待他亲昵，总不肯走快，没一会儿我们就并辔而行。我叹道：“今天我可是开了眼界，没想到世上还会有这样的父母，还会有这样的圈套。”

裴照淡淡一笑：“人心险恶，公子以后要多多提防。”

“我可提防不了。”我说道，“上京的人心里的圈圈太多了，我们西凉的女孩儿全是一样的脾气，高兴不高兴全露在脸上，要我学得同上京的人一样，那可要了我的命了。”

裴照又是淡淡一笑。

我觉得自己好像有点儿说错话了，于是连忙补上一句：“裴将军，你和他们不一样，你是好人，我看得出来。”

“公子过奖。”

这时候一阵风过，我身上的衣服本来全湿透了，在万年县衙里纠缠了半晌，已经阴得半干，可内衣仍旧还是湿的。被凉风一吹，简直是透心凉，不由得打了个喷嚏。

裴照说道：“前面有家客栈，若是公子不嫌弃，末将替公子去买几件衣服，换上干衣再走如何？这样的天气，穿着湿衣怕是要落下病来。”

我想起阿渡也还穿着湿衣裳，连忙答应了。

裴照便陪我们到客栈去，要了一间上房，过了一会儿，他亲自送了两包衣服进来，说道：“末将把带来的人都打发走了，以免他们看出破绽漏了行迹。两位请便，末将就在门外，有事传唤便是。”

他走出去倒曳上门。阿渡插好了门，我将衣包打开看，从内衣到外衫甚至鞋袜，全是簇新的，叠得整整齐齐。我们换上干衣服之后，阿渡又替我重新梳了头发，这下子可清爽了。

我打开门，招呼了一声：“裴将军。”

门外本是一条走廊，裴照站在走廊那头。一会儿不见，他也已经换了一身寻常的衣裳，束着发，更像是书生了。他面朝着窗外，似乎在闲看街景。听得我这一声唤，他便转过头来，似乎有点儿怔怔地瞧着我和阿渡。

我想他大约在想什么心思，因为他的目光有点儿奇怪。不过很快他就移开了目光，微垂下脸：“末将护送公子回去。”

“我好不容易溜出来，才不要现在回去呢！”我趴到窗前，看着熙熙攘攘的长街，“咱们去喝酒吧，我知道一个地方的烧刀子，喝起来可痛快了！”

“在下职责所在，望公子体恤，请公子还是回去吧。”

“你今天又不当值。所以今天你不是金吾将军，我也不是那什么妃。况且我今天也够倒霉的了，差点儿没被淹死，又差点儿没被万年县那糊涂县令冤枉死。再不喝几杯酒压压惊，那也太憋屈了。”

裴照道：“为了稳妥起见，末将以为还是应当护送您回去。”

我大大地生气起来，伏在窗子上只是懒怠理会他。就在这时候我的肚子咕噜噜响起来，我才想起自己连午饭都没有吃，早饿得前胸贴后背了。裴照可能也听见我肚子里咕咕响，因为他脸红了。本来他是站在离我好几步开外的地方，但窗子里透进的亮光正好照在他的脸上，让我瞧了个清清楚楚。

我从来没看过一个大男人脸红，不由得觉得好生有趣。笑道："裴将军，现在可愿陪我去吃些东西？"

裴照微一沉吟，才道："是。"

我很不喜欢他这种语气，又生疏又见外。也许因为他救过我两次，所以其实我挺感激他的。

我和阿渡带他穿过狭窄的巷子，七拐八弯，终于走到米罗的酒肆。

米罗一看到我，就亲热地冲上来，她头上那些丁丁当当的钗环一阵乱响，脚脖上的金铃更是沙沙有声。米罗搂着我，大着舌头说笑："我给你留了两坛好酒。"

她看到阿渡身后的裴照，忍不住瞟了他一眼，米罗乃是一双碧眼，外人初次见着她总是很骇异。但裴照却仿佛并不震动，后来我一想，裴家是所谓上京的世族，见惯了大场面。上京繁华，亦有胡姬当街卖酒，裴照定然是见怪不怪了。

这酒肆除了酒好，牛肉亦做得好。米罗命人切了两斤牛肉来给我们下酒，刚刚坐定，天忽然下起雨来。

秋雨极是缠绵，打在屋顶的竹瓦上铮铮有声。邻桌的客人乃是几个波斯商人，此时却掏出一枚铁笛来，呜呜咽咽地吹奏起来，曲调极是古怪有趣。和着那丁冬丁冬的檐头雨声，倒有一种说不出的风韵。

米罗听着这笛声，干脆放下酒坛，跳上桌子，赤足舞起来。她身段本就妖娆柔软，和着那乐曲便浑若无骨，极是妩媚。手中金铃足上金铃沙沙如急雨，和着铁笛乐声，如金蛇狂舞。那些波斯商人皆拍手叫起好来，米罗轻轻一跃，却落到了我们桌前，围着我们三个人，婆娑起舞。

自从离了西凉，我还没有这样肆意地大笑过。米罗的动作轻灵柔软，仿佛一条丝带，绕在我的周身，又仿佛一只蝴蝶，翩翩围着我飞来飞去。我学着她的样子，伴着乐声做出种种手势，只是浑没有她的半分轻灵。米罗舞过几旋，阿渡却从怀中摸出一只筚篥塞给我，我心中顿时一喜，和着乐声吹奏起来。

那波斯胡人见我吹起筚篥，尽皆击拍相和。我吹了一阵子，闻到那盘中牛肉的香气阵阵飘来，便将筚篥塞到裴照手里："你吹！你吹！"然后拿起筷子，大快朵颐吃起来。

没想到裴照还真的会吹筚篥，并且吹得好极了。筚篥乐声本就哀婉，那铁笛乐声却是激越，两样乐器配合得竟然十分合拍。起先是裴照的筚篥和着铁笛，后来渐渐却是那波斯胡人的铁笛和着裴照的筚篥。曲调由婉转转向激昂，如同玉门关外，但见大漠荒烟，远处隐隐传来驼铃声声，一队驼队出现在沙丘之上。驼铃声渐摇渐近，渐渐密集大作，突然之间雄关洞开，千军万马摇旌列阵，呐喊声、马蹄声、铁甲撞击声、风声、呼喝声……无数声音和成乐章，铺天盖地般袭卷而至，随着乐声节拍越来越快，米罗亦越舞越快，飞旋似一只金色的蛾子，绕得我眼花缭乱。

那乐声更加苍凉劲越，便如一只雄鹰盘旋直上九天，俯瞰着大漠中的千军万马，越飞越高，越飞越高，大风卷起的尘沙滚滚而来……等我吃得肚儿圆的时候，那只鹰似乎已经飞上了最高的雪山，雪山里雪莲绽放，大鹰展着硕大的翅膀掠过，一根羽毛从鹰翅上坠下，慢慢飘，被风吹着慢慢飘，一直飘落到雪莲之前。那根鹰羽落在雪中，风卷着散雪打在鹰羽之上，雪莲柔嫩的花瓣在风中微微颤抖，万里风沙，终静止于这雪山之巅……

筚篥和铁笛戛然而止，酒肆里静得连外面檐头滴水的声音都听得清清楚楚。米罗伏在桌上不住喘气，一双碧眸似乎要滴出水来，说："我可不能了。"那些波斯商人哄地笑起来，有人斟了一杯酒来给米罗，米罗胸口还在急剧起伏，一口气将酒饮尽了，却朝裴照嫣然一笑："你吹得好！"

裴照并没有答话，只是慢慢用酒将筚篥拭净了，然后递还给我。

我说："真没瞧出来，你竟然会吹这个，上京的人，会这个的不多。”

裴照答：“家父曾出使西域，带回的乐器中有筚篥，我幼时得闲，曾经自己学着吹奏。”

我拍手笑道：“我知道了，你的父亲是骁骑将军裴况。我阿爹和他有过交手，夸他真正会领兵。”

裴照道：“那是可汗谬赞。”

我说道：“我阿爹可不随便夸人，他夸你父亲，那是因为他真的能打仗。”

裴照道：“是。”

他一说“是”，我就觉得无趣起来。好在那些波斯商人又唱起歌儿来，曲调哀伤婉转，极为动人。米罗又吃了一杯酒，知道我们并不能听懂，她便用那大舌头的中原官话，轻声唱给我们听。原来那些波斯胡人唱的是：“其月汤汤，离我故乡，月圆又缺，故乡不见。其星熠熠，离我故土，星河灿烂，故土难返。其风和和，吹我故壤，其日丽丽，照我故园。知兮知兮葬我何山，知兮知兮葬我何方……”

我随着米罗唱了几句，忍不住黯然，听那些波斯胡人唱得悲伤，不觉又饮了一杯酒。裴照微微颔首，说道：“思乡之情，人尽有之。这些波斯胡人如此思念家乡，却为何不回家去呢？”

我叹了口气：“这世上并不是人人同你一般，从生下来就不用离开自己的家乡。他们背井离乡，知有多少不得已。”

裴照沉默了一会儿，看我又斟了一杯酒，不由得道：“公子饮得太多了。”

我慷慨激昂地说：“何以解忧？唯有杜康！”

见裴照似乎很诧异地瞧着我，我伸出了三根手指，说道：“别将我想得太能干，其实我一共就会背三句诗，这是其中的一句。”

他终于笑起来。

米罗卖的酒果然厉害，我饮得太多，走出酒肆的时候都有点儿脚下发虚，像踩在沙漠的积雪上一般。雨还在下，天色渐渐向晚，远处朦胧地腾起团团淡白的雨雾，将漠漠城郭里的十万参差人家，运河两岸的画桥水阁，全都笼进水雾雨意里。风吹着雨丝点点拂在我滚烫的面颊上，顿时觉得清凉舒适。我伸出手来接着琉璃丝似的细雨，雨落在手心，有轻啄般的微痒。远处人家一盏盏的灯，依稀错落地亮起来，那些街市旁的酒楼茶肆，也尽皆明亮起来。而运河上的河船，也挂起一串串红灯笼，照着船上人家做饭的炊烟，袅袅飘散在雨雾之中。

水蒙蒙的上京真是好看，就像是一卷画，我们西凉的画师再有能耐，也想像不出来这样的画，这样的繁华，这样的温润，就像是天上的都城，就像是天神格外眷顾的仙城。这里是天朝的上京，是普天下最盛大最热闹的都会，万国来朝，万民钦慕；可是我知道，我是忘不了西凉的，哪怕上京再美再好，它也不是我的西凉。

裴照一直将我们送到东宫的侧门边，看着我们隐入门内，他才离去。我觉得自己酒意沉突，这时候酒劲都翻上来了，忍不住恶心想吐。阿渡轻轻拍着我的后背，我们在花园里蹲了好一会儿，被风吹得清醒了些，才悄悄溜回殿中去。

一进殿门，我就傻了，因为永娘正等在那里。她见着我，也不责备我又溜出去逛街，亦不责备我浑身酒气，更不责备我又穿男装，只是沉着一张脸，问道："太子妃可知，宫中出事了？"

我不由得问："出了什么事？"

"绪娘的孩子没有了。"

我吓了一跳，永娘脸上还是一点儿表情都没有，只是说道："奴婢擅自作主，已经遣人去宫中抚慰绪娘。但是皇后只怕要传太子妃入宫问话。"

我觉得不解："皇后要问我什么？"

“中宫之主乃是皇后，凡是后宫出了事，自然由皇后做主。东宫内廷之主乃是太子妃，现在东宫内廷出了事，皇后自然要问过太子妃。”

我都从来没有见过那个绪娘，要问我什么啊？

可是永娘说的话从来有根有据，她说皇后要问我，那么皇后肯定会派人来传召我。现在我这副样子，怎么去见皇后？我急得直跳脚：“快！快！我要洗澡！再给我煎一碗浓浓的醒酒汤！”

宫娥们连忙替我预备，我从来没这么性急地冲进浴室，看着热水预备齐了，便立时跳进浴桶，将自己浸在水中。永娘看着我乱了阵脚，忍不住道：“太子妃如果平时谨守宫规，怎么会弄到临时抱佛脚？”

“临时抱佛脚”这句话真妙，我从来没觉得永娘说话这么有趣。我说道：“那些劳什子宫规，天天守着可要把人闷煞，临时抱佛脚就临时抱佛脚，佛祖啊他会看顾我的。”

永娘还板着一张脸，可是我知道她已经要忍不住笑了，于是从浴桶中伸出湿淋淋的手，拉了拉她的衣角：“永娘，我知道你是好人，你平日多多替我向佛祖说些好话，我先谢过你就是！”

“阿弥陀佛！佛祖岂是能用来说笑的！”永娘双掌合十，“真是罪过罪过！”她虽然嘴上这样说，可是早绷不住笑了，亲自接过宫娥送上的醒酒汤，“快些喝了，凉了更酸。”

醒酒汤确实好酸，我捏着鼻子一口气灌下去。永娘早命人熏了衣裳，等我洗完澡换好衣服，刚刚重新梳好发髻，还没有换上钗钿礼服，皇后遣来的女官就已经到了东宫正门。

我叫永娘闻闻，我身上还有没有酒气。永娘很仔细地闻了闻，又替我多多地喷上了些花露，再往我嘴里放一颗清雪香丸。那丸子好苦，但吃完之后果然吐气如兰，颇有奇效。

此次皇后是宣召李承鄞和我两人。

我好多天没见李承鄞，看他倒好像又长高了一点儿，因为要入宫去，所以他戴着进德冠，九琪，加金饰，穿着常服。不过他瞧也没瞧我一眼，就径自上了辇车。

见到皇后我才知道发生了什么事情，原来绪娘突然腹痛，御医诊断为误食催产之物。皇后便将所有侍候绪娘的人全都扣押起来，然后所有食物饮水亦封存，由掖庭令一一严审。最后终于查出是在粟饭之中投了药，硬把胎儿给打下来了。皇后自然震怒，下令严审，终于有宫人吃不住掖庭的刑罚，供认说是受人指使。

皇后的声音仍旧温和从容："我将绪娘接到宫里来，就是担心她们母子有什么闪失，毕竟这是东宫的第一个孩子。没想到竟然就在宫里，就在我的眼皮底下还被暗算，我朝百余年来，简直没有出过这样的事情！"

她虽然语气温和，可是用词严厉，我从来没听过皇后这样说话，不由得大气都不敢出。殿中所有人也同我一样，屏息静气。皇后道："你们晓得，那宫人招供，是谁指使了她？"

我看看李承鄞，李承鄞却没有看我，只淡淡地道："儿臣不知。"

皇后便命女官："将口供念给太子、太子妃听。"

那女官念起宫人的口供，我听着听着就懵了，又听了几句，便忍不住打断："皇后，这事不是我干的！我可没让人买通了她，给绪娘下药。"

皇后淡淡地道："眼下人证物证俱在，你要说不是你干的，可得有证据。"

我简直要被冤枉死了，我说："那我为什么要害她呢？我都不认识她，从前也没见过她，再说她住在宫里，我连她住在哪儿都不知道……"

我简直太冤了！莫名其妙就被人这样诬陷。

皇后问李承鄞："鄞儿，你怎么看？"

李承鄞终于瞧了我一眼，然后跪下："但凭母后圣断。"

皇后道："太子妃虽然身份不同，又是西凉的公主，但一时糊涂做出这样的事来，似乎不宜再主持东宫。"

李承鄞并不做声。

我气得浑身发抖："这事不是我干的，你们今日便杀了我，我也不会认！至于什么东宫不东宫，老实说我也不在乎，但我绝不会任你们这样冤枉！"

皇后道："口供可在这里。鄞儿，你说呢？"

李承鄞道："但凭母后圣断。"

皇后微微一笑，说道："一日夫妻百日恩，你就一点儿也不念及你们夫妻的恩情？"

李承鄞低声道："儿臣不忍。不过国有国法，家有家规，儿臣不敢以私情相徇。"

皇后点点头，说道："甚好，甚好。国有国法，家有家规，这句话，甚好。"她脸上的笑意慢慢收敛，吩咐女官，"将赵良娣贬为庶人，即刻逐出东宫！"

我大吃一惊，李承鄞的神情更是如五雷轰顶："母后！"

"刚才那口供，确实不假，不过录完这口供之后，那宫人就咬舌自尽了。别以为人死了就死无对证，掖庭办事确实用心，继续追查下去，原来这宫人早年前曾受过赵家的大恩。她这一死，本该株连九族，不过追查下来，这宫人并无亲眷，只有一个义母。现在从她家地窖里，搜出官银一百锭，这一百锭银子是官银，有铸档可查……再拘了这义母用刑，供出来是赵良娣曾遣人到她家中去过。这赵良娣好一招一石二鸟，好一招移祸江东。用心这样毒，真是可恨。再纵容她下去，真要绝了我皇家的嗣脉！"

我还没想明白过来她的话到底是什么意思，李承鄞已经抢先道："母后请息怒，儿臣想，这中间必然是有人构陷赵良娣，应当命人慢慢追查。请母后不要动气，伤了身体。"

他这话不说倒还好，一说更如火上浇油。

“你简直是被那狐媚子迷晕了头！那个赵良娣，当初就因为绪娘的事哭哭闹闹，现在又买通了人来害绪娘！还栽赃嫁祸给太子妃，其心可诛！”

李承鄞连声道：“母后息怒，儿臣知道，赵良娣断不会是那样的人，还请母后明查。”

“明查什么？绪娘肚子里的孩子碍着谁了？她看得眼中钉肉中刺一般！这样的人在东宫，是国之祸水！”皇后越说越怒，“适才那宫人的口供提出来，你并无一字替太子妃辩解，现在告诉你真相，你就口口声声那狐媚子是冤枉的。你现在是太子，将来是天子，怎可以如此偏袒私情！这般处事怎么了得！这种祸水非杀不可，再不杀掉她，只怕将来要把你迷得连天下都不要了！”

李承鄞大惊失色，我也只好跪下去，说道：“母后请息怒，赵良娣想必也是一时糊涂，如果赐死赵良娣，只怕……只怕……”后面的话我可想不出来怎么说，李承鄞却接上去：“母后三思，赵良娣的父兄皆在朝中，又是父皇倚重的重臣，请母后三思。”

皇后冷笑：“你适才自己说的！国有国法，家有家规，你不敢以私情相徇！”

李承鄞面如死灰，只跪在那里，又叫了一声：“母后。”

皇后道：“东宫的事，本该由太子妃做主，我越俎代庖，也是不得已。这样的恶人，便由我来做吧。”便要令女官去传令。我见事情不妙，抱住皇后的双膝：“母后能不能让我说句话？既然母后说，东宫的事情由我做主，我知道我从来做得不好，但今日请母后容我说句话。”

皇后似乎消了一点儿气，说道：“你说吧。”

“殿下是真心喜欢赵良娣，如果母后赐死赵良娣，只怕殿下一辈子也不会快活了。”我一着急，话也说得颠三倒四，“儿臣与殿下三年夫妻，虽然不得殿下喜欢，可是我知道，殿下绝不能没有赵良娣。如果没有赵良娣，殿下更不会喜欢我。还有，好多事情我做不来，都是赵良娣替我，东宫的那些账本儿，我看都看不懂，都是交给赵良娣在管，如果没有赵良娣，东宫不会像现在这样平平顺顺……”

我一急更不知道该怎么说，回头叫永娘：“永娘，你说给皇后听！”

永娘恭敬地道：“是。”她磕了一个头，说道，“娘娘，太子妃的意思是，赵良娣侍候太子多年，纵没有功劳，也有苦劳。而且良娣平日待人并无错处，对太子妃也甚是尊敬，又一直辅佐太子妃管理东宫，请娘娘看在她是一时糊涂，从轻发落了吧。”

皇后慢慢地说道：“这个赵良娣，留是留不得了，再留着她，东宫便要有大祸了。当初在太子妃册立大典上，皇上曾说，如此佳儿佳妇，实乃我皇家之幸。可惜你们成婚三年，却没有一点子息上的动静，现在又出了绪娘的事，真令我觉得烦恼。”

李承鄞眼睛望着地下，嘴里却说：“是儿子不孝。”

皇后说道：“你若是真有孝心，就多多亲近太子妃，离那狐媚子远些。”

李承鄞低声道：“是。”

我还要说什么，永娘从后面拉了拉我的裙角，示意我不要多言。李承鄞嘴角微动，但亦没有再说话。

皇后说道：“都起来吧。”

但李承鄞还跪在那里不动，我也只好不起来。

皇后并不瞧他，只是说：“绪娘的事你不要太难过，毕竟你们还年轻。”

李承鄞没说什么，我想他才不会觉得有什么难过的呢，如果真的难过，那一定是因为赵良娣。

皇后又道："绪娘瞧着也怪可怜的，不如封她为宝林吧。"

李承鄞似乎心灰意冷："儿臣不愿……儿臣还年轻，东宫多置媵妾，儿臣觉得不妥。"

我知道他答应过赵良娣，再不纳别的侍妾，所以他才会这样说。果然皇后又生气了，说道："你是将来要做皇帝的人，怎么可以这样不解事。"

皇后对我说："太子妃先起来，替我去看看绪娘，多安慰她几句。"

我便是再笨，也知道她是要支开我，好教训李承鄞。于是站起身来，向她行礼告退。

小黄门引着我到绪娘住的地方去，那是一处僻静宫苑，我第一次见到了那个叫绪娘的女子。她躺在床上，满面病容，但是仍旧可以看出来，她原本应该长得很漂亮。侍候她的宫人说道："太子妃来了。"她还挣扎着想要起来，跟在我身后的永娘连忙走过去，硬将她按住了。

我也不晓得怎么安慰她才好，只得对她重复皇后说过的话："你不要太难过，毕竟你还年轻。"

绪娘垂泪道："谢太子妃，奴婢福薄，现在唯望一死。"

我讪讪地说："其实……干吗总想死呢，你看我还不是好好的……"

我听到永娘咳嗽了一声，便知道自己又说错了话。于是我问："你想吃什么吗？我可以教人做了送来。"上次我病了的时候，皇后遣人来看视，总问我想不想吃什么，可缺什么东西。其实东宫里什么没有呢？大约就是用这话来表示特别的慰问吧。我不知道应该要怎么安慰病人，只好依样画葫芦。

绪娘道："谢太子妃。"

我看着她的样子，凄凄惨惨的，好似万念俱灰。最后还是永娘上前，说了一大篇话，来安慰她。绪娘只是不断拭泪，最后我们离开的时候，她还在那里哭。

我们回到中宫的时候，皇后已经命人来起草宝林的诏册了，李承鄞的脸色看上去很难看，皇后正说道："东宫应和睦为宜，太子妃一团孩子气，许多地方照应不到，多个人帮她，总是好的。"她抬头见我正走进来，便向我招手示意，我走过去向她行礼，她没有让身后的女官搀扶我，而是亲自伸出胳膊搀起了我，我简直受宠若惊。每次皇后总是雍容端庄，甚少会这般亲昵地待我。

"那个赵良娣，死罪可免，活罪难饶。"皇后淡淡地说，"就将她贬为庶人，先幽闭三个月，不得出门，太子亦不得去探视，否则我便下旨将她逐出东宫。"

我看到李承鄞的眼角跳了跳，但他仍旧低着头，闷闷地说了声："是。"

一出中宫，李承鄞就打了我一巴掌，我没提防，被他这突如其来的一下子都打懵了。

阿渡跳起来拔刀，"刷"一下子已经将锋利的利刃横在他颈中，永娘吓得大叫："不可！"没等她再多说什么，我已经狠狠甩了李承鄞一巴掌。虽然我不会武功，可是我也不是好惹的。既然他敢打我，我当然得打还回去！

李承鄞冷笑："今日便杀了我好了！"他指着我说，"你这个恶毒的女人，我知道是你！是你做成的圈套，既除去绪娘肚子里的孩子，又诬陷了瑟瑟！"

我气得浑身发抖，说道："你凭什么这样说？"

"你成天就会在母后面前装可怜、装天真、装作什么都不懂！别以为我不晓得，你在母后面前告状，说我冷落你。你嫉妒瑟瑟，所以才使出这样的毒计来诬陷她，你简直比这世上所有的毒蛇还要毒！现在你可称心如意了，硬生生要赶走瑟瑟，活活地拆散我们！如果瑟瑟有什么事，我是绝不会放过你的，我告诉你，只要我当了皇帝，我马上就废掉你！”

我被他气昏了，我推开阿渡，站在李承鄞面前：“那你现在就废掉我好了，你以为我很喜欢嫁给你么？你以为我很稀罕这个太子妃么？我们西凉的男儿成千上万，个个英雄了得，没一个像你这样的废物！你除了会念诗文，还会什么？你射箭的准头还不如我呢！你骑马的本事也还不如我呢！如果是在西凉，像你这样的男人，连老婆都娶不到，谁会稀罕你！”

李承鄞怒气冲冲地拂袖而去。

我的心里一阵阵发冷，三年来我们吵来吵去，我知道他不喜欢我，可是我没想到他会这样恨我，讨厌我，不惜用最大的恶意来揣测我。永娘将我扶上辇车，低声地安慰我说：“太子是因为赵良娣而迁怒于太子妃，太子妃不要放在心上。”

我知道啊，我当然知道，他是因为觉得赵良娣受了不白之冤，所以一口气全出在我身上。可是我真的什么都没有做过，凭什么他要迁怒于我？

他说我嫉妒赵良娣，我是有一点嫉妒她，我就是嫉妒有人对她好，好到任何时候任何事，都肯相信她，维护她，照应她。可是除了这之外，我都不嫉妒别的，更不会想到去害她。

赵良娣看上去和和气气的，来跟我玩叶子牌的时候，我觉得她也就是个很聪明的女人罢了，怎么会做出这样残忍的事情？而且我可不觉得皇后这是什么好法子，绪娘看上去柔柔弱弱的，即使封了宝林，李承鄞又不喜欢她，在东宫只是又多了一个可怜人罢了。

晚上的时候，我想这件事想得睡不着，只得干脆爬起来问阿渡：“你瞧赵良娣像坏人吗？”

阿渡点了点头，却又摇了摇头。

“中原的女孩儿想什么，我一点儿也闹不明白。咱们西凉的男人虽然也可以娶几个妻子，可是如果大家合不来，就可以再嫁给别人。”

阿渡点了点头。

“而且李承鄞有什么好的啊，除了长相还看得过去，脾气那么坏，为人又小气……”我躺下去，“要是让我自己选，我可不要嫁给他。”

我说的是真心话，如果要让我自己选，我才不会让自己落到这么可怜的地步。他明明有喜欢的人了，我却不得不嫁给他，结果害得他讨厌我，我的日子也好生难过。现在赵良娣被幽禁，李承鄞恨透了我，我才不想要一个恨透我的丈夫。

如果要让我自己选，我宁可嫁给一个寻常的西凉男人，起码他会真心喜欢我，骑马带着我，同我去打猎，吹筚篥给我听，然后我要替他生一堆娃娃，一家人快快活活地过日子……

可是这样的日子，我知道永远都只会出现在梦里了。

阿渡忽然拉住我的手，指了指窗子。

我十分诧异，推开窗子，只见对面殿顶的琉璃瓦上，坐着一个人。

那人一袭白衣，坐在黑色琉璃瓦上，十分醒目。

我认出这个人来，又是那个顾剑！

我正犹豫要不要大喊一声“有刺客”，他突然像只大鸟儿一般，从大殿顶上一滑而下，如御风而行，轻轻巧巧就落在了我窗前。

我瞪着他：“你要做什么？”

他并没有答话，只是盯着我的脸。我知道我的脸还有点儿肿，回到东宫之后，永娘拿煮熟的鸡子替我滚了半晌，脸颊上仍旧有个红红的指印，消不下去。不过我也没吃亏，我那一巴掌肯定也把李承鄞的脸打肿了，因为当时我用尽了全力，震得我自己手掌都发麻了。

他的声音里有淡淡的情绪，似乎极力压抑着什么：“谁打你？”

我摸了摸脸颊，说道：“没事，我已经打回去了。”

他执意追问：“是谁？”

我问：“你问了干吗？”

他脸上还是没有任何表情：“去杀他。”

我吓了一跳，他却又问：“你既然是太子妃，谁敢打你？是皇帝？是皇后？还是别的人？”

我摇了摇头，说道：“你别问了，我不会告诉你的。”

他却问我：“你肯同我一起走么？”

这个人真是个怪人，我摇了摇头，便要关上窗子，他伸手挡住窗扇，问我：“你是不是还在生我的气？”

我觉得莫名其妙：“我为什么要生气？”

“三年前的事情，你难道不生气么？”

我很认真地告诉他：“我真的不认识你，你不要再半夜到这里来，说些莫名其妙的话。这里是东宫，如果你被人发现，会被当成刺客乱箭射死的。”

他傲然一笑：“东宫？就算是皇宫，我还不是想进就进，想出就出，谁能奈我何？”

我瞪着他，这人简直狂妄到了极点，不过以他的武功，我估计皇宫对他而言，还真是想进就进，想出就出。我叹了口气：“你到底要做什么？”

“我就是来看看你。”他又问了一遍，“你肯同我一起走么？”

我摇了摇头。

他显得很生气，突然抓住了我的手：“你在这里过得一点儿也不快活，为什么不肯同我走？”

“谁说我过得不快活了？再说你是谁，干吗要管我过得快不快活？”

他伸出手来拉住我，我低喝：“放手！”阿渡抢上来，他只轻轻地挥一挥衣袖，阿渡便踉踉跄跄倒退数步，不等阿渡再次抢上来，他已经将我一拉，我只觉得身子一轻，已经如同纸鸢般被他扯出窗外。他轻功极佳，携着我好似御风而行，我只觉风声从耳畔不断掠过，不一会儿脚终于踏到实处，却是又凉又滑的琉璃瓦。他竟然将我掳到了东宫正殿的宝顶之上，这里是东宫地势最高的地方，放眼望去，沉沉宫阙，连绵的殿宇，斗拱飞檐，琉璃兽脊，全都静静地浸在墨海似的夜色中。

我摔开他的手，却差点儿滑倒，只得怒目相向：“你到底要做什么？”

他却指着我们脚下的大片宫阙，说道：“小枫，你看看，你看看这里，这样高的墙，四面围着，就像一口不见天日的深井，怎么关得住你？”

我很不喜欢他叫我的名字，总让我有一种不舒服的感觉，我说道：“那也不关你的事。”

他说道：“到底要怎么样，你才肯同我一起走？”

我朝他翻了个白眼：“我是绝不会跟你走的，你别以为自己武功高，我要是吵嚷起来，惊动了羽林军，万箭齐发一样将你射成个刺猬。”

他淡淡地一笑，说道：“你忘了我是谁么？我但有一剑在手，你就是把整个东宫的羽林军都叫出来，焉能奈何我半分？”

我差点儿忘了，这个人狂傲到了极点。于是我灵机一动，大拍他的马屁：“你武功这么高，是不是天下无敌，从来都没有输给过别人？”

他忽然笑了笑，说道：“你当真一点儿也不记得了么？三年前我比剑输给你。”

我惊得下巴都要掉下来了，指了指自己的鼻尖，抖了抖：“你？输给我？”这话也太惊悚了，我半点儿武功都不会，他只要动一动小手指头，便可以将我掀翻在地，怎么会比剑时输给我？我连剑是怎么拿的都不太会。

“是啊。”他气定神闲，似乎再坦然不过，“我们那次比剑，赌的便是终身。我输给你，我便要做你的丈夫，一生爱护你，怜惜你，陪伴你。”

我嘴巴张得一定能吞下个鸡蛋，不由得问：“那次比剑如果是我输了呢？”

“如果那次是你输了，你自然要嫁给我，让我一生爱护你，怜惜你，陪伴你。”

我又抖了抖，大爷，玩人也不是这么玩儿的。

他说道：“我可没有让着你，但你一出手就抢走了我的剑，那一次只好算我输给你。”

我能抢走他的剑？打死我也不信啊！

我快刀斩乱麻：“反正不管那次谁输谁赢，总之我不记得曾有过这回事，再说我也不认识你，就凭你一张嘴，我才不信呢。”

他淡淡一笑，从袖中取出一对玉佩，说道：“你我约定终身的时候，曾将这对鸳鸯佩分为两半，我这里有一只鸳佩，你那里有一只鸯佩。我们本来约好，在六月十五月亮正圆的时候，我在玉门关外等你，我带你一同回我家去。”

我瞧着他手中的玉佩，西凉本就多胡商，离产玉的和阗又不远，所以我见过的玉饰，何止千千万万。自从来了上京，东宫里的奇珍异宝无数，可是我见过所有的玉，似乎都没有这一对玉佩这般白腻，这般温润。上好的羊脂玉温腻如凝脂，在月色下散发着淡淡的光芒。

“这对玉佩我没有见过。”我突然好奇起来，“你不是说我们约好了私奔，为什么后来没一起走？”

他慢慢地垂下手去，忽然低声道：“是我对不住你。那日我突然有要紧事，所以没能去关外等你。等我赶到关外，离咱们约好的日子已经过去三天三夜，我到了约好的地方，只见这块玉佩落在沙砾之中，你早已经不知所踪……"

我歪着脑袋瞧着他，他的样子倒真不像是说谎，尤其他说到失约之时，脸上的表情既沉痛又怅然，似乎说不出的懊悔。

我觉得他说的这故事好生无趣："既然是你失约在先，还有什么好说的，这故事一点儿意思都没有。我从前真的不认识你，想必你是认错了人。"

我转身看了看天色："我要回去睡觉了。还有，你以后别来了，被人瞧见会给我惹麻烦，我的麻烦已经够多的了。"

他凝视着我的脸，瞧了好一会儿，问我："小枫，你是在怪我么？"

"我才没闲工夫怪你呢！我真的不认识你。"

他半晌不做声，最后终于长长叹了口气，从怀中掏出一只鸣镝，对我说道："你若是遇上危险，将这个弹到空中，我自然会来救你。"

我有阿渡在身边，还会遇上什么危险？我不肯要他的鸣镝，他硬塞给我。仍旧将我轻轻一揽，不等我叫出声来，几个起落，已经落到了地上。他将我送回寝殿之中，不等我转身，他已经退出了数丈开外。来去无声，一瞬间便又退回殿顶的琉璃瓦上，远远瞧了我一眼，终于掉头而去。

我把窗子关上，随手将鸣镝交给阿渡，我对阿渡说："这个顾剑虽然武功绝世，可人却总是神神叨叨，硬说我从前认得他。如果我从前真的认得他，难道我自己会一点儿也不记得吗？"

阿渡瞧着我，目光里满是温柔的怜悯，我不懂她为什么要这样看着我。我叹了口气，重新躺回床上，阿渡又不会说话，怎么能告诉我，这个顾剑到底是什么人。

大概是今天晚上发生了太多的事情，我睡得不好，做起了乱梦。在梦里有人低低吹着筚篥，我想走近他，可是四处都是浓雾，我看不清吹筚篥人的脸，他就站在那里，离我很近，可是又很远。我心里明白，只走不近他。我徘徊在雾中，最后终于找到他，正待朝他狂喜地奔去，突然脚下一滑，跌落万丈深渊。

绝望瞬间涌上，突然有人在半空接住了我，呼呼的风从耳边掠过，那人抱着我，缓缓地向下滑落……他救了我，他抱着我在夜风中旋转……旋转……慢慢地旋转……满天的星辰如雨点般落下来……天地间只有他凝视着我的双眼……

那眼底只有我……

我要醉了，我要醉去，被他这样抱在怀里，就是这个人啊……我知道他是我深深爱着，他也深深爱着我的人，只要有他在，我便是这般的安心。

醒来的时候天已经亮了，我曾经无数次地做过这个梦，但每次醒来，都只有怅然。因为我从来没有看清楚，梦里救我那个人的脸，我不知道他是谁，每当我做这样的梦时，我总想努力看清他的脸，但一次也没有成功过，这次也不例外。我翻了个身，发现我的枕头上放着一枝芬芳的花，犹带着清凉的露水。我吓了一跳，阿渡就睡在我床前，几乎没人可以避开她的耳目，除了那个顾剑。我连忙起来推开窗子，哪里还有穿白袍的身影，那个顾剑早就不知所踪。

我把那枝花插到花瓶里，觉得心情好了一点儿，可是我的好心情没有维持多久，因为永娘很快来告诉我说，昨天李承鄞喝了一夜的酒，现在酩酊大醉，正在那里大闹。

我真瞧不起这男人，要是我我才不闹呢，我会偷偷溜去看赵良娣，反正她还活着，总能想得到办法可以两个人继续在一起。留得青山在，不怕没柴烧。

我告诉永娘，不要管李承鄞，让他醉死好了。

话虽然这样说，李承鄞一连三天，每天都喝得酩酊大醉，到了第四天，终于生病了。

他每次喝醉之后，总把所有宫人内官全都轰出殿外，不许他们接近。所以醉后受了风寒，起先不过是咽痛咳嗽，后来就发起高烧来。我住的地方同他隔着大半个东宫，消息又不灵通，等我知道的时候，他已经病得很厉害了，但宫中还并不知情。

“殿下不愿吃药，亦不愿让宫里知道。”永娘低声道，“殿下为了赵良娣的事情，还在同皇后娘娘怄气。”

我只觉得又好气，又好笑：“那他这样折腾自己，就算是替赵良娣报仇了吗？”

永娘道：“殿下天性仁厚，又深得陛下与皇后娘娘的宠爱，未免有些……”她不便说李承鄞的坏话，说到这里，只是欲语又止。

我决定去看看李承鄞，省得他真的病死了，他病死了不打紧，我可不想做寡妇。

李承鄞病得果然厉害，因为我走到他床前他都没发脾气，以往我一进他的寝殿，他就像见到老鼠似的要逐我出去。宫女替我掀开帐子，我见李承鄞脸上红得像煮熟的螃蟹似的，说到吃螃蟹，我还曾经闹过笑话，没到上京之前，我从来没见过螃蟹。第一年重九的时候宫中赐宴，其中有一味蒸蟹，我看着红彤彤的螃蟹根本不知道怎么下嘴。李承鄞为这件事刻薄我好久，一提起来就说我是连螃蟹都没见过的西凉女人。

我伸手摸了摸李承鄞的额头，滚烫滚烫的。

我又叫了几声：“李承鄞！”

他也不应我。

看来是真的烧昏了，他躺在那儿短促地喘着气，连嘴上都烧起了白色的碎皮。

我正要抽回手，他突然抓住了我的手，他的手心也是滚烫滚烫的，像烧红了的铁块。他气息急促，却能听见含糊的声音：

“娘……娘……”

他并没有叫母后，从来没听见过他叫“娘”。皇后毕竟是皇后，他又是储君，两个人说话从来客客气气。现在想想皇后待他也同待我差不多，除了“平身”“赐座”“下去吧”，就是长篇大论引经据典地教训他。

我觉得李承鄞也挺可怜的。

做太子妃已经很烦人了，这也不让，那也不让，每年有无数项内廷的大典，穿着翟衣戴着凤冠整日下来常常累得腰酸背疼。其实皇后还特别照顾我，说我年纪小，又是从西凉嫁到上京，所以对我并不苛责。而做太子比做太子妃烦人一千倍一万倍，光那些书本儿我瞧着就头疼，李承鄞还要本本都能背。文要能诗会画，武要骑射俱佳，我想他小时候肯定没有我过得开心，学那么多东西，烦也烦死了。

我抽不出来手，李承鄞握得太紧，这时候宫人端了药来，永娘亲自接过来，然后低声告诉我：“太子妃，药来了。”

我只好叫：“李承鄞！起来吃药了！”

李承鄞并不回答我，只是仍旧紧紧抓着我的手。永娘命人将床头垫了几个枕头，然后让内官将李承鄞扶起来，半倚半靠在那里。永娘拿着小玉勺喂他药，但他并不能张开嘴，喂一勺，倒有大半勺顺着他的嘴角流下去。

我忍无可忍，说道：“我来。”

我右手还被李承鄞握着，只得左手端着药碗，我回头叫阿渡：“捏住他鼻子。”阿渡依言上前，捏住李承鄞的鼻子，他被捏得出不来气，过了一会儿就张开嘴，我马上顺势把整碗药灌进他嘴里。他鼻子被捏，只能咕咚咕咚连吞几口，灌得太急，呛得直咳嗽起来，眼睛倒终于睁开了：“烫……好烫……”

烫死也比病死好啊。

我示意阿渡可以松手了，李承鄞还攥着我的手，不过他倒没多看我一眼，马上就又重新阖上眼睛，昏沉沉睡过去。

永娘替我拿了绣墩来，让我坐在床前。我坐了一会儿，觉得很不舒服。因为胳膊老要伸着，我叫阿渡将绣墩搬走，然后自己一弯腰干脆坐在了脚踏上。这样不用佝偻着身子，舒服多了，可是李承鄞一直抓着我的手，我的胳膊都麻了。我试着往外抽手，我一动李承鄞就攥得更紧，阿渡“刷”地抽出刀，在李承鄞手腕上比划了一下，我连忙摇头，示意不可。如果砍他一刀，他父皇不立刻怒得发兵攻打西凉才怪。

我开始想念赵良娣了，起码她在的时候，我不用照顾李承鄞，他就算病到糊涂，也不会抓着我的手不放。

一个时辰后我的手臂已经麻木得完全没了知觉，我开始琢磨怎么把赵良娣弄出来，让她来当这个苦差。

两个时辰后我半边身子都已经麻木得完全没了知觉，我实在是忍不住了，小声叫永娘。她走上前来低头聆听我的吩咐，我期期艾艾地告诉她：“永娘……我要解手……”

永娘马上道：“奴婢命人去取恭桶来。”

她径直走出去，我都来不及叫住她。她已经吩咐内官们将围屏拢过来，然后所有人全退了出去，寝殿的门被关上了，我却痛苦地将脸皱成一团：“永娘……这可不行……”

“奴婢侍候娘娘……”

我要哭出来了：“不行！在这儿可不行！李承鄞还在这儿呢……”

“太子殿下又不是外人……何况殿下睡着了。”永娘安慰我说，“再说殿下与太子妃是夫妻，所谓夫妻，同心同体……”

我可不耐烦听她长篇大论，我真是忍无可忍了，可是要我在李承鄞面前，要我在一个男人面前……我要哭了，我真的要哭了……

“永娘你想想办法……快想想办法！”

永娘左思右想，我又不断催促她，最后她也没能想出更好的法子来，而我实在忍不住了，只得连声道："算了算了，就在这里吧，你替我挡一挡。"

永娘侧着身子挡在我和李承鄞之间，不过因为李承鄞拉着我的手，她依着宫规又不能背对我和李承鄞，所以只挡住一小半。我心惊胆颤地解衣带，不停地探头去看李承鄞，阿渡替我帮忙解衣带，又帮我拉开裙子。

我一共只会背三句诗，其中一句在裴照面前卖弄过，就是那句："何以解忧，唯有杜康。"

还有一句则是"大弦嘈嘈如急雨，小弦切切如私语，嘈嘈切切错杂弹，大珠小珠落玉盘"。为什么我会背这句诗呢？因为当初学中原官话的时候，这句诗特别绕口，所以被我当绕口令来念，念来念去就背下来了。

大弦嘈嘈如急雨，小弦切切如私语，嘈嘈切切错杂弹，大珠小珠落玉盘……果然……一身轻啊一身轻……真舒坦。

正当我一身轻快不无得意，觉得自己能记住这么绕口的诗，简直非常了不起的时候，李承鄞突然微微一动，就睁开了眼睛。

"啊！"

我尖声大叫起来。

阿渡顿时跳起来，"刷"一下就拔出刀，永娘被我这一叫也吓了一跳，但她已经被阿渡一把推开去，阿渡的金错刀已经架在了李承鄞的脖子上。我手忙脚乱一边拎着衣带裙子一边叫："不要！阿渡别动！"

我飞快地系着腰带，可是中原的衣裳啰里啰唆，我本来就不怎么会穿，平常又都是尚衣的宫女帮我穿衣，我一急就把腰带给系成了死结，顾不上许多马上拉住阿渡："阿渡！不要！他就是吓了我一跳。"

阿渡收回刀，李承鄞瞪着我，我瞪着李承鄞，他似乎还有点儿恍惚，目光呆滞，先是看后面的围屏，然后看呆若木鸡的永娘，然后看床前的恭桶，然后目光落在他还紧捏着的我的手，最后看着我腰里系得乱七八糟的那个死结，李承鄞的嘴角突然抽搐起来。

我的脸啊……丢尽了！三年来不论吵架还是打架，我在李承鄞面前从来都没落过下风，可是今天我的脸真是丢尽了。我气愤到了极点，狠狠地道："你要是敢笑，我马上叫阿渡一刀杀了你！"

他的嘴角越抽越厉害，越抽越厉害，虽然我狠狠盯着他，可是他终于还是放声大笑起来。他笑得开心极了，我还从来没见他这样笑过，整个寝殿都回荡着他的笑声。我又气又羞，夺过阿渡手里的刀。永娘惊呼了一声，我翻转刀用刀背砍向李承鄞："你以为我不敢打你么？你以为你病了我就不敢打你？我告诉你，要不是怕你那个父皇发兵打我阿爹，我今天非砍死你不可！"

永娘想要上前来拉我，但被阿渡拦住了，我虽然用的是刀背，不过砍在身上也非常痛。李承鄞挨了好几下，一反常态没有骂我，不过他也不吃亏，便来夺我的刀。我们两个在床上打作一团，我手中的金错刀寒光闪闪，劈出去呼呼有声，永娘急得直跳脚："太子妃，太子妃，莫伤了太子殿下！殿下，殿下小心！"

李承鄞用力想夺我的刀，我百忙中还叫阿渡："把永娘架出去！"

不把她弄走，这架没法打了。

阿渡很快就把永娘弄走了，我头发都散了，头上的一枚金凤钗突然滑脱，勾住我的鬓发。就这么一分神的工夫，李承鄞已经把我的刀夺过去了。

我勃然大怒，扑过去就想把刀夺回来。李承鄞一骨碌就爬起来站在床上，一手将刀举起来，他身量比我高出许多，我踮着脚也够不着，我跳起来想去抓那刀，他又换了只手，我再跳，他再换……我连跳四五次，次次都扑空，他反倒得意起来：“跳啊！再跳啊！”

我大怒，看他只穿着黄绫睡袍，底下露出赤色的腰带，突然灵机一动，伸手扯住他的腰带就往外抽。这下李承鄞倒慌了：“你，你干什么？”一手就拉住腰带，我趁机飞起一脚踹在他膝盖上，这下子踹得很重，他腿一弯就倒下来了，我扑上去抓着他的手腕，就将刀重新夺了回来。

这时候阿渡正巧回来了，一掀帘看到我正趴在李承鄞身上扯着他的腰带，阿渡的脸“刷”地一红，身形一晃又不见了。

“阿渡！”

我跳起来正要叫住她，李承鄞又伸手夺刀，我们两个扭成一团，从床上打到床下，没想到李承鄞这么能打架，以前我们偶尔也动手，但从来都是点到即止，通常还没开打就被人拉开了。今天算是前所未有，虽然他在病中，可男人就是男人，简直跟骆驼似的，力大无穷。我虽然很能打架，但吃亏在不能持久，时间一拖长就后继无力，最后一次李承鄞将刀夺了去，我使命掰着他的手，他只好松手将刀扔到一边，然后又飞起一脚将刀踹出老远，这下子我们谁都拿不到刀了。

我大口大口喘着气，李承鄞还扭着我的胳膊，我们像两只锁扭拧在地毯上。他额头上全是密密的汗珠，这下好了，打出这一身热汗，他的风寒马上就要好了。我们两个僵持着，他既不能放手，我也没力气挣扎。最后李承鄞看到我束胸襦裙系的带子，于是腾出一只手来扯那带子，我心中大急：“你要干吗？”

他扯下带子胡乱地将我的手腕缠捆起来，我可真急了，怕他把我捆起来再打我，我叫起来：“喂！君子打架不记仇，你要敢折磨我，我可真叫阿渡来一刀砍死你！”

“闭嘴！”

“阿渡！”我大叫起来，“阿渡快来！”

李承鄞估计还真有点儿怕我把阿渡叫来了，他可打不过阿渡。于是他扭头到处找东西，我估计他是想找东西堵住我的嘴，但床上地下都是一片凌乱，枕头被子散了一地，哪里能立时找着合适的东西？我虽然手被绑住了，可是腿还能动，在地上蹦得像条刚离水的鱼，趁机大叫："阿渡！快来救我！阿渡！"

李承鄞急了，扑过来一手将我抓起来，就用他的嘴堵住了我的嘴。

我懵了。

他身上有汗气，有沉水香的气味，有药气，还有不知道是什么气味，他的嘴巴软软的，热热的，像是刚烤好的双拼鸳鸯炙，可是比鸳鸯炙还要软，我懵了，真懵了。眼睛瞪得大大的，视野里头全是李承鄞一张脸，不，全是他的眼珠子。

我们互相瞪着对方。

我觉得，我把呼气都给忘了，就傻瞪着他了。

他似乎也把呼气给忘了，就傻瞪着我了。

最后我将嘴一张，正要大叫，他却胳膊一紧，将我搂得更近，我嘴一张开，他的舌头竟然跑进来了。

太恶心了！

我浑身的鸡皮疙瘩全冒出来了，汗毛也全竖起来了，他竟然啃我嘴巴啊啊啊啊啊啊！那是我的嘴！又不是猪蹄！又不是烧鸡！又不是鸭腿！他竟然抱着我啃得津津有味……他一边啃我的嘴巴，一边还摸我的衣服，幸好我腰里是个死结，要不我的胸带被他扯开了，现在再连裙子都要被他扯开，我可不用活了。

太！悲！愤！了！

我死命地咬了他一口，然后弓起腿来，狠狠踹了他一脚！

他被我踹到了一边，倒没有再动弹。我跳起来，飞快地冲过去背蹲下捡起阿渡的刀，然后掉过刀刃三下两下割断捆我手的带子，我拿起刀子架在他脖子上："李承鄞！我今天跟你拼了！"

李承鄞懒洋洋地瞧了我一眼，又低头瞧了瞧那把刀，我将刀再逼近了几分，威胁他："今天的事不准你说出去，不然我晚上就叫阿渡来杀了你！"

李承鄞撑着手坐在那里，就像脖子上根本没一把锋利无比的利刃似的，突然变得无赖起来："今天的什么事——不准我说出去？"

"你亲我的事，还有……还有……哼！反正今天的事情统统不准你说出去！不然我现在就一刀杀了你！"

他反倒将脖子往刀锋上又凑了凑："那你现在就杀啊……你这是谋杀亲夫！还有，你要是真敢动我一根汗毛，我父皇马上就会发兵，去打你们西凉！"

太！无！赖！了！

我气得一时拿不定主意，犹豫到底是真捅他一刀，还是晚上叫阿渡来教训他。

"不过……"他说，"也许我心情好……就不会将今天的事告诉别人。"

我警惕地看着他："那你要怎么样才心情好？"

李承鄞摸着下巴："我想想……"

我恶狠狠地道："有什么好想的！反正我告诉你，你要是敢说出去，我马上让阿渡一刀砍死你！"

"除非你亲我！"

"什么？"

"你亲我我就不告诉别人。"

我狐疑地瞧着他，今天的李承鄞简直太不像李承鄞了，从前我们说不到三句话就吵架，李承鄞就是可恨可恨可恨……但今天是无赖无赖无赖。

我心一横，决定豁出去了："你说话算数？"

"君子一言，快马一鞭。"

好吧，我把刀放下，闭上眼睛狠狠在他脸上咬了一下，直咬出了一个牙印儿，痛得他倒吸了一口凉气。我亲完这一下，正打算拿起刀子走人，他伸手就将我拉回去，一拉就拉到他怀里去。

竟然又啃我嘴巴啊啊啊啊啊啊！

他啃了好久才放开我，我被他啃得上气不接下气，嘴唇上火辣辣的，这家伙肯定把我的嘴巴啃肿了！

他伸出手指，摸了摸我的嘴唇，说道："这样才叫亲，知道么？"

我真的很想给他一刀，如果不是担心两国交战，生灵涂炭，血流成河，白骨如山……于是硬生生忍住，咧了咧嘴："谢谢你教我！"

"不用谢。"他无赖到底了，"现在你会了，该你亲我了。"

"刚刚不是亲过！"我气得跳起来，"说话不算数！"

"刚刚是我亲你，不是你亲我。"

为了两国和平，忍了！

我揪着他的衣襟学着他的样子狠狠将他的嘴巴啃起来，鸡大腿鸡大腿鸡大腿……就当是啃鸡大腿好了！我啃！我啃！我啃啃啃！

终于啃完一撒手，发现他从脖子到耳朵根全是红的，连眼睛里都泛着血丝，呼吸也急促起来。

"你又发烧？"

"没有！"他断然否认，"你可以走了。"

我整理好衣服，又拢了拢头发，拿着刀，雄赳赳气昂昂地走了。

外头什么人都没有，我一直走回自己的寝殿，才看到宫娥们。她们见了我，个个一副目瞪口呆的样子，竟然都差点儿忘了向我行礼。要知道她们全是永娘挑出来的，个个都像永娘一样，时时刻刻把规矩记得牢牢的。

我照了照镜子，才晓得她们为什么这样子。

简直像鬼一样啊……披头散发，衣衫不整，嘴巴还肿着，李承鄞那个混蛋，果然把我的嘴都给啃肿了。宫人们围上来给我换衣服，重新替我梳头，幸好没人敢问我到底发生什么事，若是让她们知道，我就不用在东宫里混下去了。正当我悻悻的时候，门外突然有人通传，说是李承鄞遣了小黄门给我送东西来。这事很稀罕，她们也都晓得李承鄞不喜欢我，从来没派人送东西给我。

我只觉得诡异，平常跟李承鄞吵架，他好几天都不会理我，今天我们狠狠打了一架，他竟然还派人送东西给我，这也太诡异了。

不过我也不会怕李承鄞。所以我就说："那叫他进来吧。"

遣来的小黄门捧着一只托盘，盘上盖着红绫，我也看不出来下面是什么。小黄门因为受李承鄞差遣，所以一副宣旨的派头，站在那里，一本正经地道："殿下说，一时性急扯坏了太子妃的衣带，很是过意不去，所以特意赔给太子妃一对鸳鸯绦。殿下说，本来应当亲自替太子妃系上，不过适才太累了，又出了汗，怕再伤风，所以就不过来了。殿下还说，今日之事他绝不会告诉旁人的，请太子妃放心。"

我只差没被气晕过去。宫人们有的眼睛望着天，有的望着地毯，有的死命咬着嘴角，有的紧紧绷着脸，有的大约实在忍不住要笑，所以脸上的皮肉都扭曲了……总之没一个人看我，个个都装作什么都没有听到。

李承鄞算你狠！你这叫不告诉别人么？你这只差没有诏告天下了！还故意说得这样……这样暧昧不堪！叫所有人不想歪都难！

我连牙都咬酸了，才挤出一个笑："臣妾谢殿下。"

小黄门这才毕恭毕敬地跪下对我行礼，将那只托盘高举过头顶。我也不叫人，伸手就掀开红绫，里面果然是一对刺绣精美的鸳鸯绦，喜气洋洋盘成同心模样，我一阵怒火攻心，差点儿没被气晕过去。身侧的宫女早就碎步上前，替我接过那托盘去。

我就知道李承鄞不会让我有好日子过，但我也没想到他这么狠，竟然会用这样下三滥的招数。黄昏时分阿渡终于回来了，她还带回了永娘。永娘回来后还没半盏茶的工夫，就有人嘴快告诉她鸳鸯绦的事情，永娘不敢问我什么，可是禁不住眉开眼笑，看到我嘴巴肿着，还命人给我的晚膳备了汤。我敢说现在整个东宫无人不知无人不晓，我衣衫不整披头散发从李承鄞的寝殿出来，连衣带都不知弄到哪里去了，然后李承鄞还送给我一对鸳鸯绦。

鸳鸯绦，我想想这三个字都直起鸡皮疙瘩。李承鄞送我三尺白绫我都不觉得稀奇，他竟然送我鸳鸯绦，这明显是个大大的阴谋。

可是东宫其他人不这样想，尤其是侍候我的那些宫人们，现在她们一个个扬眉吐气，认为我终于收服了李承鄞。

“殿下可算是回心转意了，阿弥陀佛！”

“赵庶人一定是对殿下施了蛊术，你看赵庶人被关起来，殿下就对太子妃娘娘好起来了。”

“是啊！咱们娘娘生得这般美貌，不得殿下眷顾，简直是天理不容！”

“你没有瞧见娘娘看到鸳鸯绦的样子，脸都红了，好生害羞呢……”

“啊呀，要是我我也害羞呀，殿下真是大胆……光天化日竟然派人送给娘娘这个……”

“还有更胆大的呢……你没有看到娘娘回来的时候，披头散发，连衣裳都被撕破了……可见殿下好生……好生急切……嘻嘻……”

……

我一骨碌爬起来，听守夜的宫娥窃窃私语，只想大吼一声告诉她们，这不是事实不是事实！我脸红是因为气的！衣裳撕破是因为打架！总之压根儿就不是她们想像的那样子！

李承鄞又不是真的喜欢我，他就是存心要让我背黑锅。

没想到李承鄞不仅存心让我背黑锅，更是存心嫁祸。

第三天的时候皇后就把我叫进宫去，我向她行礼之后，她没有像往日那样命人搀扶我，更没有说赐座。皇后坐在御座之上，自顾自说了一大篇话。虽然话仍旧说得客客气气，可是我也听出了她是在训我。

我只好跪在地上听训。

这还是从来没有的事情，从前偶尔她也训我，通常是因为我做了过分的事情，比如在大典上忘了宫规，或者祭祖的时候不小心说了不吉利的话。可是这样让我跪在这里挨训，还是头一遭。

她最开始是引用《女训》《女诫》，后来则是引用本朝著名的贤后章慧皇后的事迹，总之文绉绉一口气说了一大篇，听得我直发闷，连膝盖都跪酸软了，也不敢伸手揉一揉。其实她都知道我听不懂她真正的意思，果然，这一大篇冠冕堂皇的话说完，皇后终于叹了口气，说道："你是太子妃，东宫的正室，为天下表率。鄞儿年轻胡闹，你应该从旁规劝，怎么还能由着他胡闹？便不说我们皇家，寻常人家妻子的本分，也应懂得矜持……"

我终于听出一点儿味儿来，忍不住分辩："不是的，是他……"

皇后淡淡地瞧了我一眼，打断我的话："我知道是他胡闹，可是他还在病中，你就不懂得拒绝么？万一病后失调，闹出大病来，那可怎么得了？你将来要当皇后，要统率六宫，要做中宫的楷模，你这样子，将来叫别人如何服气？"

我又气又羞，只差要挖个地洞钻进去。皇后简直是在骂我不要脸了，知道李承鄞病了还……还……那个……那个……可是天晓得！我们根本没那个……没有！

我太冤了，我简直要被冤死了！

皇后看我窘得快哭了，大约也觉得训得够了，说道：“起来吧！我是为了你好，你知道传出去有多难听，年轻夫妻行迹亲密是应该的，可是也要看看什么时候什么场合。咱们中原可不比西凉，随便一句话都跟刀子似的，尤其在宫里，流言蜚语能杀人哪。”

我眼圈都红了：“这太子妃我做不好，我不做了。”

皇后就像没听见似的，只吩咐永娘：“好好照看太子妃，还有，太子最近病着，太子妃年轻，事务又多，不要让她侍候太子汤药。让太子妃把《女训》抄十遍吧。”

我气得肺都要炸了，这把我当狐狸精在防呢！我总算明白过来，李承鄞设下这个圈套，就是为了让我钻进来。

什么鸳鸯绦，简直比白绫子还要命，《女训》又要抄十遍，这不得要了我的命！

一回到东宫，我就想提刀去跟李承鄞拼命，竟然敢算计我，活腻了他！可是永娘守着我寸步不离，安排宫女替我磨墨铺纸，我只得含愤开始抄《女训》，中原的字本来就好生难写，每写一个字，我就在心里把李承鄞骂上一遍。抄了三五行之时，我早已经将李承鄞在心里骂过数百遍了。

晚上的时候，好容易熬到夜深人静，我悄悄披衣服起来，阿渡听到我起床，也不解地坐起来，我低声道：“阿渡，把你的刀给我。”

阿渡不知道我要做什么，但还是把她的金错刀递给了我，我悄悄地将刀藏在衣下，然后将寝衣外头套上一件披帛。没有阿渡，我是绕不开卫戍东宫的羽林军的，所以我带着阿渡一起，蹑手蹑脚推开寝殿侧门，然后穿过廊桥，往李承鄞住的寝殿去。刚上了廊桥，阿渡忽然顿了一下。

原来永娘正好拿着熏炉走过来，我们这一下子，正让她撞个正着。

这也太不凑巧了，我忘了今夜是十五，永娘总要在这个时候拜月神。我正琢磨要不要让阿渡打昏她，或者她会不会大叫，引来羽林军，将我们押回去。

谁知永娘瞧见我们两个，先是呆了一呆，然后竟然回头瞧了瞧我们要去的方向，那里是李承鄞的寝殿，隐隐绰绰亮着灯。

我趁机便要回头使眼色给阿渡，想让她拿下永娘。我的眼色还没使出去，谁知永娘只轻轻叹了口气，便提着熏炉，默不做声径直从我们身边走过去了。

我纳闷得半死，永娘走了几步，忽然又回过头来，对我道："夜里风凉，太子妃瞧瞧殿下便回转来吧，不要着了凉。"

我一阵气闷，合着她以为我是去私会李承鄞！

这……这……这……

算了！

我愤然带着阿渡直奔李承鄞的寝殿，一日不揍他个满地找牙，一日就难雪这陷害之耻。

到了寝殿的墙外，阿渡拉着我轻轻跃上墙头，我们还没有在墙头站稳，忽然听到一声大喝："有刺客！"只闻利器破空弓弦震动，我怔了一下，已经有无数支箭簇朝着我们直射过来，便如铺天盖地的蝗雨似的。四周灯笼火炬全都呼啦一下子亮起来，阿渡挡在我面前打落好些乱箭，她挡不了太久，我一急就想转身跳墙回去，省得阿渡为我受伤，谁知脚下一滑，便从高墙上笔直跌落下去。

好高的墙！

只听呼呼的风声从耳边掠过……这下……这下可要摔成肉泥了。

我仰面往下跌落，还能看到阿渡惊慌失措的脸。她飞身扑下来便想要抓住我，在她身后则是漆黑的天幕，点点的星辰像是碎碎的白芝麻，飞快地越退越远，而月亮瞬息被殿角遮住，看不见了……

我想阿渡是抓不住我了，我跌得太急太快，就在我绝望的时候，突然有人揽住我的腰，我的跌势顿时一缓，那人旋过身子，将我整个人都接住了。我的发髻被夜风吹得散开来，所以乱发全拂在我的脸上，我只能看见他银甲上的光，反射着火炬的红焰，一掠而过，像是在银甲上绽开小小的花。那些小小的火花映进他的眼底，而他的眼睛正专注地看着我。

我梦想过无数次的梦境啊……英雄救美，他抱着我在夜风中旋转……旋转……慢慢地旋转……满天的星辰如雨点般落下来……天地间只有他凝视着我的双眼……

那眼底只有我……

我要醉了，我要醉去，被他这样抱在怀里，就是我梦里的那个人啊……

“太子妃！”

我的脚落在了地上，我如梦初醒般怔怔地看着眼前的人，他一身银甲，剑眉星目，气宇轩昂。他就是那个人么？那个一次次出现在我的梦境中，一次次将我救出险境的盖世英雄？

裴照躬身向我行着礼，四面的箭早都停了。他将我放在地上，我这才发现我还死死拉着他的胳膊。阿渡抢上来拉着我的手，仔细察看我身上有没有受伤，我很尴尬。我梦中的英雄难道是裴照？可是……为什么我自己不知道呢？不过裴照真的是很帅啊，武功又好，可是，怎么会是他呢？我耳根发热，又瞧了他一眼。

今天晚上真是出师不利，先遇上永娘，然后又遇上裴照。

裴照将手一挥，那些引弓持刀的羽林军瞬间又消失得无影无踪。我觉得自己应该说点儿什么，只得言不由衷地夸赞：“裴将军真是用兵如神……”

“请太子妃恕末将惊驾之罪。”裴照拱手为礼，“末将未料到太子妃会逾墙而来，请太子妃恕罪。”

“这不怪你，谁让我和阿渡是翻墙进来的，你把我们当成刺客也不稀奇。”

“不知太子妃夤夜来此，所为何事？”

我可没有那么傻，傻到告诉他我是来跟李承鄞算账的。所以我打了个哈哈：“我来干什么，可不能告诉你。”

裴照的表情还是那样，他低头说了个“是”。

我大摇大摆，带着阿渡就往前走，裴照忽然又叫了我一声：“太子妃。”

“什么？”

“太子殿下的寝殿，不是往那边，应该是往这边。”

我恼羞成怒，狠狠瞪了他一眼，但他依旧恭敬地立在那里，似乎丝毫没有看到我的白眼。我也只好转过身来，依着他指的正确的路走去。

终于到了李承鄞寝殿之外，我命令阿渡：“你守在门口，不要让任何人进来。”

阿渡点点头，做了个手势，我明白她的意思是叫我放心。

我进了寝殿，值夜的宫娥还没有睡，她们在灯下拼字谜玩，我悄悄地从她们身后蹑手蹑脚走过，没人发现我。我溜进了内殿。

内殿角落里点着灯，影影绰绰的烛光朦胧印在帐幔之上，像是水波一般轻轻漾动。我屏息静气悄悄走到床前，慢慢掀起帐子，小心地没有发出任何声音，突然“呼”的一声，我本能地将脸一偏，寒风紧贴着我的脸掠过，那劲道刮得我脸颊隐隐生疼。还没等我叫出声来，天旋地转，我已经被牢牢按在了床上，一道冰冷的锋刃紧贴着我的喉咙，只怕下一刻这东西就会割开我的喉管，我吓得起了一身鸡皮疙瘩。

我看着李承鄞，黑暗中他的脸庞有种异样的刚毅，简直完全像另外一个人似的。他紧紧盯着我的眼睛，我做梦也没想过李承鄞会随身带着刀，连睡在床上也会这样警醒。

“是你？”

李承鄞收起了刀子，整个人似乎又变回我熟悉的那个样子，懒洋洋地问我：“你大半夜跑到我这里来，干什么？”

“呃……不干什么。”我总不能说我是来把他绑成大粽子狠揍一顿出气然后以报陷害之仇的吧。

他似笑非笑，瞥了我一眼：“哦，我知道了，你是想我了，所以来瞧瞧我，对不对？”

我这一气，马上想起来他是怎么用鸳鸯绦来陷害我的，害得我被皇后骂，还要抄书。抄书！我最讨厌抄书了！我“刷”一下子就拔出藏在衣下的刀，咬牙切齿：“你猜对了，我可想你了！”

他丝毫没有惧色，反倒低声笑起来：“原来你们西凉的女人，都是拿刀子想人的！”

“少废话！”我将刀架在他脖子上，“把你的刀给我。”

他往前凑了凑：“你叫我给你，我就要给你啊？”

“别过……唔……”我后头的话全被迫吞下肚去，因为他竟然将我肩膀一揽，没等我反应过来，又啃我嘴巴！

太……太过分了！

这次他啃得慢条斯理，就像吃螃蟹似的，我见过李承鄞吃螃蟹，简直堪称一绝。他吃完螃蟹所有的碎壳还可以重新拼出一只螃蟹来，简直比中原姑娘拿细丝绣花的功夫还要厉害。我拿着刀在他背后直比划，就是狠不下心插他一刀。倒不是怕别的，就是怕打仗，阿爹老了，若是再跟中原打一仗，阿爹只怕赢不了，西凉也只怕赢不了。我忍……我忍……他啃了一会儿嘴巴，终于放开，我还没松口气，结果他又开始啃我脖子，完了完了，他一定是打算真把我当螃蟹慢慢吃掉，我脖子被他啃得又痛又痒，说不出的难受。他又慢条斯理，开始啃我的耳朵，这下子可要命了，我最怕人呵我痒痒。他一在我耳朵底下出气，我只差没笑抽过去，全身发软一点力气都没有，连刀子都被他抽走了。他把刀子扔到一边，然后又重新啃我的嘴巴。

我觉得有点儿不对劲了，因为不知什么时候，他的手已经跑到我衣服底下去了，而且就掐在我的腰上，我被他掐得动弹不得，情急之下大叫："你！你！放手！不放手我叫阿渡了！"

李承鄞笑着说："那你叫啊！你哪怕把整个东宫的人都叫来，我也不介意，反正是你自己半夜跑到我床上来。"

我气得只差没晕过去，简直太太太可恨了！什么话到了他嘴里就格外难听。什么叫跑到他床上来，我……我……我这不跳进黄河也洗不清么？

就在我想恶狠狠给他一刀的时候，突然一道劲风从帐外直插而入，电光石火的瞬间，李承鄞仓促将我狠狠一推，我被推到了床角，这才看清原来竟然是柄长剑。他因为急着要将我推开，自己没能躲过去，这一剑正正穿过他的右胸。我尖声大叫，阿渡已经冲进来，刺客拔剑又朝李承鄞刺去，阿渡的刀早给了我，情急之下拿起桌上的烛台，便朝刺客掷去。阿渡的臂力了得，那烛台便如长叉一般带着劲风劈空而去，刺客闪避了一下，我已经大叫起来："快来人啊！有刺客！"

值宿的羽林军破门而入，阿渡与刺客缠斗起来，寝殿外到处传来呼喝声，庭院里沸腾起来，更多的人涌进来，刺客见机不妙越窗而出，阿渡跟着追出去。我扶着李承鄞，他半边身子全是鲜血，伤口还不断有血汩汩涌出。我又急又怕，他却问我："有没有伤着你……"一句话没有说完，却又喷出一口血来，那血溅在我的衣襟之上，我顿时流下眼泪来，叫着他的名字："李承鄞！"

我一直很讨厌李承鄞，却从来没想过要他死。

我惶然拉着他的手，他嘴角全是血，可是却笑了笑："我可从来没瞧见过你哭……你莫不是怕……怕当小寡妇……"

这个时候他竟然还在说笑，我眼泪涌出来更多了，只顾手忙脚乱想要按住他的伤口，可是哪里按得住，血从我指缝里直往外冒，那些血温温的，腻腻的，流了这么多血，我真的害怕极了。许多宫娥闻声涌进来，还有人一看到血，就尖叫着昏死过去，殿中顿时乱成一团。我听到裴照在外头大声发号施令，然后他就直闯进来，我见到他像见到救星一般："裴将军！"

裴照一看这情形，马上叫人："快去传御医！"

然后他冲上前来，伸指封住李承鄞伤口周围的穴道。他见我仍紧紧抱着李承鄞，说道："太子妃，请放开殿下，末将好察看殿下的伤势。"

我已经六神无主，裴照却这样镇定，镇定得让我觉得安心，我放开李承鄞，裴照解开李承鄞的衣衫，然后皱了皱眉。我不知道他皱眉是什么意思，可是没一会儿我就知道了，因为御医很快赶来，然后几乎半个太医院都被搬到了东宫。宫里也得到了讯息，夤夜开了东门，皇帝和皇后微服简驾亲自赶来探视。

我听到御医对皇帝说："伤口太深，请陛下恕臣等愚昧无能，只怕……只怕……殿下这伤……极为凶险……"

皇后已经垂下泪来，她哭起来也是无声无息的，就是不断拿手绢擦着眼泪。皇帝的脸色很难看，我倒不哭了，我要等阿渡回来。

裴照已经派了很多人去追刺客，也不知道追上了没有，我不仅担心李承鄞，我也担心阿渡。

到了天明时分，阿渡终于回来了，她受了很重的伤，是被裴照的人抬回来的。我叫着阿渡的名字，她只微微睁开眼睛，看了我一眼。她想抬起她的手来，可是终究没有力气，只是微微动了动手指，我顺着她的目光望，她看着我的衣襟。

我衣襟上全是血，都是李承鄞的血。我懂得阿渡的意思，我握住她的手，含着眼泪告诉她："我没事。"

阿渡似乎松了口气，她把一个硬硬的东西塞进我手里，然后就昏了过去。

我又痛又悔又恨。

李承鄞在我面前被刺客所伤，他推开我，我眼睁睁看着那柄长剑刺入他体内。现在，那个人又伤了阿渡。

都是我不好，我来之前叫阿渡把刀给了我，阿渡连刀都没带，就去追那个刺客。

一直就跟着我的阿渡，拿命来护着我的阿渡。

总是我对不住她，总是我闯祸，让她替我受苦。

我痛哭了一场。

没有人来劝我，东宫已经乱了套，所有人全在关切李承鄞的伤势，他伤得很重，就快要死了。阿渡快要死了，李承鄞，我的丈夫，也快要死了。

春容

我哭了好久，直到裴照走过来，他轻轻地叫了声：“太子妃。”然后道，“末将的人说，当时他们赶到的时候，只看到阿渡姑娘昏死在那里，并没有见到刺客的踪影，所以只得将阿渡姑娘先送回来。现在九门紧闭，上京已经戒严，刺客出不了城去。御林军正在闭城大搜，请太子妃放心，刺客绝对跑不掉的。”

我看着阿渡塞给我的东西，那个东西非常奇怪，像是块木头，上面刻了奇怪的花纹，我不认得它是什么。

我把它交给裴照：“这是阿渡给我的，也许和刺客有关系。”

裴照突然倒抽了一口凉气，他一定认识这个东西。我问：“这是什么？”

裴照退后一步，将那块木头还给我，说道：“事关重大，请太子妃面呈陛下。”

我也觉得我应该把这个交给皇帝，毕竟他是天子，是我丈夫的父亲，是这普天下最有权力的帝王。有人要杀他的儿子，要杀阿渡，他应该为我们追查凶手。

我拭干了眼泪，让身边的宫娥去禀报，我要见皇帝陛下。

皇帝和皇后都还在寝殿之中，皇帝很快同意召见我，我走进去，向他行礼：“父皇。”

我很少可以见到皇帝陛下，每次见到他也总是在很远的御座之上，这么近还是第一次。我发现他其实同我阿爹一样老了，两鬓有灰白的头发。

他对我很和气，叫左右：“快扶太子妃起来。”

我拒绝内官的搀扶：“儿臣身边的阿渡去追刺客，结果受了重伤，刚刚被羽林郎救回来。她交给儿臣这个，儿臣不识，现在呈给陛下，想必是与刺客有关的物件。”我将那块木头举起来，磕了一个头，“请陛下遣人查证。”

内官接过那块木头，呈给皇帝陛下，我看到皇帝的脸色都变了。

他转脸去看皇后：“玫娘！”

我这才知道皇后的名字叫玫娘。

皇后的脸色也大变，她遽然而起，指着我：“你！你这是诬陷！”

我莫名其妙地瞧着她。皇后急切地转身跪下去：“陛下明察，鄞儿乃臣妾一手抚育长大，臣妾这一辈子的心血都放在鄞儿身上，断不会加害于他！”

皇帝并没有说话，皇后又转过脸来呵斥我：“你是受了谁的指使，竟然用这样的手段来攀诬本宫？”

我连中原字都认不全，那个木头上刻的是什么，我也并不认识，我从来没见过这样的东西，所以只是一脸莫名其妙地瞧着皇后。

皇帝终于发话了："玫娘，她只怕从来不晓得这东西是何物，怎么会攀诬你？"，

皇后大惊："陛下，陛下莫轻信了谣言。臣妾为什么要害太子？鄞儿是我一手抚养长大，臣妾将他视作亲生儿子一般……"

皇帝淡淡地道："亲生儿子……未必吧。"

皇后掩面落泪："陛下这句话，简直是诛心之论。臣妾除了没有怀胎十月，与他生母何异？鄞儿三个多月的时候，我就将他抱到中宫，臣妾将他抚养长大，教他做人，教他读书……是臣妾劝陛下立他为太子，臣妾这一生的心血都放在他身上，臣妾为什么要遣人杀他？"

皇帝忽然笑了笑："那绪宝林何其无辜，你为何要害她？"

皇后猛然抬起脸来，怔怔地瞧着皇帝。

"后宫中的事，朕不问，并不代表朕不知晓。你做的那些孽，也尽够了。为什么要害绪宝林，还不是想除去赵良娣。赵良娣父兄皆手握重兵，将来鄞儿登基，就算不立她为皇后，贵妃总是少不了的。有这样的外家，你如何不视作心腹大患。你这样担心鄞儿坐稳了江山，是怕什么？怕他对你这个母后发难么？"

皇后勉强道："臣妾为什么要担心……陛下这些话，臣妾并不懂得。"

"是啊，你为什么要担心？"皇帝淡淡地道，"总不过是害怕鄞儿知道，他的亲生母亲，当年的淑妃……到底是怎么死的吧。"

皇后脸色如灰，终于软倒在那里。

皇帝说道："其实你还是太过急切了，再等二十年又何妨？等到朕死了，鄞儿登基，要立赵良娣为后，势必会与西凉翻脸，

到时候他若与西凉动武，赢了，我朝与西凉从此世世代代交恶，只怕这仗得一直打下去，祸延两国不已，总有民怨沸腾的那一日；输了，你正好借此大做文章，废掉他另立新帝也未可知。这一招棋，只怕你在劝朕让鄞儿与西凉和亲的时候，就已经想到了吧。你到底为什么突然性急起来？难道是因为太子和太子妃突然琴瑟和鸣，这一对小儿女相好了，大出你的算计之外？”

皇后喃喃道：“臣妾与陛下三十年夫妇，原来陛下心里，将臣妾想得如此不堪。”

“不是朕将你想得不堪，是你自己做得不堪。”皇帝冷冷地道，“因果报应，恶事做多了，总有破绽。你害死淑妃，朕可没有冤枉你。你害得绪宝林小产，将赵良娣幽闭起来，朕可没有问过你。总以为你不过是自保，这些雕虫小技，如果朕的儿子应付不了，也不配做储君。如今你竟然丧心病狂，要谋害鄞儿，朕忍无可忍。虎毒还不食子，他虽然不是你亲生之子，但毕竟是你一手抚养长大，你怎么忍心？”

皇后终于落下泪来：“臣妾没有……陛下纵然不肯信，臣妾真的没有……臣妾绝没有遣人来谋害鄞儿。”

我心里一阵阵发寒，不敢相信自己的耳朵，我不敢相信我听到的一切。平常那样高贵、那样和蔼的皇后，竟然会是心机如此深重的女人。

皇帝道：“你做过的那些事，难道非要朕将人证物证全都翻出来，难道非要朕下旨让掖庭令来审问你么？你如果肯认罪，朕看在三十年夫妻之情，保全你一条性命。”

皇后泪如雨下：“陛下，臣妾真的是冤枉的！臣妾冤枉！”

皇帝冷冷地说道：“二十年前，你派人在淑妃的药中下了巨毒乌饯子，那张包裹乌饯子的方子，现下还有一半，就搁在你中宫的第二格暗橱中。你非要朕派人去搜出来，硬生生逼你将那乌饯子吞下去么？”

皇后听到他最后一句话，终于全身一软，就瘫倒在地晕了过去。

我只觉得今晚的一切都如同五雷轰顶一般，现在那些炸雷还在头上轰轰烈烈地响着，一个接着一个，震得我目瞪口呆，整个人都要傻了。

皇帝转过脸来，对我招了招手。我小心地走过去，就跪在他的面前。他伸出手来，慢慢摸了摸我的发顶，对我说：“孩子，不要怕，有父皇在这里，谁也不敢再伤害你。当初让鄞儿娶你，其实也是我的意思，因为我知道你们西凉的女孩儿，待人最好，最真。”

我并不害怕，因为他的手掌很暖，像是阿爹的手。而且其实他长得挺像李承鄞，我从来不怕李承鄞。

皇帝对我说：“好好照顾鄞儿，他从小没有母亲，有人真心对他好，他会将心掏出来给你的。”

不用他说，我也会好好照顾李承鄞。

可是今天晚上的事情还是令我觉得害怕，我由衷地害怕。宫中的一切都那样可怕，人心那样复杂，就像皇后，我万万想不到是她害绪宝林的孩子没有了，只因为想要嫁祸给赵良娣。人命在她们眼中真是轻贱，轻贱得比蚂蚁还不如。还有李承鄞的生母淑妃，皇后为什么要害死淑妃，是因为想要夺走淑妃的儿子么？

这一切太可怕了，让我不寒而栗。

李承鄞伤得非常重，一直到三天后他还昏迷不醒。我衣不解带地守在他身边。

他伤口恶化，发着高烧，滴水不能进，连汤药都是撬开牙关，一点点喂进去的。

我想这次他可能真的活不了了。

但我并没有流眼泪。当初最危险的瞬间他一把推开了我，如果他活不了了，我陪着他去死就罢了。

我们西凉的女孩儿，才不兴成日哭哭啼啼，我已经哭过一场，便不会再哭了。

李承鄞在昏迷之中，总是不断地喃喃呼唤着什么，我将耳朵凑近了听，原来他叫的是“娘”，就像那次发烧一样。

我想起皇帝曾经说过的话，我心里一阵阵地发软，他真是个可怜的人，虽然贵为太子，可是从小就没有见过自己的娘。而皇后又是这样的心计深沉，李承鄞如果知道是她害死了自己的母亲，心里肯定会很难过很难过吧。

很多御医守着李承鄞。皇帝已经下诏废黜皇后，朝野震动，可是诏书里列举了皇后的好多条罪状，尤其现在李承鄞生死未卜，大臣们也不便说什么。我听宫娥们私下说，皇后的娘家极有权势，正煽动了门下省的官员，准备不附署，反对废黜皇后。我不懂朝廷里的那些事，现在才知道原来当皇帝也不是想干什么就可以干什么。

我上午守着李承鄞，下午便去看阿渡。

阿渡身上有好些伤口，她还受了很严重的内伤，阿渡武功这样高，那刺客还将她伤成这样，一定是个绝世高手。因为伤口总要换药，阿渡衣袋里的东西也早都被取出来，搁在茶几之上。我看到我交给阿渡的许多东西，大部分是我随手买的玩艺儿，比如做成小鸟状的泥哨，或者是一朵红绒花。都是我给阿渡的，她总是随身带着，怕我要用。

我的阿渡，对我这么好的阿渡，都是我连累了她。

我看到那枚鸣镝的时候，一个念头浮上心头，我拿起那枚鸣镝，静静地走开。

东宫所有人几乎都集中在李承鄞寝殿那边，花园里冷冷清清，一个人都没有。

我将鸣镝弹上半空，然后坐在那里静静地等候。

没一会儿，似乎有一阵轻风拂过，顾剑无声无息地就落在我的面前。

他看到我的样子，似乎吃了一惊，问我："谁欺负你了？"

我知道自己的样子一定很难看，那天哭得太久，眼睛一直肿着，而且几天几夜没有睡觉，脸色肯定好不到哪里去。

我很简单地将事情对他说了一遍，顾剑沉默了片刻，问我："你要我去杀皇后吗？"

我摇了摇头。

皇后害了太多人，她不应该再继续活在这世上。但皇帝会审判她，即使不杀她，也会废黜她，将她关在冷宫里。对皇后这样的人来说，这已经足够了，比杀了她还令她觉得难过。

我恳求他："你能不能想办法救救阿渡，她受了很重的内伤，一直没有醒过来。"

顾剑突然笑了笑："真是有趣，你不求我去救你的丈夫，却求我去救阿渡。到底你是不喜欢你的丈夫呢，还是你太喜欢阿渡？"

"李承鄞受的是外伤，便是神仙也束手无策，熬不熬得过去，是他的命。可阿渡是因为我才去追刺客，她受的是内伤，我知道你有法子的。"

顾剑阴沉着一张脸："没错，我是有法子救她，但我凭什么要救她？"

我顿时气结："你曾经说过，如果我遇上任何危险，都可以找你，你却不肯帮我！"

顾剑说道："是啊，可是我又没答应你，帮你救别人。"

"现在阿渡有性命之忧，阿渡的命，就是我的命。她为了我可以不要命，现在她受了重伤，就是我自己受了重伤，你如果不肯救她……"我把那柄金错刀拔出来，横在自己颈中，"我便死在你面前好了！”

顾剑伸出两根手指，轻轻在那柄金错刀上一弹，我便拿捏不住，金错刀“铛”一声就落在了地上。

我抢着要去将刀捡起来，他长袖一拂，就将那柄刀卷走了。我大怒便一掌击过去，还没有沾到他的衣角，他已经伸手扣住了我的手腕，我眼圈一阵发热，说道：“不救就不救，你快快走吧，我以后再不要见着你了！”

顾剑瞧了我片刻，终于叹了口气，说道：“你不要生气。我去救她便是了。”

我借故将阿渡屋子里的人都遣走，然后对窗外招了招手。顾剑无声无息从窗外跃了进来，仔细查看阿渡的伤势。他对我说：“出手的人真狠，连经脉都几乎被震断了。”

我心里一寒，他说：“不过还有法子救。”他瞧了我一眼，“不过我若是救了她，你打算怎么样报答我呢？”

我心急如焚，说道：“都什么时候了，你还说这样的话。你要救了阿渡，不论多少钱财，我都给你。”

他轻蔑地道：“我要钱财作甚？你也忒看轻了我。”

我问：“那你要什么？”

他笑了笑：“除非么……除非你亲亲我。”

我几乎没气昏过去，为什么男人们都这么喜欢啃嘴巴？

李承鄞是这样，连这个世外高手顾剑也是这样？

我咬了咬牙，走上前去便揽住他的肩，踮起脚来狠狠啃了他一通。

没想到他猛然推开我，突然逼问我：“谁教你的？”

我莫名其妙：“什么？”

“从前你只会亲亲我的脸，谁教你的？”他的脸色都变了，“李承鄞？”

我怕他不肯救阿渡，所以并不敢跟他争吵。

他的脸色更难看了："你让李承鄞亲你？"

李承鄞是我的丈夫，我难道不让他亲我？我其实挺怕顾剑，怕他一怒之下去杀李承鄞。因为他全身紧绷，似乎随时会发狂似的，而且脸上的神情难看极了，眼睛紧紧盯着我。

我终于忍不住，大声道："你自己也说了，当初是我等了你三天三夜，是你自己没有去。现在别说我什么都不记得了，就算我记得，咱们也早已经不可能在一起，我已经嫁给别人了。你若是愿意救阿渡，便救她，你若是不愿意，我也不会勉强你，可是若要我背叛我的丈夫，那是万万不能的。我们西凉的女子，虽然不像中原女子讲究什么三贞九烈，可是我嫁给李承鄞，他便是我的丈夫，不管我们当初怎么样，现在我和你都再无私情可言。"

顾剑听了这话，往后退了一步，我只觉得他眼底满是怒火，更有一种说不出的……悲哀？可是我早已经心一横豁出去了。这番话我早就想说给顾剑听，李承鄞对我好也罢，不好也罢，为了西凉我嫁给他，他又在最危险的时候推开我，我实实不应该背叛他。

我说道："你走吧，我不会再求你救阿渡。"

他忽地笑了笑："小枫……原来这是报应。"

他伸出手去，将阿渡扶起来，然后将掌心抵在她背心，替她疗伤。

一直到天色黑下来，顾剑还在替阿渡疗伤。我就坐在门口，怕有人闯进去打扰他们。不过这几天都没怎么睡，我靠在廊柱上，迷迷糊糊都快要睡过去了，幸好只是盹着一会儿，因为我的头磕在廊柱上，马上就惊醒过来。顾剑已经走出来，我问他："怎么样？"

他淡淡地道："死不了。"

我走进去看阿渡躺在那里，脸色似乎好了许多，不由得也松了口气。

我再三地谢过顾剑，他并不答话，只是从怀中取出一只药瓶给我："你说李承鄞受了很严重的外伤，这是治外伤的灵药，拿去给他用吧。"

我不明白他为什么突然这么好心，也许我脸上的表情有点儿狐疑，他马上冷笑："怎么，怕我毒死他？那还我好了。"

我连忙将药瓶揣入怀中："治好了他我再来谢你。"

顾剑冷笑了一声，说道："不用谢我，我可没安好心。等你治好他，我便去一剑杀了他，我从来不杀没有丝毫抵抗之力的人，等他伤好了，便是他送命之时。"

我冲他扮了个鬼脸："我知道你不会的啦，等他的伤好了，我一定请你喝酒。"

顾剑并没有再跟我纠缠，长袖一拂，转身就走了。

话虽这么说，但我还是把那瓶药拿给御医看过，他们把药挑出来闻闻，看看，都不晓得那是什么东西，也不敢给李承鄞用。我犹豫了半天，避着人把那些药先挑了一点儿敷在自己胳膊上，除了有点儿凉凉的，倒没别的感觉。第二天起床把药洗去，皮肤光洁，看不出任何问题。我觉得放心了一些，这个顾剑武功这么高，绝世高人总有些灵丹妙药，说不定这药还真是什么好东西。到了第二天，我趁人不备，就悄悄将那些药敷在李承鄞的伤口上。

不知道是这些药的作用，还是太医院的那些汤药终于有了效力，反正第四天黄昏时分，李承鄞终于退烧了。

他退了烧，所有人都大大松了口气，我也被人劝回去睡觉。刚刚睡了没多久，就被永娘叫醒，永娘的脸色甚是惊惶，对我说道："太子殿下的伤情突然恶化。"

我赶到李承鄞的寝殿里去，那里已经围了不少人，太医们看到我来，连忙让出了一条路。我走到床边去，只见李承鄞脸色苍白，呼吸急促，伤口之外渗出了许多黄水，他仍旧昏迷不醒，虽然没有再发烧，可是呼吸越来越微弱了。

太医说："殿下肺部受了伤，现在邪风侵脉，极是凶险。"

我不知道是不是那些伤药出了问题，可是殿中所有人都惊慌失措，皇帝也遣人来了，不过现在太医束手无策，亦无任何办法。我心里反倒静下来，坐在床前的脚踏上，握着李承鄞的手，他的手很凉，我将他的手捧在手里，用自己的体温暖着他。

太医们还在那里嗡嗡地说着话，我理也不理他们。夜深之后，殿里的人少了一些，永娘给我送了件氅衣来，那时我正伏在李承鄞的床前，一眨也不眨眼地看着他。

他长得多好看啊，第一次看到李承鄞的时候，我就觉得他长得好看。眉毛那样黑、那样浓，鼻子那样挺，脸色白得，像和阗的玉一样。但李承鄞的白净并不像女孩儿，他只是白净斯文，不像我们西凉的男人那样粗砺，他就像中原的水，中原的山，中原的上京一样，有着温润的气质。

我想起一件事情，于是对永娘说："叫人去把赵良娣放出来，让她来见见太子殿下。"

虽然赵瑟瑟已经被废为庶人，但我还是习惯叫她赵良娣，永娘皱着眉头，很为难地对我说："现在宫中出了这样的大事，赵庶人的事又牵涉到皇后……奴婢觉得，如果没有陛下的旨意，太子妃还是不要先……"

我难得发了脾气，对她说："现在李承鄞都伤成这样子了，他平常最喜欢赵良娣，怎么不能让赵良娣来看看他？再说赵良娣不是被冤枉的么？既然是冤枉的，为什么不能让她来看李承鄞？"

永娘习惯了我李承鄞李承鄞的叫来叫去，可是还不习惯我在这种事上摆出太子妃的派头，所以她犹豫了片刻。我板着脸孔表示不容置疑，她便立时叫人去了。

许多时日不见，赵良娣瘦了。她原来是丰腴的美人，现在清减下来，又因为庶人的身份，只能荆钗素衣，越发显得楚楚可怜。她跪下来向我行礼，我对她说："殿下病得很厉害，所以叫你来瞧一瞧他。"

赵良娣猛然抬起头来看着我，眼睛里已经含着泪光。她这么一哭，我嗓子眼儿不由得直发酸，说道："你进去瞧瞧他吧，不过不要哭。"

赵良娣拭了拭眼泪，低声说："是。"

她进去好一会儿，跪在李承鄞的病榻之前，到底还是嘤嘤地哭起来，哭得我心里直发烦。我走出来在门外的台阶上坐下来，仰头看着天。

天像黑丝绒似的，上面缀满了酸凉的星子。

我觉得自己挺可怜，像个多余的人似的。

这时候有个人走过来，朝我行礼："太子妃。"

他身上的甲胄发出清脆的声音，很好听。我其实这时候不想看见任何人，可是裴照救过我好几次，我总不好不理他，所以只好挤出一丝笑容："裴将军。"

"夜里风凉，太子妃莫坐在这风口上。"

是挺冷的，我裹了裹身上的氅衣，问裴照："你有夫人了吗？"

裴照似乎微微一怔："在下尚未娶妻。"

"你们中原，讲究什么父母之命，媒妁之言。其实这样最不好了，我们西凉如果情投意合，只要打下一对大雁，用布包好了，送到女孩儿家里去，就可以算作是提亲，只要女孩儿自己愿意，父母也不得阻拦。裴将军，如果日后你要娶妻，可一定要娶个自己喜欢的人。不然的话，自己伤心，别人也伤心。"

裴照默不做声。

我抬起头来看星星，忍不住叹了口气："我真是想西凉。"

其实我自己知道，我并不是想西凉，我就是十分难过。我一难过的时候，就会想西凉。

裴照语气十分温和："这里风大，太子妃还是回殿中去吧。"

我无精打采："我才不要进去呢，赵良娣在里面，如果李承鄞醒着，他一定不会愿意我跑进去打扰他们。现在他昏迷不醒，让赵良娣在他身边多待一会儿吧，他如果知道，只怕伤也会好得快些。"

裴照便不再说话，他侧身退了两步，站在我身侧。我懒得再和他说话，于是捧着下巴，一心一意地开始想，如果李承鄞好起来了，知道赵良娣是被冤枉的，他一定会很欢喜吧。那时候赵良娣可以恢复良娣的身份了，在这东宫里，我又成了一个招人讨厌的人。

起码，招李承鄞的讨厌。

我心里很乱，不停地用靴尖在地上乱画。也不知过了多久，永娘出来了，对我悄声道："让赵庶人待在这里太久不好，奴婢已经命人送她回去了。"

我叹了口气。

永娘大约瞧出了我的心思，悄声耳语："太子妃请放心，奴婢适才一直守在殿下跟前，赵庶人并没有说什么，只是哭泣而已。"

我才不在乎她跟李承鄞说了什么呢，因为哪怕她不跟李承鄞说什么，李承鄞也是喜欢她的。

裴照朝我躬身行礼："如今非常之时，还请太子妃保重。"

我懒懒地站起来，对他说："我这便进去。"

裴照朝我行礼，我转过身朝殿门走去，这时一阵风吹到我身上，果然觉得非常冷，可是刚才并不觉得。我忽然想起来，刚才是因为裴照正好站在风口上，他替我挡住了风。

我不禁回头看了一眼，裴照已经退到台阶之下去了。他大约没想到我会回头，所以正瞧着我的背影，我一扭过头去正巧和他四目相对，他的表情略略有些不自在，好像做错什么事似的，很快就移开目光不看我。

我顾不上想裴照为何这样古怪，一踏进殿里，看到所有人愁眉苦脸的样子，我也愁眉不展。

李承鄞还是昏迷不醒，御医的话非常委婉，但我也听懂了，他要是再昏迷不醒，只怕就真的不好了。

我不知道该怎么办才好。李承鄞的手搁在锦被上，苍白得几乎没什么血色。我摸了摸他的手，还是那样凉。

我太累了，几乎好几天都没有睡，我坐在脚踏上，开始絮絮叨叨跟李承鄞说话，我从前可没跟李承鄞这样说过话，从前我们就只顾着吵架了。我第一回见他的时候，是什么时候呢？是大婚的晚上，他掀起我的盖头，那盖头盖了我一整晚，气闷得紧。盖头一掀起来，我只觉得眼前一亮，四面烛光亮堂堂的，照着他的脸，他的人。他穿着玄色的袍子，上面绣了很多精致的花纹。我在之前几个月，由永娘督促，将一本《礼典》背得滚瓜烂熟，知道那是玄衣、纁裳、九章。五章在衣，龙、山、华虫、火、宗彝；四章在裳，藻、粉米、黼、黻。织成为之。白纱中单，黼领，青褾、襈、裾。革带，金钩𫄧，大带，素带不朱里，亦纰以朱绿，纽约用组。黻随裳色，火、山二章也。

他戴着大典的衮冕，白珠九旒，以组为缨，色如其绶，青纩充耳，犀簪导，衬得面如冠玉，仪表堂堂。

中原的太子，连穿戴都这么有名堂，我记得当时背《礼典》的时候，背了好久才背下来这段，因为好多字我都不认得。

我想那时候我是喜欢他的，可是他并不喜欢我。因为他掀完盖头，连合卺酒都没有喝，转身就走掉了。

其实他走掉了我倒松了口气，因为我不知道跟一个陌生的男人，睡不睡得惯。

永娘那天晚上陪着我，她怕我想家，又怕我生气，再三向我解释说，太子殿下这几日伤风，定是怕传染给太子妃。

他一伤风，就是三年。

在东宫之中，我很孤独。

我一个人千里迢迢到这里来，虽然有阿渡陪着我，可是阿渡又不会说话。如果李承鄞不跟我吵架，我想我会更孤独的。

现在他要死了，我惦着的全是他的好，我挖空心思，把从前的事都提起来，我怕再不跟他说点儿什么，他要是死了就再不能告诉他了。好些事我以为我都忘了，其实并没有。我连原来吵架的话都一句句想起来，讲给他听，告诉他当时我多么气，气得要死。可是我偏装作不在意，我知道要吵赢的话，只有装不在意，李承鄞才会被我噎得没话说。

还有鸳鸯绦的事，让多少人笑话我啊，还让皇后训了我一顿。

我一直说着话，也不知道自己为什么要说，也许是因为害怕，也许是因为怕李承鄞真的死了。夜里这样安静，远处的烛光映在帐幔之上，内殿深广，一切都仿佛隔着层什么似的，隔着漆黑的夜，隔着寂静的漏声，只有我在那里喃喃自语。

其实我真的挺怕当小寡妇。在我们西凉，死了丈夫的女人要嫁给丈夫的弟弟，像中原去和亲的明远公主，原本嫁的就是我的伯父，后来才改嫁给我的父王。中原虽然没有这样的规矩，可是我一想到李承鄞要死，我就止不住地哆嗦，他如果死了，我一定比现在更难过。我赶紧逼着自己不要再想，赶紧逼着自己说着那些乱七八糟的闲话。

其实我也没我自己想的那么讨厌李承鄞，虽然他老是惹我生气，不过三年里我们私下的交往也是屈指可数，除开他为了赵良娣找我的麻烦，其实我们原本也没有多少架可以吵。有时候不吵架，我还觉得挺不习惯的……

还有抄书，虽然我最讨厌抄书，不过因为我被罚抄了太多书，现在我的中原字写得越来越好了，都是因为被罚抄书。那些《女训》《女诫》，抄得我都快要背下来了。还有一件事其实我没有告诉任何人，就是那些书上有好多字我不太认识，也不知道该怎么读，不过我依样画瓢，一笔笔把它描出来，谁也不晓得我其实不认识那个字。

还有，李承鄞的“鄞”字，这个字其实也挺古怪的，当初我第一次看到，还以为它是勤……我一直都不知道这个字到底是什么意思，听说中原人取名字都有讲究，他怎么会叫这个名字呢?

“鄞州……”

我自言自语大半宿了，难得有人答腔，我一时刹不住反问：“啊？什么鄞州？”

“太祖皇帝原封鄞州……中州之东，梁州之南……龙兴之地……所以……我叫承鄞……”

我张大了嘴巴瞧着，瞧着床上那个奄奄一息的男人，他的声音很小，可是字句清楚，神智看上去也很清醒，眼睛虽然半睁半闭，可是正瞧着我。

我愣了半天，终于跳起来大叫：“啊！”

我的声音一定很可怕，因为所有人全都呼啦啦冲进来了，太医以为李承鄞伤势更加恶化，着急地冲上来：“殿下怎么了？殿下怎么了？”

我拿手指着李承鄞，连舌头都快打结了：“他……他……”

李承鄞躺在那里，面无表情地瞧着我，太医已经喜极而泣：“殿下醒了！殿下醒过来了！快快遣人入宫禀报陛下！太子殿下醒过来了……”

整个东宫沸腾起来了，所有人精神大振，太医说，只要李承鄞能清醒过来，伤势便定然无大碍。这下子太医院的那些人可欢腾了，个个都眉开眼笑，宫人们也都像过年似的，奔走相告。御医又重新请脉，斟酌重新写药方，走来走去，嗡嗡像一窝被惊动的蜜蜂，大半夜折腾闹得我只想睡觉。

我不知道我是什么时候睡着的，只记得那些御医似乎还在嗡嗡地说着话，我醒的时候还趴在李承鄞的床沿边，身上倒盖着一条锦被。我的腿早就睡得僵了，动弹不得，一动我全身的骨头都格格作响……我睡得太香了，都流了一小摊口水在李承鄞的袖子上，咦……李承鄞的袖子！

我竟然趴在那里，用下巴枕着李承鄞的胳膊睡了一晚上，内殿里静悄悄的一个人都没有，床上的李承鄞却是醒着的，而且正似笑非笑地瞧着我。

我瞧见他这个表情，就知道他是真的没事了。我吃力地想把自己麻木的腿收回来，试了试便知道是徒劳，一时半会儿是站不起来了，还有我的腰……天都亮了，我的腰那个又酸又疼啊，简直跟被大车从背上碾过一整晚似的，以后再不这样睡了。

我使出吃奶的劲儿，终于扶着床站起来了，我尝试着迈了迈腿，拿不准主意是叫人进来搀我好，还是等过会儿脚不麻了，再试试好。这时候李承鄞终于说话了：“你要去哪儿？”

“回去睡觉……”我连舌头都麻了，真是要命，说话都差点儿咬到自己舌头。

“谁叫你跟猪似的，在哪儿都能睡着，你趴这儿都可以睡，叫都叫不醒。”

我忍住翻白眼的冲动，这人刚刚好一点儿就又有力气跟我吵架。

他拍了拍身边的床。

“干什么？”

“你不是要睡觉么？反正这床够大。”

确实够大，李承鄞这张床比寻常的床大多了，睡上十个八个人都绰绰有余。不过重点不在这里，重点在，我忍不住问：“你要我跟你一块儿睡？”

李承鄞一脸不以为然：“又不是没睡过。”

这倒也是。

我实在是困顿得厉害，爬上床去，李承鄞本来要将被子让一半给我，我怕碰到他的伤口，伸手把脚踏上的那床被子捞起来盖上。然后，我就很舒服地睡着了。

后来是永娘轻声将我唤醒的，我悄悄披衣起来，永娘轻声告诉我说，废黜皇后的旨意终于明诏天下，不过据说太皇太后出面安抚，后宫倒还十分安定。

随着废黜皇后的圣旨，内廷还有一道特别的旨意，是恢复赵良娣的良娣之位，因为她是被冤枉的。

我十分黯然地看了一眼床上的李承鄞，他睡得很沉，还没有醒。因为伤势太重，这么多天来他的脸色仍旧苍白没有血色，人也瘦了一圈，连眼圈都是乌青的。

我对永娘说：“派人去叫赵良娣来侍候太子殿下吧。”

这个地方本来就不属于我，我偏赖在这里好几日。

不等永娘说话，我就走出殿去，命人备辇。

我回到自己的殿中，再无半分睡意。大约是睡得太久了，我瞧着镜中的自己，如果我长得漂亮一些，李承鄞会不会喜欢我呢？

本来李承鄞喜欢不喜欢我，我一点儿也不在意，可是经过这次大难，我才觉得，其实我是在意的。现下他活过来了，我盼着他喜欢我。因为他快要死的时候，我才知道自己原来挺喜欢他的。

可是，他只喜欢赵良娣。

我从来没有像现在这样发过愁。

吃也不想吃，睡也不想睡，每天就呆呆地坐在那里。

赵良娣重新回到了她住的院子里，太皇太后觉得她受了委屈，接连颁赐给她好些珍玩。然后她的父亲最近又升了官，巴结她的人更多了。她住的院子里热闹极了，偶尔从外头路过，可以听见那墙内的说笑声、弦管声、歌吹声。

李承鄞的伤势应该好得差不多了，虽然我没有再见过他，不过有一次我曾听到他的笑声。

能够笑得那样开心，想必是好了。

下大雪的那天发生了两件事。一件事情是宫中传出旨意，珞熙公主赐婚裴照；第二件事情是绪娘被送回了东宫。

裴照的家世很好，他的母亲就是平南长公主，永娘告诉我说："裴将军生来就是要当驸马的。"

据说这是中原的讲究，亲上加亲。

我想起我自己做过的那个梦，只觉得十分怅然。裴将军做了驸马以后，说不定要升官了，他如果不再做东宫的金吾将军，也许我以后再也见不着他了。

本来我已经见不着李承鄞，现在，我就连裴照都要见不着了。

永娘将绪娘安置在东宫西边的一座院子里，她说那里安静，绪娘身体不好，要静静地养一阵子。

我想是因为李承鄞并不喜欢她，所以永娘给她挑的地方，离正殿挺远的。永娘对我说："赵良娣锋芒正盛，太子妃应该趋避之。"

永娘说的这话我不太懂，但我知道就是叫我躲着赵良娣呗。

反正在东宫我也不开心，幸好阿渡的伤也好了，我又可以同阿渡两个溜出去玩儿。

一两个月没出来，天气虽然冷，又刚下了雪，但因为快过年了，宫外倒是极热闹。

街上人山人海，到处是满满当当的小摊小贩，卖雪柳的、卖春幡的、卖吃食的、卖年画的……玩杂耍的、演傀儡戏的、放炮仗的、走绳索的……真是挤都挤不动的人。我顶喜欢这样的热闹，从前总喜欢和阿渡挤在人堆里，这里瞧瞧，那里看看。

可是今天不知道为什么，我总是提不起精神来。没逛一会儿，就拉着阿渡去米罗的铺子里喝酒。

酒肆还是那么热闹，老远就听见米罗的笑声，又清又脆，仿佛银铃一般。

我踏进酒肆的竹棚底下，才发现原来她在同人说笑，那个人我也认识，原来是裴照。

我没想到会在这里遇上裴照，不由得一愣，他大约也没想到会遇上我，所以也是一怔。

我见裴照轻袍缓带，一派闲适的样子，便拱手招呼了一声：“裴公子。”

他反应挺快，也对我拱了拱手：“梁公子。”

酒肆里人太多，只有裴照桌子旁还有空位，我老实不客气地招呼阿渡先坐下来，要了两坛酒。

那句话怎么说的来着，借酒浇愁。

我虽然没愁可浇，不过有一肚子的无聊，所以喝了两碗之后，心情也渐渐好起来。

我拿筷子敲着碗，哼起我们西凉的小曲儿：“一只狐狸它坐在沙丘上，坐在沙丘上，瞧着月亮。噫，原来它不是在瞧月亮，是在等放羊归来的姑娘……一只狐狸它坐在沙丘上，坐在沙丘上，晒着太阳……噫……原来它不是在晒太阳，是在等骑马路过的姑娘……”

酒肆里有几个人噼里啪啦鼓着掌，我却突然又没了兴致，不由得叹了口气，又喝了一碗酒，开始吃香喷喷的羊肉。阿渡拉了拉我的衣角，我知道她是想劝我少喝些，可是我没有理她，我正埋头吃肉的时候，忽然听到“唿律”一声，竟然是筚篥。我抬起头来，怔怔地看着桌子那头的裴照。

阿渡不晓得什么时候把筚篥交给了他，他凝神细吹，曲调悠扬婉转。

我托着下巴，听他吹奏。

这次他吹的曲子竟然是我刚刚唱的那半支小调，想必他从前并没有听过，所以吹奏得十分生涩，不过主要的音律还是没有错，只是一句一顿，吹过一遍之后就显得流畅许多。这首曲子本来甚是欢快，可是不知道为什么，我听着只觉得伤心。

裴照又吹了一遍，才放下了筚篥。

我又饮了一碗酒，对他说：“你能不能帮我一个忙？”

裴照仍旧对我很客气：“公子请吩咐。”

“我一直没有到朱雀门城楼上去看过，你能不能带我偷偷溜上去瞧瞧？”

裴照面上略有难色，我自言自语：“算了，当我没说过。”

没想到裴照却说道：“偷偷溜上去甚是不便，不过有旁的法子，只是要委屈公子，充一充我的随从。”

我顿时来了精神，拍手笑道：“这个没问题。”

我和阿渡扮作裴照的随从，大摇大摆，跟着他上了朱雀门。

朱雀门是上京地势最高的地方，比皇宫太液池畔的玲珑阁还要高。这里因为是上京九城的南正门，所以守卫极是森严，三步一岗，五步一哨。裴照亮出令牌，我们顺顺当当地上了城楼。

城楼最高处倒空无一人，因为守卫全都在下面。

站在城楼上，风猎猎吹在脸上，仿佛小刀一般割得甚痛。可是俯瞰九城万家灯火，极是雄伟。市井街坊，一一如棋盘般陈列眼前，东市西市的那些楼肆，像水晶盆似的，亮着一簇簇明灯。

远目望去，甚至遥遥可见皇城大片碧海似的琉璃瓦，暗沉沉直接到天际。

裴照指给我看：“那便是东宫。”

瞧不瞧得见东宫，我完全不放在心上，我踮着脚，只想看到更远。

站在这么高的地方，也瞧不见西凉。

我怅然地伏在城堞之上，无精打采地问裴照：“你会想家吗？”

隔了一会儿，他才道：“末将生长在京城，没有久离过上京，所以不曾想过。”

我觉得自己怪没出息的，所以有点讪讪地回过头瞧了他一眼。城楼上风很大，吹得他袍袖飘飘，他站得离我挺远的，城楼上灯光黯淡，我也瞧不出他脸上是什么神色。我对他说：“吹一支筚篥给我听吧。”

阿渡将筚篥交给他，他慢慢地吹奏起来，就是我刚刚唱的那支曲子。

我坐在城堞之上，跟着筚篥的声音哼哼：“一只狐狸它坐在沙丘上，坐在沙丘上，瞧着月亮。噫，原来它不是在瞧月亮，是在等放羊归来的姑娘……一只狐狸它坐在沙丘上，坐在沙丘上，晒着太阳……噫……原来它不是在晒太阳，是在等骑马路过的姑娘……一只狐狸它坐在沙丘上，坐在沙丘上……”

我知道，那只狐狸不是在等姑娘，它是想家了。

也不知道过了多久，我才没有哼哼了，可是筚篥的乐声一直响在我身边。这种熟悉的曲调让我觉得安然而放松，即使城楼上这样冷，我的心底也有一丝暖意，那是西凉的声音，是西凉的气息，是这偌大繁华的上京城中，唯一我觉得亲切、觉得熟悉的东西。

满天的云压得极低，泛着黄，月亮星星都瞧不见，只有风割在人脸上，生疼生疼。我觉得困了，打了个哈欠，靠在阿渡的身上。

筚篥的声音渐渐浮起来，像是冬天的薄雾，渐渐地飘进我的梦里。

我快要睡着了。

就在这时候，脸上一凉，我抬起头。

原来是下雪了，无数纷扬的雪花从无尽的苍穹缓缓落下，风不知道什么时候已经息了，只有雪无声地下着，绵绵的，密密的。晶莹的雪花一朵朵，四散飞开，天像是破了一个大窟窿，无穷无尽地往下面漏着雪。东一片，西一片，飞散着，被风吹得飘飘扬扬。

城里的灯火也渐渐稀疏了，雪像一层厚重的白帘，渐渐笼罩起天地。

裴照终于收起筚篥，原来他一直吹了这么久。一停下来，他就忍不住咳嗽了好一阵，定是吃了许多凉风，他也真是傻，我不叫停，就一直吹了这么久，也不怕伤肺。裴照勉力忍住咳嗽，对我说道："下雪了，末将护送太子妃回去吧。"

我看到他眼睫毛上有一朵绒绒的雪花，眨一眨眼，就化了。

我任性地说："我才不要回去。"

"太子妃……"

"不要叫我太子妃。"

裴照并没有犹豫，仍旧语气恭敬："是，娘娘。"

我觉得十分烦恼，问："你喜欢那个公主么？"

裴照怔了怔，并没有说话。

我安慰地拍了拍他的肩："我估计你就不喜欢啦！没想到你也要被逼着娶一个不喜欢的人。唉，你们中原的男人真可怜。不过我也是五十步笑百步。即使李承鄞身为太子，都不能册立喜欢的人为太子妃，你呢，也和他惺惺相惜……"

我的成语可能用得乱七八糟，所以裴照的脸色挺不自然，最后只淡淡地答了个“是”。

我慷慨地说：“别烦恼了！我请你喝花酒好了！”

裴照似乎又被呛到了，又是好一阵咳嗽。我大方地告诉他：“我在鸣玉坊有个相好哦！长得可漂亮啦！今天便宜你了！”

“太子妃……”

“别叫我太子妃！”我兴兴头头拉着他，“走走！跟我吃花酒去！”

裴照显然没想到我是风月场中的常客，等看到我在鸣玉坊的派头时，简直把他给震到了。

关键是王大娘一见了我就跟见到活宝似的，眉开眼笑直迎上来，一把就扯住了我的袖子：“哎呀，梁公子来啦！楼上楼下的姑娘们，梁公子来啦！”

虽然王大娘浑身都是肉，可是她嗓门又尖又细又高又亮，这么呱啦一叫，整个鸣玉坊顿时轰轰烈烈，无数穿红着绿的莺莺燕燕从楼上楼下一涌而出：“梁公子来啦！梁公子怎么这么久没来？梁公子是忘了咱们吧……”

我被她们簇拥而入，好不得意：“没有没有……今天路过……”

“哼！前天月娘还在说，梁公子，你要是再不来呀，咱们就把你存在这儿的那十五坛好酒，全都给挖出来喝了。”

“对呀，还有梅花下埋的那一坛雪，月娘还心心念念留着煎茶给你尝！”

“今天又下雪了，我们就拿这雪水来煮酒吧！”

“好啊好啊！”

我被她们吵得头昏脑涨，问：“月娘呢？怎么不见她？”

“月娘啊，她病了！”

我吃了一惊：“病了？”

“是啊！相思病！”

“相思病？”

“可不是。前天啊，有位贵客到这里来吃了一盏茶，听了一首曲，然后就走了，没想到月娘竟然害上了相思病。”

“什么人竟然能让月娘害相思病？”

“瞧着应该是读书人家的贵人，长得么，一表人才，谈吐不凡，气宇轩昂……”

一听就没戏，我都听那些说书先生讲过多少次了，私定终身后花园的都是公子和小姐，没有公子和风尘女子。更何况这月娘乃是勾栏中的顶尖，教坊里的人精，败在她石榴裙下的公子没有一千也有八百，她怎么会害相思病？

我跟月娘是结义金兰，立刻便去楼上她房中看她。她果然还没睡，只是恹恹地靠在熏笼上，托着腮，望着桌上的一盏红烛，不知道在想些什么。

“十五！”我唤着她的小名。

月娘瞧见是我，亦是无精打采：“你来啦？”

我上下打量她：“你真害相思病了？”

“妹妹，你不知道，他真是神仙一般的人物！”

“你教过我，男人长得好看又不能当饭吃！”

“不仅一表人才，而且谈吐不凡……更难得的是，对我并无半分轻薄之意……”月娘痴痴地合掌作十，“上苍保佑，什么时候再让我见他一面……”

“他不会也是女扮男装吧？”我忍不住打断她，“当初你认出我是女人的时候，不就说过，我对你没有半分轻薄之意，所以你一眼看出我其实是女人……”

月娘压根儿不为我所动：“他怎么可能是女扮男装，看他的气度，便知道他是男人中的男人……唉……”

我咬着耳朵告诉她：“我今天把裴照带来了！你不是一心想

要报仇么？要不要对裴照施点美人计，让他替你报仇？他爹是骁骑大将军，他是金吾将军，听说裴家挺有权势的！”

月娘黯然摇了摇头：“没有用。高于明权倾朝野，为相二十余载，门生遍布党羽众多，就算是裴家，也扳不倒他。而且我听说，高贵妃马上就要做皇后了。”

“高贵妃就要做皇后了？”

“是呀，坊间都传，陛下废黜张皇后，就是想让高贵妃做皇后。”

我不能不承认，我这个太子妃混得太失败了，连皇后的热门人选都不晓得。我从前只见过高贵妃两次，都是去向皇后定省时偶尔遇见的，我努力地回想了半天，也只想起一个模糊的大概，没能想起她到底长什么样子。

我说：“你要是能见到皇帝就好了，可以向他直述冤情。”

月娘原来家里也是做官的，后来被高于明陷害，满门抄斩。那时候她不过六七岁，侥幸逃脱却被卖入勾栏为歌伎。这些年她一直心心念念想要报仇，她第一次将自己身世说给我听的时候，都哭了。我十分同情她，可惜总帮不到她。

月娘幽幽地叹了口气：“哪怕见到皇上也没有用……唉……我倒不想见皇上……我……现在心里……只是……只不知几时能再见着那人……”

月娘真的害了相思病，连全家的大仇都不惦记了，就惦记着那位公子哥。

我下来拉裴照上楼，鸣玉坊中到处都生有火盆，暖洋洋的好不适意。月娘乃是鸣玉坊的头牌花魁，一掀开她房前的帘子，暖香袭人。好几个人迎出来，将我们一直扯进去，裴照不习惯这样的场合，我便将那些美人都轰了出去，然后只留了月娘陪我们吃酒。

闹腾这大半夜，我也饿了，鸣玉坊的厨子做得一手好菜，要不然我也不会总在这里来往。一来是与月娘甚是投契，二来就是因为他们这里的菜好。

我饱饱地吃了一顿，把城楼上吹风受雪的那些不适全吃得忘光了。月娘抱着琵琶，懒懒地抚着弦，有一句没一句地唱："生平不会相思，才会相思，便害相思。身似浮云，心如飞絮，气若游丝……"

她的声音懒懒的，好像真的气若游丝，果然一副害了相思病的腔调。我看了一眼裴照："你怎么不吃？"

"公子请自便，我不饿。"

我觉得他比之前有进步，起码不再一口一个末将。我拿着筷子指给他看："这里的鱼脍是全上京最好吃的，是波斯香料调制的，一点儿也不腥，你不尝尝看？"

我大力推荐鱼脍，他也就尝了尝。

回宫的路上，裴照忽然问我："适才的女子，是否是陈家的旧眷？"

我一时没听懂，他又问了一遍："刚刚那个弹琵琶的月娘，是不是本来姓陈？"

我点了点头，趁机对他讲了月娘的家世，将她形容得要多可怜，有多可怜。

遥遥已经可看到东宫的高墙，裴照停下来，忽然对我说："太子妃，末将有一句话，不知道当讲不当讲。"

我顶讨厌人这样绕弯子了，于是说："你就直说吧。"

他却顿了顿，方才道："太子妃天性纯良，东宫却是个是非之地。殿下身为储君，更是立场尴尬。末将以为，太子妃还是不要和月娘这样的人来往了……"

我从来没觉得裴照这样地令人讨厌过，于是冷笑着道："我知道你们都是皇亲国戚，瞧不起月娘这样的女子，可是叫我跟我的朋友不再来往，那可办不到！我才不像你们这样的势利眼，打量人家无权无势，就不和她交朋友。没错，月娘是个风尘女子，今天晚上真是腌臜了裴将军！请裴将军放心，以后我再不带你去那样的地方了，你安安心心做你的驸马爷吧！”

大约我还从来没有这般尖刻地跟裴照说过话，所以说过之后，好长时间他都没有出声。只听见马蹄踏在雪地上的声音，这里是坊间驰道，全都是丈二见方的青石铺成。雪还一直下着，地上积了薄薄一层雪，马儿一走一滑，行得极慢。

一直行到东宫南墙之下，我都没有理会裴照。

我不知道后来事情的变化完全出乎我的意料。因为马上就要过新年，宫里有许多大典，今年又没有皇后，很多事情都落在我的身上，内外命妇还要朝觐、赐宴……虽然后宫由高贵妃暂时主持，可她毕竟只是贵妃。永娘告诉我说，许多人都瞧着元辰大典，猜测皇帝会不会让高贵妃主持。

“高贵妃会当皇后吗？”

“奴婢不敢妄言。”永娘很恭谨地对我说。我知道她不会随便在这种事上发表意见，她也告诉我：“太子妃也不要议论此事，这不是做人子媳该过问的。”

我觉得我最近的烦恼有很多，比关心谁当皇后要烦人多了。比如赵良娣最近克扣了绪宝林的用度，绪宝林虽然老实，但她手下的宫人却不是吃素的，吵闹起来，结果反倒被赵良娣的人下圈套，说她们偷支库房的东西，要逐她们出东宫。最后绪宝林到我面前来掉眼泪，我也没有办法，要我去看那些账本儿、管支度、操心主持那些事，可要了我的命了，我只得好好安抚了绪宝林，可是两个宫人还是被赶出了东宫，我只得让永娘重新挑两个人给绪宝林用。除了东宫里的这些琐事，更要紧的是太皇太后偶染风寒，她这一病不要紧，阖宫上下都紧紧揪着一颗心，毕竟是七十岁的老人了。原先我用不着每日晨昏定省，现在规矩也立下来了，每天都要到寿宁宫侍奉汤药。再比如李承鄞打马球的时候不小心扭了脚脖子，虽然走路并不碍事，可是他因为伤愈不久，又出了这样的事情，皇帝大怒，把他召去狠骂了一顿，结果回来之后赵良娣又不知道为什么触怒了他，他竟然打了赵良娣一巴掌，这下子可闹得不可开交了，赵良娣当下气得哭闹不已。众人好说歹说劝住了，李承鄞那脾气岂是好相与的，立时就拂袖而去，一连好几日都独宿在正殿中。

永娘再三劝我去看李承鄞，我晓得她的意思，只是不理不睬。

没想到我没去看李承鄞，他倒跑来我这里了。

那天晚上下了一点儿小雪，天气太冷，殿里笼了熏笼，蒸得人昏昏欲睡。所以我早早就睡了，李承鄞突然就来了。

他只带了名内官，要不是阿渡警醒，没准儿他上了床我都不知道。阿渡把我摇醒的时候，我正睡得香，我打着呵欠揉着惺忪的眼睛看着李承鄞，只觉得奇怪："你来干什么？"

"睡觉！"他没好气，坐下来脚一伸，那内官替他脱了靴子，又要替他宽衣，他挥挥手，那内官就垂着手退出去了。阿渡一摇醒我，也早就不晓得溜到哪里去了。

我又打了个哈欠，自顾自又睡死过去，要不是李承鄞拉被子，我都醒不过来。

我迷迷糊糊把被子让了一半给他，他却贴上来，也不知道最后谁替他脱的衣服，他只穿了件薄绸的中衣。男人身上真热，暖和极了，跟火盆似的。尤其他把胳膊一伸，正好垫在我颈窝里，然后反手搂住我，顺手就把我扒拉到他怀里。这样虽然很暖和，可是我觉得很不舒服，尤其睡了一会儿就忍不住："别在我后脖子出气……"

他没说话，继续亲我的后脖子，还像小狗一样咬我，我被咬得又痛又痒，忍不住推他："别咬了，再咬我睡不着了。"他还是没说话，然后咬我耳朵，我最怕耳朵根痒痒了，一笑就笑得全身发软，他趁机把我衣带都拉开了，我一急就彻底醒过来了，“你干什么？”

李承鄞狠狠啃了我一口，我突然明白他要干吗了，猛然一脚就踹开他：“啊！”

这一下踹得他差点儿没仰面跌下床去，帐子全绞在他脸上，他半天才掀开裹在脸上的帐子，又气又急地瞪着我：“你怎么回事？”

“你要……那个……那个……去找赵良娣！”

我才不要当赵良娣的替身呢，虽然我喜欢李承鄞，可不喜欢他对我做这种事情。

李承鄞忽然轻笑了一声：“原来你是吃醋。”

“谁吃醋了？”我翻了个白眼，“你少在那里自作自受！”

李承鄞终于忍不住纠正我：“是自作多情！”

我说成语总是出错，不过他一纠正我就乐了：“你知道是自作多情就好！去找你的赵良娣，或者绪宝林，反正她们都巴望着你呢！”

“你呢？你就不巴望我？”

“我有喜欢的人啦！”我突然心里有点儿发酸，不过我喜欢的人不喜欢我，而且我还偏要在他面前嘴硬，“我才不巴望你呢，你愿意找谁找谁去，哪怕再娶十个八个什么良娣、宝林，我也不在乎。”

李承鄞的脸色突然难看起来，以前我总在他面前说赵良娣，他的脸色也没有这般难看。过了好一会儿，他突然冷笑了一声：“别以为我什么都不知道，不就是裴照！”

我张口结舌地瞧着他。

“别忘了你自己的身份，你可是有夫之妇。哦，我知道了，反正你们西凉民风败坏，不怕丢脸，成日溜出宫外跟裴照混在一起，竟然没有半分羞耻之心！”

我可没想到他会知道我出宫的事，我更没想到他会知道我跟裴照一起吃酒的事，我恼羞成怒了：“你自己娶了一个女人又娶一个女人，我出宫逛逛，又没有做什么坏事，而且我和裴将军清清白白……”

李承鄞反倒笑了笑：“那是，借裴照一万个胆子，他也不敢跟你不清白。再说他马上要娶珞熙了，我们天朝的公主，可不像你们西凉的女人，真是……天性轻狂！”

最后四个字彻底激怒了我，我跳起来甩了他一巴掌，不过他避得太快，所以我这巴掌只打在了他下巴上。我气得全身发抖：“你跟那些乱七八糟的女人成天搅在一块儿，我从来没有说过什么，我和裴照不过喝过几次酒，你凭什么这样说我？我们西凉的女人怎么了……你就是仗着你们人多势众……要不是当初你父皇逼着我阿爹和亲，我阿爹舍得把我嫁到这么远来么？若不是你们仗势欺人，我会嫁给你么？我们西凉的男人，哪一个不比你强？你以为我很想嫁给你么？你以为我很稀罕这个太子妃么？我喜欢的人，比你强一千倍一万倍！你连他的一根头发丝都比不上……”

李承鄞真的气到了，他连外衣都没有穿，怒气冲冲地就下了床。他一直走到内殿的门口，才转身对我说：“你放心！我以后再也不来了，你就好好想着那个比我强一千倍一万倍的人吧！”

他可真是气着了，连靴子都没穿，也不知道赤着脚是怎么回去的。

我拉起被子蒙住自己的头，心里十分难过。我把李承鄞气跑了，因为我知道，他喜欢的是赵良娣。我没有那么大方，明知道他心里没有我，还让他占我的便宜。我宁可他跟从前一样，对我不闻不问的。女人其实挺可怜，当时他不过推了我一把，让我避开刺客那一剑，我就已经很喜欢他了，如果他再对我温存一点儿，说不定我真的就离不开他了。那时候我就真的可怜了，天天巴望着他，希望他能施舍地看我一眼，然后就像永娘说过的那些女人一样，每天盼啊盼啊，望啊望啊……

我才不要把自己落到那么可怜的地步去。

我大半宿没睡着，早上就睡过头了，还是永娘把我叫醒，慌慌张张梳洗了进宫去。太皇太后这几日已经日渐康复，见到我很高兴，将她吃的粥赐给我一碗。

那个粥不知道放了些什么，味道怪怪的，我吃了几口，实在忍不住，觉得胃里直翻腾。

永娘看我脸色不好，连忙走上来，奉给我一盏茶。我胃里难受得要命，连茶也不敢喝，小声告诉永娘："我想吐……"

太皇太后都七十岁的人了，耳朵竟然特别灵，马上就听到了："啊？想吐啊？"

不待她吩咐，马上一堆宫女围上来，拿漱盂的拿漱盂，拿清水的拿清水，拿锦帕的拿锦帕，抚背的抚背，熏香的熏香。太皇太后这里用的熏香是龙涎香，我一直觉得它味道怪怪的，尤其现在熏香还举得离我这么近，那烟气往我鼻子里一冲，可忍不住了，但吐又吐不出来，只呕了些清水。永娘捧来花露给我漱口，这么一折腾，太皇太后都急了："快传御医！"

"不用……"肯定是昨天晚上睡凉了，李承鄞走后我大半宿没有睡着，坐在那里连被子都忘了盖，今天早上我就有点儿肚子疼，现在变成胃不舒服了，我说，"也许是吃坏了……"

"传御医来看。"太皇太后眉开眼笑，"八成是喜事，你别害臊啊！开花结果这是再自然不过的事，有什么不好意思的！哎呀，还要传钦天监吧，你说这孩子该取个什么名字才好……"

我……我……我差点一口鲜血喷出来……没想到太皇太后这样心热，以为我有娃娃了，问题是，我还没做过会有娃娃的事呢……

御医诊视后的结果是我胃受了凉，又吃了鹿羹粥，所以才会反胃。太皇太后可失望了，问左右："太子呢？"

"马上就是元辰大典，今日殿下入斋宫……"

太皇太后顿时拍着案几发起了脾气："入什么斋宫！不孝有三，无后为大！他父皇像他这个年纪，都有三个儿子了！他都二十岁了，还没有当上爹！那个赵良娣成日在他身边，连个蛋都不会下！还有那个绪宝林，好好一孩子，说没就没了！再这么下去，我什么时候才能抱上曾孙子？是想让我死了都闭不上眼睛么？"

太皇太后一发脾气，满大殿的人都跪了下去，战战兢兢地无一不道："太皇太后息怒！"越是这样说，太皇太后越怒："来人！把李承鄞给我叫来！我就不信这个邪，我就不信我明年还抱不上曾孙子！"

太皇太后同我一样，点名道姓叫李承鄞。不过太皇太后叫他来骂一顿，回头他又该以为是我说了什么，说不定又要和我吵架。

吵就吵呗，反正我也不怕他。

我没想到太皇太后那么心狠手辣，叫来李承鄞后根本没有骂他，而是和颜悦色地问他："沐浴焚香啦？"

沐浴焚香是入斋宫之前的准备，李承鄞又不知道到底发生了什么事，所以只答："是。"

"那就好。"太皇太后说道，"便宜你了，这几日不用你清心寡欲吃斋，反正列祖列宗也不在乎这个。来人啊，把太子殿下和太子妃送到清云殿中去，没我的吩咐，不准开门！"

我都傻了，宫人们拉的拉推的推，一窝蜂把我们俩攘进了清云殿，"咣啷"一声关上门。我摇了摇，那门竟然纹丝不动。

李承鄞冷冷瞧了我一眼，我回瞪了他一眼。

他从齿缝里挤出两个字："卑鄙！"

我大怒："关我什么事！你凭什么又骂我？"

"若不是你在太皇太后面前告状，她怎么会把我们关起来？"

我气得不理他，幸好殿中甚是暖和，我坐在桌边，无聊地掰手指玩儿，掰手指也比跟李承鄞吵架有趣。

我们被关了半日，瞧着天色暗下来，宫人从窗中递了晚饭茶水进来，不待我说话，"咣"地将窗子又关上了。

一定是太皇太后吩咐过，不许他们和我们说话。我愁眉苦脸，不过饭总是要吃的，无聊了这大半日，我早饿了。而且有两样菜我很喜欢，我给自己盛了碗饭，很高兴地吃了一顿。李承鄞本来坐在那里不动，后来可能也饿了，再说又有他最喜欢吃的汤饼，所以他也饱吃了一顿。

饱暖思……思……无聊……

我在殿里转来转去，终于从盆景里挖出几颗石子，开始自己跟自己打双陆。

也不知道玩了多久，殿里的火盆没有人添炭，一个接一个熄掉了。

幸好内殿还有火盆，我移到床上去继续玩，捂在被子里挺舒服的，可惜玩了一会儿，蜡烛又熄了。

外殿还有蜡烛，我哆嗦着去拿蜡烛，结果刚走了两步就觉得太冷了，干脆拉起被子，就那样将被子披在身上走出去。看到李承鄞坐在那里，我顶着被子，自顾自端起烛台就走，走了两步又忍不住问他："你坐这儿不冷么？"

他连瞧都没瞧我一眼，只是从牙齿缝里挤出两个字："不冷！"

咦！

他的声音为什么在发抖？

我一手抓着胸前的被子，一手擎着烛台，照了照他的脸色，这一照不打紧，把我吓了一大跳。

这么冷的天，他额头上竟然有汗，而且脸色通红，似乎正在发烧。

“你又发烧了？”

“没有！”

瞧他连身子都在哆嗦，我重新放下烛台，摸了摸他的额头，如果他真发烧倒也好了，只要他一病，太皇太后一定会放我们出去的。

我一摸他，他竟然低哼了一声，伸手拉住了我的手，一下子就将我拽到他怀里去了。他的唇好烫啊，他一边发抖一边亲我，亲得我都喘不过气来了。他呼出来的热气全喷在我脸上，我觉得好奇怪，但马上我就不奇怪了，因为他突然又一把推开我，咬牙说：“汤里有药。”

什么药？汤里有药？

怎么可能！太皇太后最疼她这重孙子，绝不会乱给东西让他吃。

而且吃剩的汤还搁在桌子上，我凑近汤碗闻了闻，闻不出来什么。李承鄞突然从身后抱住我，吻着我的耳垂：“小枫……”

我身子一软就瘫在他怀里，也不知道是因为他吻我耳朵，还是因为他叫我名字。

他还没叫过我名字呢，从前总是喂来喂去，还有，他怎么会知道我叫什么名字？

李承鄞把我的脸扳过去，就开始啃我的嘴巴，他从来没像今天这样急切，跟想把我一口吞下去似的，他整个人烫得像锅沸水，直往外头冒热气。

我突然就明白汤里有什么药了。

啊！

啊！

啊！

太皇太后你太为老不尊了！

竟然……竟然……竟然……

我吐血了……我无语了……我叫天不应，叫地不灵……

李承鄞已经把我的衣服都扯开了，而且一边啃我的嘴巴，一边将我往床上推。

我们两个打了一架，没一会儿我就落了下风，硬被他拖上了床。我真急了，明天李承鄞还不得后悔死，他的赵良娣要知道了，还不得闹腾死，而我呢，还不得可怜死……

我连十八般武艺都使出来了，身上的衣服还是一件件不翼而飞，李承鄞不仅脱我的衣服，还脱他自己的衣服，我都不知道男人衣服怎么脱，他脱得飞快，一会儿就坦裎相见了……会不会长针眼？会不会长针眼？我还没见过李承鄞不穿衣服呢……

看着我眼睛瞟来瞟去，李承鄞竟然嘴角上扬，露出个邪笑："好看吗？"

"臭流氓！"我指指点点，"有什么好看的！别以为我没见过！没吃过猪肉我见过猪跑！"

李承鄞都不跟我吵架了，反倒跟哄我似的，柔声细语地在我耳朵边问："那……要不要试试猪跑？"

"啊！"

千钧一发的时刻，我大义凛然断喝一声："瑟瑟！"

"什么瑟瑟！"

"你的瑟瑟！"我摇着他的胳膊，"想想赵良娣，你不能对不起她！你不能辜负她！你最喜欢她！"

"你是我的妻，你和我是正当的……不算对不起她！"

"你不喜欢我！"

"我喜欢你！"他喃喃地说，"我就喜欢你……"

“你是因为吃了药！”

“吃了药我也喜欢你，小枫，我真的喜欢你。”

我可受不了了，男人都是禽兽，禽兽啊！一点点补药就变成这样，把他的赵良娣抛在了脑后，跟小狗似的望着我，眼巴巴只差没流口水了。我摇着他：“你是太子，是储君！忍常人不能忍！坚持一下！冷静一下！不能一失那个什么什么恨！”

“一失足成千古恨……”

“对！一失足成千古恨！忍耐一下……为了赵良娣……你要守身如玉……”

“我不守！”他跟小狗一样呜咽起来，“你好冷血、好无情、好残忍！”

我全身直冒鸡皮疙瘩：“我哪里冷血？哪里无情？哪里残忍？”

“你哪里不冷血？哪里不无情？哪里不残忍？”

“我哪里冷血？哪里无情？哪里残忍？”

“这里！这里！这里！”

我的妈啊……冷不防他竟然啃……啃……羞死人了！

箭在弦上，千钧一发！

我狠了狠心，咬了咬牙，终于抓起脑后的瓷枕就朝李承鄞砸去，他简直是意乱情迷，完全没提防，一下子被我砸在额角。

“咕咚！”

晕了。

真晕了。

李承鄞的额头鼓起鸡蛋大一个包，我手忙脚乱，连忙又用瓷枕压上去，这还是永娘教我的，上次我撞在门栓上，头顶冒了一个大包，她就教我顶着瓷枕，说这样包包就可以消掉了。

到了天明，李承鄞额头上的包也没消掉，不过他倒悠悠醒转过来，一醒来就对我怒目相视："你绑住我干吗？"

"为了不一失足成千古恨，委屈一下。"我安慰似的拍了拍他的脸，"你要翻身吗？我帮你好了。"

想必他这样僵躺了一夜，肯定不舒服，不过他手脚都被我用挂帐子的金帐钩绑住了，翻身也难。我费了九牛二虎之力，想将他搬成侧睡，搬的时候太费劲了，我自己倒一下子翻了过去，整个人都栽在他身上，偏偏头发又挂在金帐钩上，解了半天解不开。

他的眼睛里似乎要喷出火来："你不要在我身上爬来爬去好不好？"

"对不起对不起。"我手忙脚乱地扯着自己的头发，扯到一半的时候他开始亲我，起先是亲我肩膀，然后是亲我脖子，带着某种引诱似的轻啮，让我起了一种异样的战栗。

"把绳子解开。"他在我耳朵边说，诱哄似的含着我的耳垂，"我保证不做坏事……你先把我解开……"

"我才不信你呢！"我毫不客气，跟李承鄞吵了这么多年，用脚趾头想也知道这是圈套。我摸索着终于把头发解下来，然后爬起来狠狠地白了他一眼："老实呆着！"

"我想……"

"不准想！"

"我要！"

"不准要！"

他吼起来："你能不能讲点道理！人有三急！你怎么一点儿也不明白！我要解手！"

我呆了呆，也对，人有三急，上次我在东宫急起来，可急得快哭了。情同此理，总不能不让他解手。

我把绑着他的两条金帐钩都解开来，说："去吧！"

他刚刚解完手回来，宫人也开门进来了，看到满地扔的衣服，个个飞红了脸。看到李承鄞额头上的伤，她们更是目光古怪。她们捧着水来给我们洗漱，又替我们换过衣裳，然后大队人马退出去，以迅雷不及掩耳之势，反扣上了门。

我急了，还继续关着我们啊……

李承鄞也急了，因为送来的早饭又是下了药的汤饼，他对着窗子大叫："太祖母……您是想逼死重孙么？"

我反正无所谓，大不了不吃。

李承鄞也没吃，我们两个饿着肚皮躺在床上，因为床上最暖和。

太皇太后真狠啊，连个火盆都不给我们换。

李承鄞对赵良娣真好，宁可饿肚子，也不愿意一失足成千古恨。

可是躺在那里也太无聊了，李承鄞最开始跟我玩双陆，后来他老是赢，我总是输，他就不跟我玩了，说玩得没意思。到中午的时候，我饿得连说话的力气都快没有了，李承鄞还拉着我解闷："唱个歌给我听！"

"我为什么要唱歌给你听？"

"你不唱？"李承鄞作势爬起来，"那我去吃汤饼好了。"

我拉住他："行！行！我唱！"

我又不会唱别的歌，唱来唱去还是那一首："一只狐狸它坐在沙丘上，坐在沙丘上，瞧着月亮。噫，原来它不是在瞧月亮，是在等放羊归来的姑娘……一只狐狸它坐在沙丘上，坐在沙丘上，晒着太阳……噫……原来它不是在晒太阳，是在等骑马路过的姑娘……"

李承鄞嫌我唱得难听，我唱了两遍他就不准我唱了。我们两个躺在那里，无所事事地聊天。

因为太无聊，李承鄞对我说了不少话，他还从没对我说过这么多的话。于是我知道了东宫为什么被叫做东宫，知道了李承鄞小时候也挺调皮，知道了他曾经偷拔过裴老将军的胡子。知道了李承鄞最喜欢的乳娘去年病逝了，他曾经好长时间挺难过。知道了他小时候跟忠王的儿子打架，知道了宫里的一些乱七八糟的事，都是我从前听都没听过的奇闻，知道了李承鄞同父异母的弟弟晋王李承邺其实喜欢男人，知道了永宁公主为什么闹着要出家……

我做梦也没有想过，有一天我和李承鄞两个人，会这样躺在床上聊天。

而且还聊得这么热火朝天。

我告诉他一些宫外头的事，都是我平常瞎逛的所见所闻，李承鄞可没我这么见多识广，他听得津津有味，可被我唬住了。

李承鄞问我："你到底在哪儿见过猪跑的啊？"

我一时没反应过来："什么猪跑？"

李承鄞没好气："你不是说你没吃过猪肉，却见过猪跑吗？"

"哦！"我兴奋地爬起来，手舞足蹈地向他描述鸣玉坊。我把鸣玉坊吹嘘得像人间仙境，里面有无数仙女，吹拉弹唱，诗词歌赋，无一不精，无一不会……

李承鄞的脸色很难看："你竟然去逛窑子？"

"什么窑子，那是鸣玉坊！"

"堂堂天朝的太子妃，竟然去逛窑子！"

我的天啊，他的声音真大，没准儿这里隔墙有耳呢！我扑过去捂住他的嘴，急得直叫："别嚷！别嚷！我就是去开开眼界，又没做什么坏事！"

李承鄞眼睛斜睨着我，在我的手掌下含含糊糊地说："除非……你……我就不嚷……"

不会又要啃嘴巴吧？

男人怎么都这种德性啊？

我可不乐意了："你昨天亲了我好几次，我早就不欠你什么了。"

李承鄞拉开胸口的衣服，指给我看那道伤疤："那这个呢？你打算拿什么还？"

我看着那道粉红色的伤疤，不由得有点儿泄气："那是刺客捅你的，又不是我捅你的。"

"可是我救过你的命啊！要不是我推开你，说不定你也被刺客伤到了。"

我没办法再反驳，因为知道他说的其实是实话，不过我依然嘴硬："那你想怎么样？"

"下次你再去鸣玉坊的时候，带上我。"

我震惊了："你……你……"我大声斥道，"堂堂天朝的太子，竟然要去逛窑子！"

这次轮到李承鄞扑过来捂住我的嘴："别嚷！别嚷！我是去开开眼界，又不做什么坏事！"

"咱们被关在这里，一时半会儿又出不去，怎么能去逛鸣玉坊……"我彻底泄气了，"太皇太后不会把咱们一直关到新年以后吧……"

李承鄞说："没事，我有办法！"

他出的主意真是馊主意，让我装病。

我可装不出来。

我从小到大都壮得像小马驹似的，只在来到上京后才病过一次，叫我装病，我可怎么也装不出来。

李承鄞叫我装晕过去，我也装不出来，我往那儿一倒就忍不住想笑，后来李承鄞急了，说："你不装我装！"

他装起来可真像，往床上一倒，就直挺挺的一动不动了。

我冲到窗前大叫："快来人啊！太子殿下晕过去了！快来人啊……"我叫了好几声之后，殿门终于被打开了，好多人一涌而入，内官急急地去传御医，这下子连太皇太后都惊动了。

御医诊脉诊了半晌，最后的结论是李承鄞的脉象虚浮，中气不足。

饿了两顿没吃，当然中气不足。不过太皇太后可不这样想，她以为李承鄞是累坏了，所以即使她为老不尊，也不好意思再关着我们了。

我被送回了东宫，李承鄞可没这样的好运气，他继续入斋宫去了，因为明日就要祭天。我虽然回到东宫，但也彻底地忙碌起来，陛下并没有将元辰大典交给高贵妃，而是由我暂代主持。

过年很忙，很累，一点儿也不好玩。

我最担心的是元辰大典，虽然有永娘和高贵妃协助我，但这套繁文缛节，还是花费了我偌多功夫才背下来，而且接踵而来的，还有不少赐宴和典礼。

每天晚上我都累得在卸妆的时候就能睡着，然后每天早晨天还没有亮，就又被永娘带人从床上拖起来梳妆。以前有皇后在，我还不觉得，现在可苦得我呱呱叫了。我得见无数认识或者不认识的人，接受他们的朝拜，吃一些食不知味的饭，每一巡酒都有女官唱名，说吉祥话，看无聊的歌舞，听那些内外命妇叽叽喳喳地说话。

宴乐中唯一好玩的是破五那日，这天民间所有的新妇都要归宁，而皇室则要宴请所有的公主。主桌上是我的两位姑奶奶，就是皇帝陛下的姑姑，然后次桌上是几位长公主，那些是李承鄞的姑姑。被称为大长公主的平南公主领头向我敬酒，因为我是太子妃，虽然是晚辈，但目前没有皇后，我可算作是皇室的女主人。

我饮了酒，永娘亲自去搀扶起平南公主，我想起来，平南长公主是裴照的母亲。

裴照跟她长得一点儿也不像。

我下意识开始寻找珞熙公主，从前我真没有留意过她，毕竟皇室的公主很多，我与她们并不经常见面，好多公主在我眼里都是一个样子，就是穿着翟衣的女人。这次因为裴照的缘故，我很仔细地留意了珞熙公主，她长得挺漂亮的，姿态优雅，倒与平南长公主像是母女二人。在席间按皇家的旧例，要联诗作赋。永娘早请好了枪手，替我做了三首《太平乐》，我依葫芦画瓢背诵出来就行了。珞熙公主做了一首清平调，里面有好几个字我都不认识，更甭提整首诗的意思了。所有人都夸我做的诗最好，珞熙公主则次之，我想珞熙公主应该是男人们喜欢的妻子吧，金枝玉叶，性格温和，多才多艺，跟裴照真相配啊。

我觉得这个年过得一点儿也不开心，也许是因为太累，我一连多日没有见着李承鄞，听说他和赵良娣又合好了，两个人好得跟蜜里调油似的。我觉得意兴阑珊，反正整个正月里，唯一能教我盼望的就是正月十五的上元节。

我最喜欢上京的，也就是它的上元节。

十里灯华，九重城阙，八方烟花，七星宝塔，六坊不禁，五寺鸣钟，四门高启，三山同乐，双往双归，一派太平：讲的就是上京的上元节。离上元节还有好几天，城中各坊就会忙着张满彩灯，连十里朱雀大街也不例外，那些灯可奇巧了，三步一景，五步一换，飞禽走兽，人物山水，从大到小，各色各样，堆山填海，眼花缭乱，称得上是巧夺天工。而且那晚上京不禁焰火，特别是在七星宝塔，因为是砖塔，地势又高，所以总有最出名的烟火作坊，在七星塔上轮流放烟花，称为“斗花”，斗花的时候，半个上京城里几乎都能看见，最是璀璨夺目。而在这一夜，居于上六坊的公卿人家也不禁女眷游冶，那一晚阖城女子几乎倾城而出，看灯兼看看灯人。然后五福寺鸣太平钟，上京城的正南、正北、正东、正西城门大启，不禁出入，便于乡民入城观灯。而三尹山则是求红线的地方，传说三尹山上的道观是姻缘祠，凡是单身男女，在上元日去求红线，没有不灵验的。双往双归则是上京旧俗，如果女子已经嫁了人，这日定要与夫婿一同看灯，以祈新岁和和美美，至于还没有成亲却有了意中人的，更不用说啦，这日便是私密幽会，也是礼法允许的。

去年上元节的时候，我跟阿渡去三尹山看灯，连鞋子都被挤掉了。据说那天晚上被挤掉的鞋子有好几千双，后来清扫三尹山的道公们收拾这些鞋子捐给贫人，装了整整几大车才拉走。

我早拿定主意今年要在靴子上绑上牛皮细绳，以免被人踩掉，这样的泼天热闹，我当然一定要去凑啦！

正月十四的时候赐宴觐见什么的乱七八糟的事终于告一段落，我也可以躲躲懒，在东宫睡上一个囫囵觉，留足了精神好过上元节。可是睡得正香的时候，永娘偏又将我叫起来。

我困得东倒西歪，打着哈欠问她："又出什么事了？"

"绪宝林的床底下搜出一个桃木符，据说是巫蛊之物，上头有赵良娣的生辰八字，现在赵良娣已经拿住了绪宝林，就候在殿外，要请太子妃发落。"

我又累又困又气："多大点事啊，一个木牌牌也值得大惊小怪么，这年都还没过完呢！绪宝林不会这么笨吧，再说刻个木牌牌就能咒死赵良娣了？赵良娣这不还活得好好的！"

永娘正了正脸色，告诉我说："巫蛊为我朝禁忌，太子妃也许不知道，十年前陈征就是因为擅弄巫蛊，怨咒圣上，而被贬赐死，并抄灭满门。我朝开国之初，废吴后也是因为巫蛊许妃，被废为庶人，连她生的儿子都不许封王……"

我觉得头痛，我最怕永娘给我讲几百年前的事，于是我顺从地爬起来，让宫人替我换上衣裳，匆忙梳洗。永娘道："绪宝林巫蛊之事甚是蹊跷，太子妃千万要小心留意，不要中了圈套。"

我很干脆地问她："你觉得我应该怎么办？"

永娘道："太子妃本来可以推脱，交给皇后圣裁，只是现在中宫空虚，又正值过节，不宜言此不吉之事。奴婢窃以为，太子妃不妨交给太子殿下裁决。"

我不做声，我想这事如果交给李承鄞的话，绪宝林一定会被定罪。

赵良娣是李承鄞的心尖子眼珠子，不问青红皂白，他肯定会大怒，然后绪宝林就要倒大霉了。绪宝林那么可怜，李承鄞又不喜欢她，上次去宫里看她，她就只会哭，这次出了这样的事，她一定是百口莫辩。我想了又想，只觉得不忍心。

永娘看我不说话，又道："娘娘，这是一潭浊水，娘娘宜独善其身。"

我大声道："什么独善其身，叫我不管绪宝林，把她交给李承鄞去处置，我可办不到！"

永娘还想要劝我，我整了整衣服，说道："传赵良娣和绪宝林进来。"

每当我摆出太子妃的派头，永娘总是无可奈何，永娘记得牢牢的宫规，还有几十年的教养，总让她不能不对我恭声应诺。

赵良娣见了我，还是挺恭敬，按照规矩行了大礼，我挺客气地让永娘把她搀扶起来，然后请她坐下。

绪宝林还跪在地上，脸颊红红的，眼睛也红红的，像是刚刚哭过。

我问左右："怎么不扶绪宝林起来？"

宫人们不敢不听我的话，连忙将绪宝林也扶起来。我开始瞎扯："今天天气真不错……两位妹妹是来给我拜年的么？"

一句话就让赵良娣的脸红了又白，白了又红。

本来按照东宫的规矩，她们应该在新年元日便着鞠衣来给我叩首行礼，但这三年来李承鄞怕我对赵良娣不利，从来不让她单独到我住的地方来，所以此礼就废止了。因此我一说这话，赵良娣就以为我是在讽刺她。其实那天我在宫里忙着元辰大典，直到夜深才回到东宫，哪里有功夫闹腾这些虚文，便是绪宝林也没有来给我叩首。

我可没想到这么一层，还是事后永娘悄悄告诉我的。我当时就觉得赵良娣的脸色有点儿不好看了，还以为她是因为我对绪宝林很客气的缘故，所以我安抚了绪宝林几句，就把那块木牌要过来看。

因为是不洁之物，所以那木牌被放在一只托盘里，由宫人捧呈着，永娘不让我伸手去拿它。我看到上头刻着所谓的生辰八字，也瞧不出旁的端倪来。我想起了一个问题："怎么会突然想起来去搜绪宝林的床下呢？"

我这么一问，赵良娣的脸色忽然又难看起来。

原来赵良娣养的一只猧儿走失不见了，宫人四处寻找，有人看见说是进了绪宝林住的院子，于是赵良娣的人便进去索要。偏偏绪宝林说没看见什么猧儿，赵良娣手底下的人如何服气，吵嚷起来，四处寻找，没想到猧儿没找着，倒找着了巫蛊之物。

赵良娣道："请太子妃为我做主。"

我问绪宝林："这东西究竟从何而来？"

绪宝林又跪下来了："臣妾真的不知，请太子妃明察。"

"起来起来。"我顶讨厌人动不动就跪了，于是对赵良娣说，"这世上的事，有因才有果，绪宝林没缘没由的，怎么会巫蛊你？我觉得这事，不是这么简单……"

赵良娣却淡淡地道："如此铁证如山，太子妃这话，是打算偏袒绪宝林了？"

她说得毫不客气，目光更是咄咄逼人。不待我说话，永娘已经说道："太子妃只说要细察缘由，并没有半句偏袒之意，良娣请慎言。"

赵良娣突然离座，对我拜了一拜，说道："那臣妾便静候太子妃明察此事，只望早日水落石出，太子妃自然会给臣妾一个交待。"说完便道，"臣妾先行告退。"再不多言，也不等我再说话，带着人就扬长而去。

永娘可生气了，说道："岂有此理，僭越至此！"

我没话说，赵良娣她讨厌我也是应该的，反正我也不喜欢她。

绪宝林还跪在那里，怯怯地瞧着我。我叹了口气，亲自把她搀扶起来，问她："你把今日的事情，好生从头说一遍，到底是怎么回事。"

绪宝林似乎惊魂未定，一直到永娘叫人斟了杯热茶给她，慢慢地吃了，才将事情原原本本说了一遍。

原来绪宝林住的地方挺偏僻，这几日正逢新春，宫里照例有赏赐。那些东西对我和赵良娣不算什么，可是对绪宝林来说，倒是难得之物。绪宝林是个温吞性子，我遣去侍候绪宝林的两个宫女平日待她不错，绪宝林便将糕饼之物交给她们分食。因为御赐之物不能擅自取赠他人，所以便悄悄关上了院门，防人瞧见。

便是在这时候赵良娣的人突然来敲门，她们心中慌乱，又正自心虚，一边应门，一边便将糕饼藏起来。赵良娣的人进了院子便到处搜寻，绪宝林正自心虚，哪里肯让她们随意乱走，兼之赵良娣派来的人又毫不客气，两下里言语不和，很快就吵嚷起来，赵良娣的人索性一不做二不休，就开始在屋子里乱翻，没想到猧儿没找着，倒从绪宝林床底下找出那桃木符来。这下子自然是捅了马蜂窝，赵良娣的人一边回去禀报赵良娣，一边就将绪宝林及两个宫人软禁起来。赵良娣看到桃木符，气得浑身发抖，二话不说，带了绪宝林就径直来见我。

"臣妾委实不知这东西是从哪里来的……"绪宝林眼泪汪汪地说，"请太子妃明察……"

明察什么啊……她们两个人各执一词，将我说得云里雾里，我可明察不了，不过这种东西总不会是从天上掉下来的。我问绪宝林："它就在你床底下，你难道不知道是谁放进去的？"

绪宝林以为我是兴师问罪，吓得"扑通"一声又跪下来了："娘娘，臣妾自知命薄福浅，绝无半分争宠夸耀之心，哪里敢怨咒良娣……"

我看她吓得面无人色，连忙说："我不是那个意思，我是说，这个东西要悄悄放到你床底下去，可不是那么容易。你一天到晚又不怎么出门，那两个宫人也是天天都在，这几日有没有什么可疑的人去过你那里，或者有什么可疑的蛛丝马迹？"

绪宝林听了我这句话，才慢慢又镇定下来，全神贯注去想有没有什么可疑的蛛丝马迹。

她想了半晌，终究还是对我说："臣妾想不出什么可疑的人……"

算了，这绪宝林跟我一样，是个浑没半分心眼儿的人。

我好言好语又安慰了她几句，就叫她先回去。绪宝林犹是半信半疑，我说："天长日久自然水落石出，怕什么，等过完节再说。"

她看我胸有成竹的样子，估计以为我早有把握，于是郑重其事地对我施一施礼，才去了。

永娘问我："太子妃有何良策，查出此案的真凶？"

我打了个呵欠："我能有什么良策啊，这种事情我可查不出来。"永娘哭笑不得，又问我："那太子妃打算如何向赵良娣交待？"

我大大翻了个白眼："这桃木符又不是我放在她床底下的，我为何要对她有所交待？"

永娘对我的所言所语哭笑不得，絮絮叨叨劝说我，我早就迷迷瞪瞪，没听一会儿，头一歪就睡着了。

这一觉睡得好香，直到被人从床上拎起来，说实话我还有点儿迷糊，虽然永娘经常命人将我从床上拖起来，那也是连扶带抱，不像此人这般无礼。

我眼睛一睁，咦！李承鄞！他不仅把我拎起来，而且还说：“你竟然还睡得着！”

完了完了完了！

一定是赵良娣向他告状，所以他来兴师问罪。我大声道：“我有什么睡不着的！绪宝林的事没查清楚就是没查清楚，你吼我也没有用！”

“绪宝林又出了什么事？”他瞧着我，眉毛都皱到一块儿去了。

啊？他还不知道啊！赵良娣没向他告状？我眼睛一转就朝他谄媚地笑：“呃……没事没事，你找我有什么事？”

“明天就是上元节了！”

“我知道啊。”废话，要不然我今天硬是睡了一天，就是为了明晚留足精神，好去看灯玩赏。

他看我毫无反应，又说道：“明日我要与父皇同登朱雀楼，与民同乐。”

“我知道啊。”我当然知道，年年上元节陛下与他都会出现在承天门上，朝着万民挥一挥手，听“万岁”山响，号称是与民同乐，其实是吹冷风站半宿，幸好皇室的女人不用去站，不然非把我冻成冰柱不可，冻成冰柱事小，耽搁我去看灯事大。

“那你答应过我什么？”他瞪着我，一副生气的样子。

那句话怎么说来着，伴君如伴虎，天威难测。这话真对头，陪着皇帝的儿子就像陪着小老虎，同样天威难测，他在想什么我真猜不到。只能十分心虚地问：“我答应过你什么？”

眼见我就要不认账，他声音都提高了：“你果然忘得一干二净！你答应带我去逛窑子。”

乖乖！这话岂能大声嚷嚷？

我扑上去就捂着他的嘴：“小声点！”

恰巧这时候永娘大约是知道李承鄞来了，所以不放心怕我们又吵起来，于是亲自进殿内来，结果她头一探，就看到我像只八脚的螃蟹扒在李承鄞身上，不仅衣衫不整，还紧紧捂着他的嘴，李承鄞因为把我从床上拎起来，所以两只手还提着我的腰呢……我简直像只猴子正爬在树上，总之我们俩的姿势要多暧昧有多暧昧，要多可疑有多可疑……她一瞧见我们这情形，吓得头一缩就不见了。

我觉得很气愤，上次是阿渡，这次是永娘，为啥她们总能挑这种时候撞进来。

李承鄞却很起劲似的：“快起来，我连衣服都命人准备好了。过完了上元节，可没这样的好机会了。”

我还以为他和赵良娣和好以后，就把这事忘到九霄云外去了，没想到他还能记着。

他果然准备了一大包新衣，我从来没见李承鄞穿平民的衣服，只觉得说不出来的别扭。不过也不算难看，就是太不像他平常的样子了。

“要不要贴上假胡子？”他兴冲冲地将包裹里的假胡子翻出来给我看，“这样绝没人能认得出咱们。”

“要不要带上夜行衣？”他兴冲冲地将包裹里的夜行衣翻出来给我看，“这样飞檐走壁也绝没有问题。”

“要不要带上蒙汗药？”他兴冲冲地将包裹里的蒙汗药翻出来给我看，“这样麻翻十个八个绝没有问题。”

……

我实在是受不了了，殿下，您是去逛窑子，不是去杀人放火抢劫粮行票号……

我忍无可忍：“带够钱就成了。”

不用说，李承鄞那是真有钱，真大方，我一说带够钱，他就从包袱底下翻出一堆马蹄金，啧啧，简直可以买下整座鸣玉坊。

我换上男装后李承鄞就一直笑，直到我恶狠狠地威胁不带他去，他才好容易忍住没笑了。

我正要唤阿渡与我们一块儿，李承鄞死活不肯带她。我说：“阿渡不在我身边，我会不习惯。”

李承鄞板着脸孔说道：“有我在你身边就够了。”

“可是万一……”

“你不相信我可以保护你么？”

我叹了口气，上次是谁被刺客捅了一剑，被捅得死去活来差点儿就活不过来了啊……不过一想起刺客那一剑我就有点儿内疚，于是我就没再坚持，而是悄悄对阿渡打了个手势。阿渡懂得我的意思，她会在暗中跟随我们。

于是，我和李承鄞一起，神不知鬼不觉地溜出了东宫。永娘肯定还以为我和李承鄞在内殿，也没有其他人发现我们的行踪。我还是挺快活的，因为我最喜欢溜出宫去玩儿，哪怕今日多了个李承鄞，我还是觉得很快活。

出了东宫，我才发现在下雨。丝丝寒雨打在脸上，冰凉沁骨，我不由得担心起来，如果雨下大了，明天的赏灯一定减了不少趣味。前年也是下大雨，虽然街坊间都搭了竹棚，仍旧挂上了灯，可是哪有皓月当空、花灯如海来得有趣。

青石板的驰道很快被雨润湿，马蹄踏上去发出清脆的响声。街两旁的柳树叶子早落尽了，疏疏的枝条像是一蓬乱发，掩映着两旁的铺子，铺中正点起晕黄的灯火，不远处的长街亦挂起一盏盏彩灯。明天就是上元，酒楼茶肆里人满为患，街上车子像流水一样来来往往。上京就是这般繁华，尤其是节日之前的上京，繁华中隐隐带着点宁静，像是要出阁的新嫁娘，精心梳妆，只待明日。

我们到鸣玉坊前下马，早有殷勤的小子上前来拉住马缰，将马带到后院马厩去。

今晚的鸣玉坊也格外热闹，楼上楼下全都是人。我和李承鄞身上都被淋得半湿，王大娘见着我跟见着活宝似的，乐得合不拢嘴，照例就要亮开嗓门大叫，幸好我抢先拦住了："大娘，先找间屋子给我们换衣裳，我这位哥哥是头一回来，怕生。"

王大娘打量了一下李承鄞的穿着打扮，她那双势利眼睛一瞧见李承鄞帽上那颗明珠，就乐得直眯起来："当然当然，两位公子这边请。"

上楼梯的时候，我问王大娘："月娘呢？"

"适才有位客人来了，所以月娘去弹曲了。"

我觉得很稀罕，依着上次月娘害相思病的样子，以我跟她的交情，都只替我弹了两首曲子，神色间还是无精打采。月娘不仅是这鸣玉坊的花魁，便在上京城的教坊里头，也是数一数二的人物，寻常的达官贵人她都不稍假辞色，连我上次带裴照来，她都没半分放在心上。所以我不由得好奇问："是哪位贵客，有这样的能耐？"

"还有哪位？"王大娘眉开眼笑，"就是上次来的那位贵客，让我们月娘惦记了好一阵子，这次可又来了。"

哦？！

我觉得好奇心被大大地勾起来，便缠着王大娘要去瞧瞧。王大娘显得很是作难："这个……客人在阁子里吃酒……总不能坏了规矩……"

我软硬兼施了半晌，王大娘仍旧不松口。她在这里做生意不是一日两日，想来断不肯坏了名头。她待我们极为殷勤，将我们让进一间华丽的屋子里，又送上两套华服，吩咐两个俏丽丫鬟替我们换衣，自出去替我们备酒宴去了。

我怕自己的女扮男装露馅，所以等她一走，就把那两个俏丫鬟轰了出去，自己动手换下了湿衣服。李承鄞低声问我：“你打算怎么办？”

我傻笑地看着他：“什么怎么办？”

“别装傻了，我知道你一定会想法子去瞧瞧那个什么贵客！”

“那当然！月娘是我义结金兰的姐妹，万一她被坏男人骗了怎么办？我一定要去瞧一瞧！”

李承鄞“哼”了一声，说道：“你懂得什么男人的好坏？”

怎么不懂？我可懂啦！

我指着他的鼻子：“别欺负我不懂！像你这样的男人，就是坏男人！”

李承鄞脸色好难看：“那谁是好男人？”

当然像阿爹那样的男人就是好男人，不过如果我抬出阿爹来，他一定会跟我继续斗嘴。所以我灵机一动，说道：“像父皇那样的男人，就是好男人。”

李承鄞的脸色果然更难看了，好像一口气憋不过来，可是他总不能说他自己亲爹不是好男人，所以他终于闭嘴了，没跟我继续吵下去。

我带他出了屋子，轻车熟路地穿过走廊，瞧瞧四下无人，就将他拉进另一间屋子里。

屋里没有点灯，一片漆黑，伸手不见五指。我摸索着飞快地反拴上门，然后就去摸李承鄞的袍带。

李承鄞被我回身这么一抱，不由得身子一僵，但并没有推开我，反倒任凭我摸来摸去。可是我摸来摸去就是摸不到，他终于忍不住问我：“你要干什么？”

“嘘！你不是带了火绒？拿出来用一用。”

李承鄞将火绒掏出来塞进我手里，似乎在生气似的，不过他整日和我生气，我也并不放在心上，吹燃了火绒点上桌上的蜡烛，然后说道：“我要乔装改扮一下，去瞧瞧月娘的贵客。”

李承鄞说：“我也要去！”

我打开箱笼，一边往外拿东西，一边头也不抬地对他说：“你不能去！”

“凭什么你可以去就不让我去？”

我把燕脂水粉统统取出来搁在桌子上，然后笑眯眯地说：“我打算扮成女人去，你能去吗？”

李承鄞果然吃瘪了，可是正当我得意扬扬坐下来对镜梳妆的时候，李承鄞突然说了一句话：“我也扮成女人去！”

我“咣当”一声就从胡床摔到了地上。

我的屁股哟，摔得那个疼啊……直到李承鄞把我拉起来的时候，我还疼得一抽一抽的。

李承鄞说：“反正我要和你一块儿。”

我无语望苍天：“我是去看那个男人，你去干什么啊？”

“你不是说那个月娘长得沉鱼落雁闭月羞花……”

我怄死了，我要吐血了，我从前只晓得李承鄞是臭流氓，没想到他竟然流氓到这个地步，为了瞧一瞧花魁月娘，竟然肯下这样的决心，不惜扮作女人。果然是牡丹花下死，做鬼也风流。我瞪了他一眼：“那好，过来！”

“干吗？”

我看到镜中的自己笑得好生狰狞：“当然是替你好好……梳妆打扮！”

你还别说，李承鄞那一张俊脸，扮成女人还怪好看的。

我替他梳好头发，又替他化妆，然后插上钗环，点了额黄，再翻箱倒柜找出件宽大襦裙让他换上，真是……衣袂飘飘若仙举，什么什么花春带雨……

最让我觉得丧气的是，镜子里一对比，他比我还好看呐！

谁叫他细皮嫩肉，这么一打扮，英气尽敛，变成个美娇娘了。

唯一不足的是他身量太高，扮作女人不够窈窕，不过也够瞧的了，我们两个从楼梯走下去的时候，还有好几个客人朝我们直招手，真把我们当成了坊中的姑娘。我一脸假笑，同李承鄞一起左闪右闪，好容易都快要走到后门口了，突然有个醉醺醺的客人拦住了我们的去路，笑着就来抓我的肩膀："小娘子，过来坐坐！"那满嘴的酒气熏得我直发晕，我还没有反应过来，李承鄞已经一巴掌挥上去了。

"啪！"

那人都被打傻了，我挤出一丝笑："有……有蚊子……"然后一把扯着李承鄞就飞快地跑了。

一直跑到后楼，才听到前楼传来杀猪似的叫声："啊！竟然敢打人……"

前楼隐约地喧哗起来，那客人吵嚷起来，不过自会有人去安抚。后楼则安静得多，虽然与前楼有廊桥相连，不过这里是招待贵客的地方，隐隐只闻歌弦之声，偶尔一句半句，从窗中透出来。外头雨声清软细密，仿佛伴着屋子里的乐声般，一片沙沙轻响。院子里安静极了，里头原本种着疏疏的花木，只是此时还没发芽，望去只是黑乎乎一片树枝。我拉着李承鄞跑过廊桥，心里觉得奇妙极了。两人的裙裾拖拂过木地板，窸窸窣窣，只听得环佩之声，叮叮咚咚。远处点着灯笼，一盏一盏的朦胧红光，像是很远，又像是很近。好像跟我拉着手的，倒是个陌生人似的，我想起来这好像还是我第一次牵李承鄞的手，耳朵不知道为什么有点儿发热。他的手很软，又很暖，握着我的指头。我只不敢回头瞧他，也不知道自己在怕什么。幸好这廊桥极短，不一会儿我就拉着李承鄞进了一间屋子。

这屋子里布置得十分精致，红烛高烧，馨香满室，地下铺了红氍毹，踩上去软绵绵的，像踩在雪上一般。我知道这里是月娘招待贵客的地方，所以屏气凝神，悄悄往前走了两步。隔着屏风望了一眼，隐约瞧见一位贵客居中而坐，月娘陪在一旁，正拨弄着琵琶，唱《永遇乐》。可恨屏风后半垂的帐幔，将那位贵客的身形遮住了大半，看不真切。

恰巧在此时听到一阵脚步声，吓了我一大跳，还以为是刚才那个醉鬼追过来了，却原来是悠娘并几位舞伎。悠娘乍然看到我和李承鄞，骇了一跳似的，我连忙扯住她衣袖，压低了嗓子道："悠娘，是我！"悠娘掩着嘴倒退了半步，好半晌才笑道："梁公子怎么扮成这副模样，叫奴家差点没认出来。"然后瞧了瞧我身后的李承鄞，道，"这又是哪位姐姐，瞧着面生得紧。"

我笑嘻嘻地道："听说月娘的贵客来了，我来瞧个热闹。"

悠娘抿嘴一笑，说道："原来如此。"

我悄悄在她耳畔说了几句话，本来悠娘面有难色，但我说道："反正我只是瞧一瞧就走，保证不出什么乱子。"

在这鸣玉坊里，除了月娘，就是悠娘同我最好，她脾气温和，禁不住我软磨硬泡，终于点头答应了。于是我欢欢喜喜问李承鄞："你会不会跳舞？"

李承鄞肯定快要吐血了，可是还是不动声色地问我："跳什么舞？"

"踏歌。"

我只等着他说不会，这样我就终于可以甩下他，独自去一睹贵客的尊容了，没想到他嘎嘣扔过来俩字："我会！"

我傻啊！我真傻啊！他是太子，每年三月宫中祓禊，都要由太子踏歌而舞的，我真是太傻了。

我犹不死心："这是女子的踏歌。"

"看了不知道几百次，不过大同小异而已。"

好吧……既然如此，那就一起来吧。

屋子里月娘琵琶的声音终于停了，丝竹的声音响起来，里面定然还有一班丝竹乐手。这是催促舞伎上场的曲调，拍子不急，舒缓优雅。

我深深吸了口气，接过悠娘递来的纨扇，同李承鄞一起跟着舞伎们鱼贯而入。

这时候月娘已经轻启歌喉，唱出了第一句："君如天上月……"

月娘的歌喉真是美啊……美得如珠似玉，只这一句便教人听得痴了似的……我心里怦怦直跳，终于可以瞧见这位贵客长什么样了，真是又欢欣又鼓舞又好奇……舞伎们含笑转过身来，我和李承鄞也转过身来，同所有人一起放低手中的纨扇，只是我一放下纨扇就傻了。

完完全全地傻了。

不止我傻了。

李承鄞一定也傻了，其他人都已经踏歌而舞，就我和他半拧着身子，僵在那里一动不动。

因为这位贵客我认识，不仅我认识，李承鄞也认识。

何止是认识啊……

天啊……

给个地洞我们钻进去吧……

皇上……

您还记得大明湖畔的夏雨荷吗？

身边的舞伎随着乐声彩袖飘飘，那些裙袂好似回风流雪，婉转动人。就我和李承鄞两个呆若木鸡，悠娘拼命给我使眼色，我使劲拧了自己一把，然后又使劲拧了李承鄞一把……这会不会是在做梦？这一定是在做梦！

陛下……父皇……怎么会是您啊？您您您……您置儿臣与殿下于何地啊……我要钻地洞……

幸好陛下不愧为陛下，就在我们目瞪口呆、诧异极了的时候，他还特别淡定地瞧了我们一眼，然后拿起茶碗来，浑若无事地喝了一口茶。

李承鄞最先醒悟过来，扯了扯我的袖子，然后随着舞伎一起，翩然踏出踏歌的步子。这一曲踏歌真是跳得提心吊胆，忐忑不安。我一转过头来，发现月娘也认出了我，正睁大了双眼瞧着我。我冲她抛了个媚眼，她瞪着我，我知道她怕我搅了贵客的雅性——打死我也不敢在这位贵客面前胡来啊。

好容易一首曲子完了，月娘笑着起身，正要说什么，贵客已经淡淡地道："这踏歌舞得不错。"

"曲鄙姿薄，有辱贵人清听。"月娘婉转地说道，"不如且让她们退下，月娘再为您弹几首曲子。"

贵客点点头："甚好。"

月娘刚刚松了口气，贵客却伸出手指来，点了点："叫这两名舞伎留下来。"

贵客的手指不偏不倚，先点一点，指的李承鄞，后点一点，指的是我。我估计月娘都快要昏过去了，连笑容都勉强得几乎挂不住："贵客……留下……留下她们何意？"

"此二人舞技甚佳，留下他们斟酒。"

贵客发话，安敢不从。于是，月娘心怀鬼胎地瞧着我，我心怀鬼胎地瞧着李承鄞，李承鄞心怀鬼胎地瞧着陛下，而陛下心怀……咳咳，心怀坦荡地瞧着我们。

总之，所有人退了出去，包括奏乐的丝竹班子。屋子里头就留下了我们四个人，心怀鬼胎，面面相觑。

最后，还是贵客吩咐："月娘，去瞧瞧有什么吃食。"

这下子月娘可又急了，瞧了我一眼，又瞧了贵客一眼。见贵客无动于衷，而我又对她挤眉弄眼，月娘委实不明白我是什么意思，可是又怕那位贵客瞧出什么端倪，于是她终于还是福了一福，退出去了。

我膝盖一软就跪在了地上，倒不是吓的，是累的，刚才那支踏歌跳得可费劲了，悠娘手底下的舞伎都是京中有名的舞娘，为了跟上她们的拍子，可累坏我了。

李承鄞同我一样长跪在那里，屋子里的气氛，说不出的诡异，诡异，诡异。

不会又要罚我抄书吧？我苦恼地想，这次我的乱子可捅大了，我带着太子殿下来逛窑子，被皇帝陛下给当场捉拿，要是罚我抄三十遍《女训》，我非抄死了不可。

不过我突然想到一件事，陛下他也是来逛窑子的啊，既然大家都是来逛窑子的，那么他总不好意思罚我抄书了吧。

正在我胡思乱想的时候，终于听到陛下发话了，他问："鄞儿，你怎么会在这里？"

我斜着眼睛看着男扮女装的李承鄞，陛下这句话问得真是刁钻，要是李承鄞把我给供出来了，我可跟他没完。

幸好李承鄞理直气壮地答："只是好奇，所以来看看。"

陛下指了指我，问："那她呢？"

李承鄞再次理直气壮地答："她也好奇，于是我带她一同来看看。"

够义气！我简直想要拍李承鄞的肩，太够义气了！就凭他这么够义气，我以后一定还他这个人情。

陛下闲闲地"哦"了一声，说道："你们两个倒是夫妻同心，同进同出。"

李承鄞却面不改色地说道："敢问父亲大人，为何会在此？"

我没想到李承鄞会这般大胆，既然大家都是来逛窑子的，何必要说破了难堪。没想到陛下只是笑了笑，说道："为政不得罪巨室，身为储君，难道你连这个也不明白？"

“陛下的教诲儿臣自然谨遵，可是陛下亦曾经说过，前朝覆亡即是因为结党营私，朝中党派林立，政令不行，又适逢流蝗为祸，才会失了社稷大业。”

我觉得这两人说的话我一句也听不懂，这两个人哪像在逛窑子啊，简直是像在朝堂奏对。我觉得甚是无趣，陛下却淡淡一笑，说道：“唯今之计，你打算如何处置？”

“翻案。”

陛下摇头：“十年前的旧案，如何翻得？再说人证物证俱已湮茫，从何翻起？”

李承鄞也笑了笑：“物证么，自然要多少有多少。至于人证……父亲大人既然微服至此，当然也晓得人证亦是有的。”

陛下却笑着叹了口气：“你呀！”

好像是每次我闹着要骑那性子极烈的小红马，阿爹那种无可奈何又宠溺的语气。想起阿爹，我就觉得心头一暖，只是眼前这两个人说的话我都不懂。没过一会儿，突然听到脚步声杂沓，是相熟的歌伎在外头拍门，急急地呼我：“梁公子！梁公子！”

陛下和李承鄞都瞧着我，我急急忙忙爬起来：“出什么事了？”

“有人闯进坊中来，绑住了您娘，硬说您娘欠他们银子，要带您娘走呢！”

我一听就急了：“快带我去看看！”

李承鄞拉住我的胳膊：“我同你一起去！”

我回头看看陛下，低声道：“你陪父皇在这里！”

陛下却对我们点点头：“你们去吧，我带了人出来。”

我和李承鄞穿过廊桥，一路小跑到了楼前，只听一阵阵喧哗，还有王大娘的声音又尖又利：“想从我们坊中带走人，没门儿！”

“欠债还钱，天经地义！”为首的泼皮是个胖子，生得圆圆滚滚，白白胖胖，留着两撇八字胡，贼眉鼠眼，长得一看就不是好人。我一看这个胖子就怒了：“孙二，怎么又是你！”

说到孙二这个人，还是打出来的相识。孙二是专在酒肆赌坊放高利贷的，有次我遇上他逼一对孤儿寡母还钱，看不过去出手跟他打了一架，把他揍得满地找牙，从此孙二就给我三分薄面，不会轻易在我面前使横。孙二眨巴着眼睛，认了半晌终于认出我来了：“梁公子……你穿成这样……哈哈哈哈……”

我都没想起来我还穿着女装，我毫不客气一脚踏在板凳上，将裙角往腰间一掖：“怎么着？要打架？我扮成女人也打得赢你！”

孙二被我这一吓就吓着了，挤出一脸的笑容：“不敢，不敢。其实在下就是来讨债的。梁公子，这个欠债还钱，是天经地义。悠娘她一不是孤儿，二不是寡妇，三没病没灾的，你说她欠我的钱，该不该还？”

我问悠娘：“你怎么欠他钱了？”

悠娘原是个老实人，说道：“何曾欠他的钱？不过我同乡夫妻二人到上京城来做点小生意，没料到同乡娘子一病不起，又请大夫又吃药，最后又办丧事，找这孙二借了几十吊钱。孙二说我同乡没产没业的，不肯借给他，非得找个人做保，我那同乡在上京举目无亲，没奈何我替他做了保。现在我同乡折了本钱回老家去了，这孙二就来向我要钱。”

我听得直噎气：“你这是什么同乡啊？赖账不还还连累你……”

孙二手一扬，掏出借据：“梁公子，若是孤儿寡母，我也就放她们一马。反正咱们出来混，迟早是要还的。杀人放火金腰带，修桥铺路无尸骸……”

他一念诗我就发晕，身后的李承鄞“噗”一声已经笑出声来，孙二却跳起来："哪个放屁？"

"你说什么？"李承鄞脸色大变，我拉都拉不住，殿下啊别冲动别冲动。

孙二扫了李承鄞一眼，却对我拱了拱手："梁公子，今日若是不还钱，我们就要得罪了。"

"她只是个保人，你要讨债应该去找她同乡。"李承鄞冷笑一声，"《大律》疏义借贷之中，明文解析，若借贷者死，抑或逃逸，抑或无力偿还，方可向保人追讨。"

孙二没想到李承鄞上来就跟他讲《大律》，眨巴着眼睛说："现下她同乡不就是跑了，难道还不是逃逸？"

"谁说她同乡是跑了，她同乡明明是回家去了，你明知借债人的去向，为何不向其追讨，反倒来为难保人？"

"那她同乡去哪里了我如何知道……"

李承鄞将悠娘轻轻一推："你同乡家住何方？"

悠娘都快傻了，结结巴巴地答："定州永河府青县小王庄……"

李承鄞说："行了，现在借债人地址确切，你要讨债就去找他讨债，不要在这里闹事。"

王大娘趁机插进来："我们姑娘说得是，你要讨债只管向那借钱的人讨去，为什么来坊中跟我们姑娘闹事。快出去！快出去！快出去！"她一边说一边推推搡搡，孙二和几个泼皮被她连哄带推，一下子就推出了大门。孙二在外头跳脚大骂，王大娘拍着李承鄞的背，得意地说："好姑娘，真替妈妈争气！你是悠娘手底下的孩子？这个月的花粉钱妈妈给你加倍！"

我在旁边笑得打跌，那孙二在外头骂得气急败坏，却又无可奈何。我看着他突然对手底下的人招了招手，几个人凑在一处交头接耳，嘀咕了一阵就分头散去，我不由得道："哎哟不好，这孙二只怕要使坏。"

“关上门！关上门！”王大娘连忙指挥小子去关门，“别再让他们闹进来。还有我那两盏波斯琉璃灯，先把灯取下来再关门，明天就是灯节了，这灯可贵着呢，千万别碰着磕着了……”

这边厢还在闹嚷嚷摘灯关门，那边厢孙二已经带着人气势汹汹地回来了，每人手中都提着一个竹筒，也不知道里头装的什么。王大娘一见就急了，撵着小子们去关门，门刚刚半掩上，那些无赖已经端起竹筒就泼将出来，只见泼出来黑乎乎一片，原来竹筒里装的全是黑水。大半黑水都泼在了门上，正关门的小子们闪避不及，好几个人都被溅一身漆黑的黑水，而王大娘的裙子也溅上了，气得王大娘大骂：“老娘新做的绛丝裙子，刚上身没两日工夫，这些杀千刀的泼皮……看老娘不剥了你们的皮……”

王大娘待要命小子们开门打将出去，那孙二早和那些无赖一哄而散，逃到街角去了，一边逃还一边冲王大娘直扮鬼脸，气得王大娘又叫又跳又骂。

悠娘上前来替王大娘提着裙子，仔细看了又看，说道：“妈妈慢些，这好像是墨汁，用醋擦过，再用清水漂洗就能洗净。妈妈将裙子换下来，我替您洗吧……”

王大娘扶着悠娘的手，犹在喃喃咒骂：“这帮无赖，下次再遇见老娘看不打杀他……”一边说，一边又命人去擦洗大门。奈何那簇新的榉木大门，只刷了一层生漆，竟然一时擦拭不净。王大娘瞧着小子擦不干净，愈加生气。我看那墨迹已经渗到门扇的木头里去了，突然灵机一动，便唤身边站着的一个小使女：“把燕脂和螺子黛取来。”

悠娘瞧了瞧我的脸，笑着说道：“梁公子扮起姑娘来，真是十足十的俊俏，便是不化妆，也要把咱们满坊的姑娘比下去。”

我笑嘻嘻地拉着李承鄞："这儿有个比我更漂亮的，快去取来我给他好生画画！"

李承鄞又气又恼，甩开我的手，使女已经捧着燕脂和螺子黛过来，我将盘子塞在他手里，说道："画吧！"

李承鄞瞪着我说："画什么？"

我没好气："上次你的瑟瑟用白纨扇打死一只蚊子，你不是替她在扇子的蚊子血上画了一只蝴蝶？你既然有本事画蝴蝶，今天自然有本事画这门。"

李承鄞"哼"了一声，我看他不情愿的样子，便踮着脚攥着他的领子说："你要是不肯画这门，我可要把后楼贵客的事嚷嚷出来！"

李承鄞又瞪了我一眼："你敢！"我一张口就叫："大家快去后楼看皇……"最后一个字硬被李承鄞捂住我的嘴，不曾叫出来。他不用笔，立时用手抓了燕脂，在门上画了个大圆圈，然后把里头填满了燕脂。再接着拿了螺子黛，在那墨迹上点点画画，我很少看到李承鄞画画，更甭提用手指头画了，周围的人都啧啧称奇，我也觉得好奇极了。只见李承鄞以手指勾转，涂抹间不逊于用笔，甚是挥洒如意，渐渐勾勒出大致的轮廓，然后一一细细添补，周围的人不由都屏息静气，看他从容作画。

最后终于画完了，一看，哇！墨迹被泼成大片山峦，水雾迷茫露出重峦叠嶂，然后青峰点翠，山林晴岚，红日初升，好一幅山河壮丽图。

王大娘拍手笑道："这个好，这个真好！我原出了重金请西坊的安师傅，待灯节过了来替我画门，原是想画一幅踏歌行乐图，这一画，可比安师傅画得好！"

那当然，身为当朝太子，自幼禀承名师，诗词歌赋琴棋书画，无一不会，无一不精，自然要比那些画匠画得好太多。

李承鄞亦十分得意，撒着两手端详了片刻，又拿起那螺子黛，在画旁题了三个大字："泼墨门"。三个大字写得龙飞凤舞，我虽然不懂书法，也觉得气势非凡。李承鄞亦觉得意犹未尽，又在底下题了一行小字落款："上京李五郎"，方才掷去螺子黛，道："打水！净手！"

王大娘眉开眼笑，亲自打了水来让他洗手。我也觉得好生得意，虽然当初阿爹十分不情愿将我嫁到中原来，可是我这个夫婿除了骑马差点儿，打架差点儿之外，其实还是挺有才华的。

我们洗完了手，王大娘又唤人烧点心给我们吃，忽然她疑惑起来，不住地打量李承鄞。我怕她瞧出什么端倪来，正待要乱以他语，忽然听到院后"嗖"的一声，竟是一枚焰火腾空而起。那枚焰火与旁的焰火并不相同，不仅升得极高，而且笔直笔直腾升上去，在黑色的天幕中拉出一条极亮的银白色光弧，夹带尖锐的哨音，极是引人注目。一直升到极高处，才听到"砰"一声闷响，那焰火绽开极大一朵金色烟花，纵横四射的光羽，割裂开黑丝绒似的夜色，交错绽放划出眩目的弧迹，炸出细碎的金粉，久久不散，将半边天际都映得隐隐发蓝。

李承鄞却脸色大变，掉头就向后楼奔去，我来不及问他，只得跟着他朝后头跑去。他步子极快，我竟然跟不上，上了廊桥我才发现事情不对，院子里静得可怕，廊桥下趴着一个黑衣人，身下蜿蜒的血迹慢慢淌出，像是一条诡异的小蛇。为什么这里会有死人？我来不及多想，大声急呼："阿渡！"

阿渡却不应我，我连叫了三声，平日我只要叫一声阿渡她就会出现了，难道阿渡也出事了？我心跳得又狂又乱，李承鄞已经一脚踹开房门，我们离开这屋子不过才两盏茶的工夫，原本是馨香满室，现在扑面而来的却是血腥，地上横七竖八躺倒着尸体，全都是黑衣壮汉。李承鄞急切地转过屏风，帷帐被扯得七零八落，明显这里曾经有过一场恶斗。榻上的高几被掀翻在地上，旁边的柱子上有好几道剑痕，四处都是飞溅的血迹，这里死的人更多。有一个黑衣人斜倚在柱子上，还在微微喘息，李承鄞扑过去扶起他来，他满脸都是血，眼睛瞪得老大，肩头上露出白森森的锁骨，竟是连胳膊带肩膀被人砍去了大半，能活着真是奇迹。李承鄞厉声道："陛下呢？"

那人连右胳膊都没有了，他用左手抓着李承鄞的胸口，抓得好紧好紧，他呼哧呼哧地喘着气，声音嘶哑："陛下……陛下……"

"是谁伤人？陛下在哪里？"

"蒙面……刺客蒙面……刺客武功惊人……臣无能……"他似乎用尽了全部的力气指着洞开的窗子，眼神渐渐涣散，"……救陛下……陛下……"

李承鄞还想要问他什么，他的手指却渐渐地松开，最后落在了血泊中，一动不动。

李承鄞抬起眼睛来看我，我看到他眼中全都是血丝，他的身上也沾满了血，到处都是死人，我也觉得很怕。我们离开不过短短片刻，刺客在这么短的时间内杀了这么多人，而且这些人全都是禁军中的好手，陛下白龙鱼服，一定是带着所有武功好的护卫。现在这些人全都被杀了，这个刺客武功有多高，我简直不能想像。可是李承鄞拾起一柄佩剑，然后直起身子，径直越过后窗追了出去。

我大声叫："阿渡！"阿渡不知道去哪里了，我想起上次的事情，非常担心阿渡的安危。我又担心李承鄞，刺客的武功这么高，要杀掉我和李承鄞简直是轻而易举的事情。我拾起血泊中的一柄剑，跟着也翻出了后窗，心想要杀便杀，我便拼了这条命就是了。

后面是一个小小的院子，中间堆砌着山石，那些石头是从遥远的南方运来，垒在院子里扶植花木的，现在天气寒冷，树木还光秃秃的。转过山石李承鄞突然停住了脚步，反手就将我推到了他自己身后。抵在凹凸不平的山石上，我愣愣地看着他的后脑勺，忽然想起上次遇见刺客，他也是这样推开我，心中又酸又甜，说不出是什么样一种滋味。我踮着脚从他肩头张望，看到有好几个黑衣人正围着一个蒙面人缠斗，为首的那黑衣人武功极高，可是明显并不是刺客的对手，穿黑衣的尽皆是禁军中的顶尖高手，眼下虽然都负了伤，可是非常顽强。那刺客一手执剑，一手挽着一个人，那个人正是陛下。刺客虽然一手扣着陛下的腕脉，单手执剑，剑法仍旧快得无与伦比，每一剑出都会在黑衣人身上留下一道伤口。借着月色，我才看到山石上溅着星星点点的鲜血。就在此时，远处隐隐约约传来闷雷似的轰隆巨响。那刺客忽地剑一横就逼在了陛下颈中，所有人都不敢再有所动作，只能眼睁睁看着他。

李承鄞说道："放开他！"

他的声音夹在雷声里，并不如何响亮，可是一字一顿，极为清楚。

我不知道是不是在打雷，远处那沉闷的声音仿佛春雷，又闷又响。我从来没有像今天这样害怕过，不是害怕刚才满屋子的死人，也不是害怕这个鬼魅似的刺客，而是惶然不知道在害怕什么。

远处那雷声越来越响，越来越响，又过了片刻，我才听出真的不是雷声，而是马蹄声，从四面八方传来的马蹄声，轰轰烈烈仿佛铺天盖地，朝着这小小的鸣玉坊席卷而来，就像四面都是洪水，一浪高过一浪，一浪迭着一浪，直朝着这里涌过来。我从来没听过这样密集的蹄声，即使在我们草原上陈兵打仗，阿爹调齐了人冲锋，那声势也没有这般浩大。起先我还能隐约听见鸣玉坊中人的惊呼，还有前楼喧哗的声音，到最后我觉得连四周的屋子都在微微晃动，斗拱上的灰簌簌地掉落下来，楼前什么声音都听不见了，只有这蹄声就像是最可怕的潮水，无穷无尽般涌过来，

涌过来，像是沙漠中最可怕的飓风，带着漫天的沙尘席卷而来，天地间的万事万物都逃不过，被这可怕的声音淹没在其中。

那刺客并不说话，而是横剑逼迫着陛下，一步步往后退。

谁也不敢轻举妄动，陛下却突然喝道：“曾献！杀了刺客！”

为首的黑衣人原来叫曾献，这个名字我听说过，知道是神武军中有名的都指挥使，武功盖世，据说曾力敌百人。曾献的肩头亦在滴血，此时步步紧逼，那刺客剑锋寒光闪闪，极是凛冽，架在陛下喉头，相去不过数分，我急得背心里全都是冷汗。李承鄞突然轻轻一笑，对那刺客道：“你知道我是什么人？”

那刺客脸上蒙着布巾，只有一双眼睛露在外头，眼中并不透出任何神色，只是冷冷地看着李承鄞。

“现在神武军驰援已至，外头定然已经围成铁桶，你若是负隅顽抗，免不了落得万箭穿心。你若是此时放下剑，我允你不死。”

刺客目光灼灼，似乎有一丝犹豫。李承鄞又道：“如若不放心，你以我为人质，待你平安之后，你再放我回来便是了。”

我手心里出了汗，连握在手中的剑都觉得有点儿打滑。我心一横，从他身后站出来：“要当就让我当人质，反正我一个弱女子，你也不怕我玩什么花样。等你觉得安全了，再放我回来便是。”

李承鄞狠狠瞪了我一眼，我毫不客气地瞪了回去。我懂得他的意思，我也知道这不是玩耍，可是眼下这样，叫我眼睁睁看着刺客拿他当人质，我可不干。

刺客仍旧不答话，只是冷冷地执剑而立，曾献等人亦不敢逼迫太甚，双方僵持不已。

李承鄞站在那里一动也未动，外面那轰轰烈烈的声音却像是忽然又安静下来，过了好久走廊上传来脚步声，有人正走过来。

我背心里全是冷汗，我在想是不是刺客的同党。那脚步声越来越近，越来越近，李承鄞忽然伸手握住我的手，他的掌心燥热，可是我奇异般镇定下来。也许只是因为知道他就在我身边，便是再危险又如何？死便死罢！我突然豪气顿生。可是好多人涌了进来，为首的人身着银甲，看到双方僵持，不免微微错愕，可是旋即十分沉着地跪下行礼。他身上的铠甲铿锵有声，道：“臣尹魏救驾来迟，请陛下恕罪。”

“起来。”陛下虽然脖子上架着刺客的利剑，但声音十分镇定，“传令全城戒严，闭九门。”

“是！”

“神武军会同东宫的羽林军，闭城大索，清查刺客同党！”

“是！”

“不要走漏了消息，以免惊扰百姓。”

“是！”

“快去！”

“是！”

尹魏连行礼都没有再顾及，立时就退出去了。我听到他在走廊上低语数句，然后急促的脚步声就由近而远，好几个人奔了出去。过了片刻他又重新进来，说道：“请殿下返东宫以定人心，这里由臣来处置清理。”

李承鄞摇了摇头，目光炯炯地看着刺客：“你放开父皇，我给你当人质。”他的手还反牵着我的手，我大叫：“不！我当人质！”

李承鄞回头恶狠狠地瞪了我一眼：“闭嘴！”

从前他也同我吵架，可是从来不曾这样穷凶极恶过。我虽然害怕，可是仍旧鼓足勇气，大声对刺客道：“要说尊贵，我可比这两个男人尊贵多了，别瞧他们一个是天子，一个是太子，可是论到重要，再比不过我。你既然当刺客，必然知道我不仅是当朝的太子妃，而且是西凉的公主，为两邦永缔万世之好，我才嫁给李承鄞。你虽然挟持了陛下，但陛下性情坚韧，定不会受你的胁迫，定然强令太子殿下和这些神武军立时将你碎尸万段，你纵然大逆不道垂死挣扎刺杀了陛下，大不了太子登基，你除了一个死，没别的下场。如果以殿下为人质，陛下有十几个儿子，殿下必然不会受你的胁迫，定然当着陛下强令这些神武军立时将你碎尸万段，陛下大不了另立太子，你除了一个死，亦没别的下场。可是我就不一样了，我不仅是太子妃，而且是西凉的公主，我要是死了，西凉必然会举国而反，两国交战，生灵涂炭，所以陛下和殿下都绝不会让我死，如果你以我为人质，担保你平平安安，可以全身而退。”

“胡说八道！”李承鄞大怒，“大敌当前，你在这里掺和什么？来人！带她回东宫去！”

我只牢牢盯住刺客：“我的话你好生想想，是也不是？”

不知道我到底哪句话打动了那刺客，过了好一会儿，他竟然缓缓点了点头。

我大喜过望，说道：“放开陛下，我跟你走！”

刺客冷冷地瞧着我，终于开口道：“你先过来。”他说话的声音极怪，似乎是我当年刚学中原官话的时候，平仄起伏都没有，说不出的难听。不过事情紧迫，我也来不及多想，就在那儿跟刺客讨价还价：“你先放开陛下。”

刺客并不再说话，而是将剑轻轻地往里又收了一分，眼见就要割开陛下喉间那层薄薄的皮肤，我只得大叫：“别动，我先过去就是。”

李承鄞抢上来要拦住我，可是我“刷”地一剑刺向他，他不得已侧身闪避，我已经几步冲到刺客那边去了。刺客一手抓住我，一手自然就微微一松，这时不知道从哪里“嗖嗖”数声，连珠箭并发，皆是从高处直向那刺客射来。那刺客身手也当真了得，身形以绝不可能的奇异角度一拧，挥剑将那些羽箭纷纷斩落，陛下趁机挣开他的控制，我提剑就向刺客刺去，可是他出手快如鬼魅，“刷”一下已经打落我的剑，就这么缓得一缓，我已经张大了双臂整个人扑上去，在电光石火的一瞬间，已经触到陛下的身体，狠狠就将他推开去。

陛下被我推得连退数步，曾献立时就抓着了陛下的胳膊，将他扯出了刺客的剑光所指。而刺客冰冷的手指已经捏住了我的喉头，比他手更冷的是他的剑，立时就横在了我颈中。

“小枫！”

我听见李承鄞叫了我一声，我回过头，只看到他的脸，还有他眼睛中的凄惨神色。

我想我会永远记着他的脸，如果我死了。我知道陛下和他都绝不会放走刺客，我没有那么重要，西凉也没有那么重要。刚才我说的那一套话，我和他心里都明白，那是骗人的。

神武军围上来护着陛下与李承鄞，我对着李承鄞笑了笑，虽然我知道自己笑得一定很难看，可是我尽力还是咧开了嘴，如果这是最后一面，我才不要哭呢，我要他记着我笑的样子。

我嘴唇翕张，无声地说出：“放箭。”

我知道神武军定然已经在四面高处埋伏下了箭手，只要此时万箭齐发，不怕不把刺客射成刺猬。这个人武功这么高，杀了这么多的人，又一度胁持陛下，如若不立时除去，定然是心腹大患。

李承鄞却像压根儿没看到我的唇语似的，陛下沉声道：“不要妄动！”

我没想到陛下会这样下令，刺客森冷的剑锋还横在我喉头，李承鄞从曾献手中接过一支羽箭，厉声道：“你若是敢伤我妻子半分，我李承鄞穷尽此生，也必碎裂你每一寸皮肉，让你菹醢而死！你立时放了她，我允你此时可以安然离去，言出必行，有如此箭！”说完李承鄞将羽箭“咔嚓”一声折成两断，将断箭扔在刺客足下，喝道：“放人！”

刺客似乎冷笑了一声，旋即掉转剑柄，狠狠敲在我脑后，我只觉得眼前一黑，就晕过去了。

醒过来的时候，却是又冷又饿，而且手被绑着，动也动不了。我半晌才想起来，刺客拿着我当人质，李承鄞折箭起誓要他放人。那么现下我是在哪里呢？现在天已经亮了，我睁眼能看到的就是树枝，密密的松柏遮去大片蓝天，不知道我到底昏了多久，也不知道刺客往哪里去了，更不知道这是什么地方。

耳边有流水的声音，风吹过来愈发冷得我直哆嗦，我虽然动弹不了，可是能移动眼珠，能看到左边脸旁是一蓬枯草，右边脸畔却是一堆土石。再远的地方就看不到了，我腹中饥饿，不免头晕眼花，心想上京城里这么大，神武军就算闭城大索，等他们一寸一寸地搜过来，没有几日只怕也是不行的。若是等不到神武军搜寻而来，我便就此饿死了，那也真是太可怜了。

正在这样想的时候，突然一角衣袍出现在我左边，我斜着眼睛看了半晌，认出正是昨晚那个蒙面的刺客穿的袍子，没想到他还没有撇下我远走高飞。也许是因为九城戒严，神武军和羽林军搜查得太厉害，所以他还带着我当护身符。这个人武功高强，杀人如麻，而且竟敢胁迫天子，明显是个亡命之徒。现在我落在他手里，不知道他会怎么样折磨我，想到这里我说不出的害怕。可是害怕归害怕，心里也明白害怕是没有用的，只得自欺欺人闭上眼睛，心一横，要杀要剐随他去了。

过了许久我没听到动静，却忽然闻到一阵阵诱人的香气，我本来想继续闭着眼睛，可是那香气委实诱人，我终于忍不住偷偷睁开眼。原来就在我脸旁搁着一包黄耆羊肉，这种东西，别说在东宫，就是街市上也只不过是平常吃食，可我昨天睡了一天，又连晚饭都没有吃过，今日更不知昏了有多久，早就腹饥如火。这包羊肉搁在我旁边，一阵阵的香气直冲到鼻子里来，委实让我觉得好生难受。

尤其是我肚子还不争气，咕噜咕噜地乱叫。

可是我手被绑着，若叫我央求那个刺客……哼！我们西凉的女子，从来不会在敌人面前堕了这样的颜面。

没想到没等我央求，那个刺客突然将我手上的绳索挑断了，我挣扎着爬起来，这才仔细地打量那个刺客。他仍旧蒙着脸，箕坐在树下，抱着剑冷冷看着我。

这里似乎是河边，因为我听到流水的声音。四处都是枯黄的茅草，远处还有水鸟凄厉的怪叫，风吹过树林，甚是寒意砭人。我看着那包羊肉，暗自吞了口口水，却慢慢活动着手腕，心里琢磨怎么样才能逃走。这个刺客给我吃食，想必一时半会儿不会杀我，他定然是有所忌惮，可是怎么样从他身边逃走，以他这么高的武功，只怕连阿渡都不是他的对手。

那个刺客似乎知道我在想什么，说道："逃，挑脚筋。"他说话甚是简短，依旧没有音调起伏，听上去十分怪异，可是我还是听懂了。他这是说，我要是敢逃，他就会挑断我的脚筋。我才不怕呢，我斜睨着冲他扮了个鬼脸。那句话怎么说来着，生死由命，富贵在天，既然已经如此，不如先吃羊肉，免得在旁人来救我之前我已经饿死了。

这么一想我就捧起羊肉来，开始大快朵颐。也不知道是不是我饿极了，这羊肉吃起来竟有几分像是内宫御厨做的味道，好好吃，真好吃，太好吃了！人一饿啊，什么都觉得好吃，何况还是黄耆羊肉。我吃得津津有味，那个刺客终于忍不住冷笑一声。

我一边大嚼羊肉，一边说道："我知道你在笑什么……不就是笑我堂堂太子妃，吃相如此难看？切，我吃相难不难看，与你这草寇何干？再说我们西凉的女子，从来不拘小节。

你把我掳到这里来，别以为给我吃羊肉我就可以饶过你，告诉你，你这次可闯大祸了。我阿爹是谁你知道么，我们西凉的男儿若知道你绑了我，定然放马来把你踏成肉泥。你要是想保住小命，这辈子就乖乖缩在玉门关内，省得一踏上我们西凉的地界，就被万马踩死。不过即使你待在玉门关内，只怕也保不住小命，因为我的父皇，你也晓得他是当今天子，天子一怒，伏尸百万、血流千里，你惹谁不好啊，偏偏要惹皇帝。还有我丈夫李承鄞，乃是当今太子，太子你懂么？就是将来要做皇帝的人。他要是生起气来，虽然比不上天子之怒，可是把你斩成肉酱，那也是轻而易举……”

我兴冲冲地吃着羊肉，连吓唬带吹牛，滔滔不绝地说了半晌，那刺客应也不应我，我把羊肉都吃完了，他还是一声不吭，甚是没趣。我看他穿着普通的布袍，怀里的宝剑也没有任何标记，身分来历实在看不出来，也不知道他为什么会去挟持陛下。想到这里，我突然记起一件事来。

前面有孙二闹事，后面就有刺客挟制天子，若说这二者之间没任何关系，打死我也不信。可是孙二那样的无赖怎么会认识武功绝世的刺客……我骨碌碌转着眼睛，极力思索这中间可能的线索。刺客目光冷冷地瞧着我，瞧着我我也不怕，陛下那里什么样的人才没有啊？就算是李承鄞也不笨，他定然会从泼墨门想到闹事的孙二，然后从孙二身上着手追查刺客。

刺客武功高绝，来去无踪，难以追查。但那孙二可是有名的泼皮，坊间挂了号，那泼皮生长在京畿，五亲六眷都在上京，跑得了和尚跑不了庙，只要拿住了孙二，不愁没有蛛丝马迹。只要有蛛丝马迹，迟早就可以救我脱离魔掌。

这个刺客孤身一人单挑神武军顶尖高手，叱诧风云差点就天下无敌，一定大有来头。可是这么一个人下手之前，为了避开坊中众人的耳目，指使了个孙二去闹事，这一闹不要紧，把我和李承鄞也引到了前楼，如果当时我们没有被引开，会不会也稀里糊涂被刺客杀了呢……想到这里我打了个寒噤，突然觉得这么多年我平安活到今日实属不易。若不是阿渡护着我，可是阿渡……我跳起来，瞪着那刺客："你是不是杀了阿渡？"

刺客并不答话，只是冷冷瞧着我。

我想起自己在此人面前可以算得上手无缚鸡之力，但是如果他真的杀了阿渡，我怎么也要跟他拼了。我狠狠瞪了他一眼，心里琢磨阿渡武功甚好，这个刺客虽然比她武功更好，但如果要杀她，不至于身上一点伤也没有，阿渡同我一样，就算是死也要跟对方来个玉石俱焚，怎么也要在他身上留下几处伤口。他能够全身而退，定然阿渡没死。我想了想，觉得这理由太薄弱，于是又去猜测这个刺客的性格，老实说短短片刻，我也琢磨不出来。所以我心里七上八下，只惦着阿渡。

这个时候那个刺客却拔出剑来，指着我，淡淡地道："既然吃饱了，上路。"

原来那个羊肉是最后一顿，就像砍头前的牢饭，总会给犯人吃饱。我心中竟然不甚惧怕，因为明知道求饶亦无用。我挺了挺胸膛，说道："要杀便杀，反正我阿爹一定会替我报仇的。还有我父皇，还有李承鄞……还有阿渡，阿渡要是活着，定然会砍下你的脑袋，然后把你的头骨送给我父王作酒碗。"

那刺客冷冷瞧着我，我突然又想起一个人来，得意洋洋地告诉他："还有！有一个绝世高手是我的旧相好，你如果杀了我，我保证他这辈子也不会饶过你。我那个相好剑法比你还要好，出手比你还要快，他的剑就像闪电一样，随时都会割了你的头，你就等着吧！"

那刺客根本不为我的话所动，手中的长剑又递出两分。我叹了口气，吃饱了再死，也算是死而无憾，只可惜死之前我还不知道阿渡的安危如何。

那刺客听我叹气，冷冷地问：“你还有何遗言？”

“遗言倒没有。”我忍不住又叹了口气，“要杀便痛快点就是了。”

那刺客冰冷的眼珠中似乎没有半分情绪，说道：“你情愿为你的丈夫而死，倒是个有情有义的女子，你放心，我这一剑定然痛快。”

我却忍不住叫道：“谁说我是为我的丈夫而死！这中间区别可大了！你挟持的是陛下，他可不是我丈夫！至于我丈夫么……我欠他一剑，只能还他就是了。”

那刺客手腕一动，便要递出长剑，我突然又叫：“且慢！”

那刺客冷冷瞧着我，我说道：“反正我是要死了，能不能摘下你的面巾，让我瞧瞧你长得什么样子。省得我死了之后，还是个稀里糊涂的鬼，连杀我的人是谁都不知道，想化为厉鬼祟人，都没了由头。”

我这句话甚是瞎扯，那刺客明显不耐烦了，又将剑递出几分。我又大叫：“且慢！临死之前，能不能让我用筚篥吹首曲子。我们西凉的人，死前如果不能吹奏一曲，将来是不能进入轮回的。”

我压根儿都没指望他相信我的胡说八道，谁知这刺客竟然点了点头。

我脑中一团乱，可想不出来主意如何逃走，只能拖延一刻是一刻。我在袖中摸来摸去，装作找筚篥，却暗暗摸到了一样东西，突然一下子就抽出来，扬手向刺客脸上洒去。

我摸到的东西是燕脂，那些红粉又轻又薄，被风一吹向刺客脸上飘去。这东西奇香无比，刺客定然以为是什么毒粉迷药，不过此人当真了得，手一挥那些脂粉就被他袖上劲风所激，远远被扬出一丈开外，别说不是毒药，便是毒药只怕也沾不到他身上半分。不过我要的就是他这一挥，他这一挥我便趁机弹出另一样东西，那是支鸣镝，远远飞射上天，发出尖锐的哨音。

我可没有骗他。我真有一个旧相好，虽然我记不得跟他相好的情形了，可那个旧相好真是当今的绝世高手，他给我这支鸣镝，我只用过一次，是为了救阿渡。现在我自己危在旦夕，当然要弹出去，让他快些来救我。

好久没有见到顾剑，不知道他能不能及时赶来，我急得背心里全是汗，刺客却并不理睬那只弹上空去的鸣镝，而是一探手就抓住了我的腰带，将我整个人倒提起来。我虽然不胖，可是也是个人，那刺客倒提着我，竟然如提婴儿。他左手用力一掷，居然将我远远抛出。

我像只断了线的风筝，在空中划出一道弧线，身不由己直坠下去，我手忙脚乱想要抓住什么，可是只有风。没等我反应过来，只听“扑通”一声，四周冰冷的水涌上来，原来刺客这一掷，竟然将我掷进了河里。

我半分水性也不识，刺客这一掷又极猛，我深深地落进了水底，四周冰冷刺骨的水涌围着，头顶上也全是碧蓝森森的水，我只看到头顶的一点亮光……我“咕嘟”喝了一口水，想起上次在河里救人，还是阿渡救起我，然后在万年县打官司，那个时候的裴照，轻袍缓带，真的是可亲可爱。

我都诧异这时候我会想到裴照，但我马上又想到李承鄞，没想到我和李承鄞终究还是没缘分，在我很喜欢他，他也很喜欢我的时候……如果他一点儿也不喜欢我，也不会当着众人的面，对刺客折箭发誓吧？只是我和他到底是没有缘分，幸好还有赵良娣，我从来不曾这样庆幸，还有赵良娣。这样如果我死了，李承鄞不会伤心得太久，他定会慢慢忘了我，然后好好活着。

水不断地从我的鼻里和嘴巴里涌进去，我呛了不知道多少水，渐渐觉得窒息……头顶上的那抹光亮也越来越远，我渐渐向水底沉下去。眼前慢慢地黑起来，似乎有隐约的风声从耳边温柔地掠过，那人抱着我，缓缓地向下滑落……他救了我，他抱着我在夜风中旋转……旋转……慢慢地旋转……满天的星辰如雨点般落下来……天地间只有他凝视着我的双眼……

那眼底只有我……

我要醉了，我要醉去，被他这样抱在怀里，就是这个人啊……我知道他是我深深爱着，他也深深爱着我的人，只要有他在，我便是这般的安心。

我做过一遍又一遍的梦境，只没有想过，我是被淹死的……

而且，没有人来救我。

我梦里的英雄，没能来救我。

李承鄞，他也没能来救我。

变化

我像只秤砣一般，摇摇摆摆，一直往下沉去……沉去……

也不知道过了多久，仿佛已经很多年后，又仿佛只是一梦初醒，胸口的压痛让我忍不住张开嘴，“哇”地吐出一摊清水。

我到底喝了多少水啊……吐得我都精疲力竭了。

我把一肚子的水吐得差不多了，这才昏昏沉沉躺在那里，刺眼的太阳照得我睁不开眼睛，我用尽力气偏过头，看到脸畔是一堆枯草，然后我用尽力气换了个方向，看到脸畔是一堆土石。

刺客的袍角就在不远处，哎，原来白淹了一场，还是没死，还是刺客，还是生不如死地被刺客挟制着。

我实在没力气，一说话嘴里就往外头汩汩地冒清水，我有气无力地说：“要杀要剐……”

刺客没有搭腔，而是用剑鞘拨了拨我的脑袋，我头一歪就继续吐清水……吐啊吐啊……我简直吐出了一条小溪……

我闭上了眼睛。

昏然地睡过去了。

梦里似乎是在东宫，我与李承鄞吵架。他护着他的赵良娣，我狠狠地同他吵了一架。他说："你以为我稀罕你救父皇么？别以为这样我就欠了你的人情！"我被他气得吐血，我说我才不要你欠我什么人情呢，不过是一剑还一剑，上次你在刺客前救了我，这次我还给你罢了。我嘴上这样说着，心里却十分难过，竟然流下泪来。我流泪不愿让他瞧见，所以伏在熏笼上，那熏笼真热啊，我只伏在那里一会儿，就觉得皮肉筋骨都是灼痛，痛得我十分难受。

我抬了抬眼皮子，眼睛似乎是肿了，可是脸上真热，身上倒冷起来，一阵凉似一阵，冷得我牙齿格格作响。是下雪了么？我问阿渡，阿渡去牵我的小红马，阿爹不在，我们正好悄悄溜出去骑马。雪地里跑马可好玩了，冻得鼻尖红红的，沙丘上不断地有雪花落下来，芨芨草的根像是阿爹的胡子，弯弯曲曲有黑有白……阿爹知道我跑到雪地里撒野，一定又会骂我了……

李承鄞没有见过我的小红马，不知道它跑得有多快……为什么我总是想起李承鄞呢，他对我又不好……我心里觉得酸酸的，不，他也不算对我不好，只是我希望他眼里唯一的人就是我……但他偏偏有了赵良娣……李承鄞折断了那支箭，我想起他最后仓促地叫了我一声，他叫："小枫……"如果我没办法活着回去，他一定也会有点伤心吧……就不知道他会伤心多久……

我用尽力气睁开眼睛，发现自己不是在河边草窠里了，而是在一间不大的屋子里，外头有月光疏疏地漏进来，照得屋子里也不算太黑，今天应该是上元节了啊……十里灯华，九重城阙，八方烟花，七星宝塔，六坊不禁，五寺鸣钟，四门高启，三山同乐，双往双归，一派太平……应该是多繁华多热闹的上元节啊……现在这热闹跟我一点儿关系都没有了……我盼了一年的上元灯节，结果这热闹都没有赶上……我全身发冷，不断地打着寒战，才发现自己身上竟然裹着一袭皮裘。虽然这皮子只是寻常羊皮，但是绒毛纤弯，应该极保暖，只是我终于知道自己是在发烧，那皮裘之外还盖着一床锦被，但我仍旧不停地打着寒战。

我的眼睛渐渐适应黑暗，这屋子里堆满了箱笼，倒似是一间仓房。那个刺客就坐在不远处，看我缓缓地醒过来，他不声不响地将一只碗搁在我手边。我碰到了那只碗，竟然是烫的。

“姜汤。”

他的声音还是那种怪腔调，我虚脱无力，根本连说话都像蚊子哼哼：“我……”

我拿不起那只碗。

我就害过一回病，那次病把我折腾得死去活来，现在我终于又害了一次病，平常不病就是要不得，一病竟然就这样。我试了两次，都手腕发酸，端不起那碗。

我都没指望，也懒得去想刺客为什么还给我弄了碗姜汤，这里又是哪里。可是总比河边暖和，这屋子虽然到处堆满了东西，但毕竟是室内，比风寒水湍的河边，何止暖和十倍。

刺客走过来端起那碗姜汤，将我微微扶起，我喉头剧痛，也顾不了这许多了，一手扶着碗，大口大口吞咽着姜汤。汤汁极其辛辣，当然非常难喝，可是喝下去后整个人血脉似乎都开始重新流动，我突然呛住了。

我咳得面红耳赤，本来扶着碗的手也拿捏不住似的，不断地抖动。那刺客见我如此，便用一只手端着碗，另一只手在我背上拍了拍，我慢慢地缓了一口气，突然一伸手就以迅雷不及掩耳之势，扯下了他脸上蒙的布巾。

本来以他的身手，只要闪避就可以避开去的，可是他若是闪避，势必得放手，而他一放手，我的后脑勺就会磕在箱子上。我原本是想他必然闪避，然后我就可以打碎瓷碗，说不定趁乱可以藏起一片碎瓷，以防万一。没想到他竟然没有放手闪避，更让我万万没有想到的是，布巾扯掉后的那张脸。

我呆呆地瞧着他，月光皎洁，虽然隔着窗子透进来，但我仍旧认识他。

顾剑！

怎么会是他？

我全身的血液似乎都涌到了头顶，我问："为什么？"

他并没有回答我，而是慢慢放下那只碗。

我又问了一遍："为什么？"

为什么会是他？为什么他要去挟持陛下？为什么他不惜杀了那么多人？为什么他要掳来我？为什么？这一切是为什么？

我真是傻到了极点，天下有这样的武功的人会有几个？我怎么就没有想到，以刺客那样诡异的身手，天下会有几个这样的人？

我还傻乎乎地射出鸣镝，盼着顾剑来救我。

阿渡生死不明，顾剑是我最后的希望，我还盼着他能来救我。

为什么？

他淡淡地说："不为什么。"

"你杀了那么多人！"我怒不可遏，"你到底是想要做什么？为什么要挟持陛下？"

顾剑站起来，窗子里漏进来的月光正好照在他的肩上，他的声调还是那样淡淡的："我想杀便杀，你如果觉得不忿，我也没有什么好说的。"

"你把阿渡怎么样了？"我紧紧抓着他的袖子，"你若是敢对阿渡不利，我一定杀了你替她报仇。”

顾剑道：“我没杀阿渡，信与不信随便你。”

我暂且松了口气，放软了声调，说道：“那么你放我回去吧，我保证不对人说起，只作是我自己逃脱的。”

顾剑忽然对我笑了笑：“小枫，为什么？”

我莫名其妙：“什么为什么？”

“为什么你待李承鄞那么好？他到底有什么好的？他……他从来就是利用你。尤其现在他娶了一个女人又一个女人，你常常被那些女人欺负，连他也欺负你，将来他当了皇帝，会有更多的女人，会有更多的人欺负你。你为什么待李承鄞那么好？难道就是因为西凉，你就牺牲掉自己一辈子的幸福，守在那冷冷清清的深宫里？”

我怔了怔，说道：“西凉是西凉，可是我已经嫁给他了，再说他对我也不算太差……”

“他怎么对你不差？他从前一直就是利用你。你知道他在想什么吗？你知道他在算计什么吗？小枫，你斗不赢，你斗不赢那些女人，更斗不赢李承鄞。现在他们对西凉还略有顾忌，将来一旦西凉对中原不再有用处，你根本就斗不赢。”

我叹了口气，说道：“我是没那么多心眼儿，可是李承鄞是我的丈夫，我总不能背弃我的丈夫。”

顾剑冷笑：“那如果是李承鄞背弃你呢？”

我打了个寒噤，说：“不会的。”

第一次遇上刺客，他推开我；第二次在鸣玉坊，他拦在我前头。每次他都将危险留给自己，李承鄞不会背弃我的。

顾剑冷笑道：“在天下面前，你以为你算得了什么——一个人如果要当皇帝，免不了心硬血冷。别的不说，我把你掳到这里来，你指望李承鄞会来救你么？你以为他会急着来救你么？可今天是上元，金吾禁驰，百姓观灯。为了粉饰太平，上京城里仍旧九门洞开，不禁出入。你算什么——你都不值得李家父子不顾这上元节……他们还在承天门上与民同乐，哪顾得了你生死未卜。我若是真刺客，就一刀杀了你，然后趁夜出京，远走高飞……再过十天八天，羽林军搜到这里，翻出你的尸体，李承鄞亦不过假惺惺哭两声，就把他的什么赵良娣立为太子妃，谁会记得你，你还指望他记得你？”

我低着头，并不说话。

顾剑拉起我的手：“走吧，小枫，跟我走吧。我们一起离开这里，远离那个勾心斗角的地方，我们到关外去，一起放马、牧羊……”

我挣脱了他的手，说道：“不管李承鄞对我好不好，这是我自己选的路，也是阿爹替西凉选的路，我不能半道逃走，西凉也不能……”我看着他，“你让我走吧。”

顾剑静静地瞧着我，过了好一会儿，才断然道：“不行。”

我觉得沮丧极了，也累极了，本来我就在发烧，喉咙里像有一团火似的。现在说了这么多的话，我觉得更难过了，全身酥软无力，连呼吸都似乎带着一种灼痛。我用手抚着自己的喉咙，然后慢慢地退回箱子边去，有气无力地倚在那里。

他本来还想对我说什么，但见我这个样子，似乎有些心有不忍，于是将话又忍回去，只问我：“你想不想吃什么？”

我摇了摇头。

他却不泄气，又问：“问月楼的鸳鸯炙，我买来给你吃，好不好？”

我本来摇了摇头，忽然又点了点头。

他替我将被子掖得严实些，然后说道：“那你先睡一会儿吧。”

我阖上眼睛，沉沉睡去。

大约一柱香功夫之后，我重新睁开眼睛。

屋子里依旧又黑又静，只有窗棂里照进来淡淡的月光，朦胧地映在地下。我爬起来看着月亮，月色皎洁如银，今天是正月十五，上元佳节，月亮这么好，街上一定很热闹吧。

我裹紧了皮裘，走过去摇了摇门，门从外头反锁着，打不开。我环顾四周，这里明显是一间库房，只有墙上很高的地方才有窗子，那些窗子都是为了透气，所以筑得极高，我伸起手来也触不到。

不过办法总是有的，我把一只箱子拖过来，然后又拖了一只箱子叠上去，这样一层层垒起来，仿若巨大的台阶。那些箱子里不知道装的是什么，幸好不甚沉重。可是我全身都发软，手上也没什么力气，等我把几层箱子终于垒叠到了窗下，终究是累了一身大汗。

我踩着箱子爬上去，那窗棂是木头雕花的，掰了一掰，纹丝不动，我只得又爬下来，四处找称手的东西，打开一只只箱子，原来箱子里装的全是绫罗绸缎。不知道哪家有钱人，把这么漂亮的绸缎全锁在库房里，抑或这里是绸缎庄的库房。我可没太多心思胡思乱想，失望地关上箱子，最后终于看到那只盛过姜汤的瓷碗。

我把碗砸碎了，选了一个棱角锋利的碎片，重新爬上箱子去锯窗棂。

那么薄的雕花窗棂，可是锯起来真费劲，我一直锯啊锯啊……把手指头都割破了，流血了。

我突然觉得绝望了，也许顾剑就要回来了，我还是出不去。他虽然不见得会杀我，可是也许他会将我关一辈子，也许我将来永远也见不着阿渡，见不着李承鄞了。

我只绝望了一小会儿，就打起精神，重新开始锯那窗棂。

也不知道过了有多久，终于听到“咔嚓”一声轻响，窗棂下角的雕花终于被我锯断了。我精神大振，继续锯另一角，两只角上的雕花都锯断了之后，我用力往上一掰，就将窗棂掰断了。

我大喜过望，可是这里太高了，跳下去只怕要跌断腿。我从箱子里翻出一匹绸子，将它一端压在箱子底下，然后另一端抛出了窗子。我攀着那绸带，翻出了窗子，慢慢往下爬。

我手上没有什么力气了，绸带一直打滑，我只得用手腕挽住它，全身的重量都吊在手腕上，绸带勒得我生疼生疼，可是我也顾不上了。我只担心自己手一松就跌下去，所以很小心地一点一点地放，一点一点地往下降。到最后脚尖终于触到地面的时候，我只觉得腿一软，整个人就跌滚下来了。

幸好跌得不甚痛，我爬起来，刚刚一直起身子，突然看到不远处站着一个人。

顾剑！

他手里还提着食盒，正不动声色地看着我。

我只好牵动嘴角，对他笑了笑。

然后，我马上掉头就跑。

没等我跑出三步远，顾剑就将我抓住了，一手扣着我的腕脉，一手还提着那食盒。

我说："你放我走吧，你把我关在这里有什么用？我反正不会跟你走的。"

顾剑突然冷笑了一声，说道："放你走也行，可是你先跟我去一个地方，只要你到了那里还不改主意，我就放你走。"

我一听便觉得有蹊跷，于是警惕地问："什么地方？"

"你去了自然就知道了。"

我狐疑地瞧着他，他说："你若是害怕就算了，反正我也不愿放你走，不去就不去。"

有什么好怕的，我大声道："你说话算话？"

顾剑忽然笑了笑："只要你说话算话，我便说话算话。"

我说："那可等什么，快些走吧。"

顾剑却又顿了一顿，说："你不后悔？"

"有什么好后悔的。"我念头一转，"你也没准会后悔。"

顾剑笑了笑，说："我才不会后悔呢。"

他放下食盒，打开盒盖，里面竟然真的是一盘鸳鸯炙。他道："你先吃完了我们再去。"

我本来一点胃口都没有，可是看他的样子，不吃完肯定不会带我走，所以我拿起筷子就开始吃那盘鸳鸯炙。说实话我嗓子非常疼，而且嘴里发苦，连舌头都是木的，鸳鸯炙嚼在口中，真的是一点儿味道都没有。可是我还是很快就吃完了，把筷子一放，说："走吧。"

顾剑却看着我，问我："好吃吗？"

我胡乱点了点头，他并没有再说话，只是抬头瞧了瞧天边的那轮圆月，然后替我将皮裘拉起来，一直掩住我的大半张脸，才说："走吧。"

顾剑的轻功真是快，我只觉得树木枝叶从眼前"刷刷"地飞过，然后在屋顶几起几落，就转到了一堵高墙之下。

看着那堵墙，我突然觉得有点儿眼熟。

顾剑将我一拉，我就轻飘飘跟着他一起站上了墙头。到了墙头上我忍不住偷偷左顾右盼了一番，这一看我就傻了。

墙内皆是大片的琉璃瓦顶，斗拱飞檐，极是宏伟，中间好几间大殿的轮廓我再熟悉不过，因为每次翻墙的时候我总是首先看到它们。我张口结舌，东宫！这里竟然是东宫！我们刚刚出来的地方，就是东宫的宫墙之内。

顾剑看着我呆若木鸡，于是淡淡地道："不错，刚才我们一直在东宫的库房里。"

我咬住自己的舌尖不说话，我悔死了，我应该从窗子里一翻出来就大叫大嚷，把整个东宫的羽林军都引过来，然后我就安全了。顾剑本事再大，总不能从成千上万的羽林军中再把我抢走……我真是悔死了。

可是现在后悔也没有用了。顾剑拉着我跃下高墙，然后走在人家的屋顶上，七拐八弯，又从屋顶上下来，是一户人家的花园，从花园穿出来，打开一扇小门，整个繁华的天地，轰然出现在了我的面前。

每到这一夜，到处都是灯，到处都是人，到处都是欢声笑语。几乎全天下所有人都涌上街头，几乎全天下所有的灯都挂在了上京街头。远处墨海似的天上，远远悬着一轮皓月，像是一面又光又白的镜子，低低的；又像是汤碗里浮起的糯米丸子，白得都发腻，咬一口就会有蜜糖馅流出来似的。月色映着人家屋瓦上薄薄的微霜，越发显得天色清明，可是并不冷，晚风里有焰火的硝气、姑娘们身上脂粉的香气、各色吃食甜丝丝的香气……夹杂着混合在一起，是上元夜特有的气息……街坊两旁铺子前悬满了各色花灯，树上挂着花灯，坊间搭起了竹棚，棚下也挂满了灯。处处还有人舞龙灯，舞狮灯，舞船灯……

我和顾剑就走进这样的灯海与人潮里，只觉得四面八方都是人，都是灯。我们从汹涌的人流中走过去，那一盏盏灯在眼前，在身后，在手边，在眉上……一团团光晕，是黄的，是粉的，是蓝的，是紫的，是红的，是绿的……团团彩晕最后看得人直发晕。尤其是跑马灯，一圈圈地转，上头是刺绣的人物故事；还有波斯的琉璃灯，真亮啊，亮得晃人眼睛；架子灯，一架子排山倒海似的灯组成巨大的图案字迹；字迷灯，猜出来有彩头；最为宏大的是九曲灯，用花灯组成黄河九曲之阵，人走进花灯阵里，很容易就迷了路，左转不出来，右转不出来……据说是上古兵法之阵，可是左也是灯，右也是灯，陷在灯阵里人却也不着急，笑吟吟绕来绕去……

这样的繁华，这样的热闹，要是在从前，我不知要欢喜成什么样子。可是今天我只是低着头，任由顾剑抓着我的手，默默地从那些灯底下走过去。街头乱哄哄地闹成一团，好多人在看舞龙灯，人丛挤得委实太密，顾剑不由得停了下来。那条龙嘴里时不时还会喷出银色的焰火，所有人都啧啧称奇。突然那龙头一下子探到我们这边，“砰”地喷出一大团焰火，所有人惊呼着后退，那团火就燃在我面前，我吓得连眼睛都闭上了，被人潮挤得差点往后跌倒，幸得身后的顾剑及时伸手扶住我，我睁开眼睛的时候才发现他将我半搂在自己怀里，用袖子掩着我的脸。

我不做声，只是用力挣开他的手，幸得他也没有再勉强我，只是抓着我的胳膊继续往前走。

刚刚过了南市街，突然听到唿哨一声，半空中“砰”的一响，所有人尽皆抬起头，只见半边天上尽是金光银线，交错喷出一朵硕大的花，映得一轮明月都黯然失色。原来是七星塔上开始斗花了。

七星塔上便像是堆金溅银一般，各色焰火此起彼伏，有平地雷、牡丹春、太平乐、百年欢等种种花样，一街的人尽仰头张望，如痴如狂。顾剑也在抬头看斗花，春夜料峭的寒风吹拂着他的头巾，我们身后是如海般的灯市，每当焰火亮起的时候，他的脸庞就明亮起来，每当焰火暗下去的时候，他的脸庞也隐约笼入阴影里。在一明一暗的交错中，我看着他。

其实我在想，如果我这个时候逃走，顾剑未见得就能追得上我吧，街上有这么多人，我只要逃到人群里，他一定会找不到我了。

可是他抓着我的胳膊，抓得那样紧，那样重，我想我是挣不开的。

街两边连绵不绝的摊铺上，叫卖着雪柳花胜春幡闹蛾儿，金晃晃颤巍巍，一眼望过去让人眼睛都花了，好不逗人喜欢。我奋拉着眼皮，根本都不看那些东西。偏偏有个不长眼的小贩拦住了我们，兴冲冲地向顾剑兜售：“公子，替你家娘子买对花胜吧！你家娘子长得如此标致，再戴上我们这花胜，简直就是锦上添花，更加好看！十文钱一对，又便宜又好看！公子，拣一对花胜吧！”

顾剑手一挥，我以为他要挥开那名小贩，谁知道他竟然挺认真地挑了两支花胜，然后给了那小贩十文钱。

他说：“低头。”

我说：“我不喜欢这些东西。”他却置若罔闻，伸手将那花胜簪到我发间。簪完了一支，然后又簪上另一支。

因为隔得近，他的呼吸喷在我脸上，暖暖的，轻轻的，也痒痒的。他身上有淡淡的味道，不是我日常闻惯了的龙涎香沈水香，而是说不出的一种淡淡香气，像是我们西凉的香瓜，清新而带着一种凉意。戴完之后，顾剑拉着我的手，很认真地对着我左端详，右端详，似乎唯恐簪歪了一点点。我从来没被他这么仔细地看过，所以觉得耳朵根直发烧，非常地不自在，只是催促他：“走吧。”

其实我并不知道他要带我到哪里去，他似乎也不知道，我们在繁华热闹的街头走走停停，因为人委实太多了。人流像潮水一般往前涌着，走也走不快，挤也挤不动。

一直转过最后一条街，笔直的朱雀大街出现在眼前。放眼望去，承天门外平常警跸的天街，此时也挤满了百姓，远处则是灯光璀璨的一座明楼。

我有点儿猜到他要带我到什么地方去了，忽然就觉得害怕起来。

“怎么？不敢去了？”顾剑还是淡淡地笑着，回头瞧着我，我总觉得他笑容里有种讥诮之意，我第一次看见他的时候，他的笑根本不是这样子的。那时候他穿着一身月白袍子，站在街边的屋檐底下，看着我和阿渡在街上飞奔。

为什么现在会变成这个样子呢?

我自欺欺人地说道："你到底想怎么样?"

"哀莫大于心死。"他的口气平淡，像是在说件小事，"我心死了，所以想叫你也死心一回。"

我没有仔细去听他说的话，只是心不在焉地望着远处的那座高耸的城楼。那就是承天门，楼上点了无数盏红色纱灯，夹杂着大小各色珠灯，整座楼台几乎是灯缀出的层叠明光，楼下亦簇围着无数明灯，将这座宫楼城门辉映得如同天上的琼楼玉宇。走得越近，看得越清楚。楼上垂着朱色的帷幕，被风吹得飘拂起来，隐约可以看到帷幕后的仪仗和人影。宫娥高耸的发髻和窈窕的身影在楼上走动，灯光将她们美丽的剪影映在帷幕上，我忽然想起从前在街头看过的皮影戏。这么高，这么远，这么巍峨壮丽的承天门，楼上的一切就像是被蒙在白纸上的皮影戏，一举一动，都让我觉得那样遥不可及。

隐约的乐声从楼上飘下来，连这乐声都听上去飘渺而遥远，楼下的人忽然喧哗起来，因为楼上的帷幕忽然揭开了一些，宫娥们往下抛撒着东西，人们哄闹着争抢，我知道那是太平金钱，由内局特铸，用来赏赐给观灯的百姓。那些金钱纷扬落下，落在天街青石板的地面上，铿然作响，像是一场华丽的疾雨。天朝富贵，盛世太平，尽在这场疾雨的丁丁当当声中……几乎所有人都蹲下去捡金钱，只有我站在那里，呆呆地看着承天门上。

因为我终于看到了李承鄞，虽然隔得这么远，可是我一眼就看到了他。他就半倚在楼前的栏杆上，在他身后，是华丽的翠盖，风吹动九曲华盖上的流苏，亦吹动了他的袍袖，许多人遥遥地跪下去。我也看到了陛下，因为周围的人群山呼雷动，纷纷唤着："万岁!"

天家富贵，太平景时。我从来没有觉得这一切离我这般远，与我这般不相干。

我看到赵良娣，她穿着翟衣，从楼后姗姗地走近楼前，她并没有露出身形，可是她的影子映在了帷幕之上，我从影子上认出了她。然后看着她从帷后伸出手，将一件玄色氅衣披在了李承鄞的肩上。风很大，吹得那件氅衣翻飞起来，我看到氅衣朱红的锦里，还有衣上金色丝线刺出的图案，被楼上的灯光一映，灿然生辉。李承鄞转过脸去，隔得太远，我看不清他脸上的神情，也许他正在对帷后的美人微笑。

我从来没有上过承天门，从来没有同李承鄞一起过过上元节，我从来不知道，原来每个上元夜，他都是带着赵良娣，在这样高的地方俯瞰着上京的十万灯火。

双往双归，今天晚上，本该就是成双成对的好日子。

我原以为，会有不同，我原以为，昨天出了那样的事，应该会有不同。昨天晚上我被刺客抓住的时候，他曾经那样看过我，他叫我的名字，他折箭起誓。一切的一切都让我以为，会有不同，可是仅仅只是一天，他就站在这里，带着别的女人站在这里，若无其事地欣赏着上元的繁华，接受着万民的朝贺。

而我应该是生死未卜，而我应该是下落不明，而我原本是他的妻。

恍惚有人叫我“小枫”。

我转过脸，恍恍惚惚地看着顾剑。

他也正瞧着我，我慢慢地对他笑了笑，想要对他说话。

可我一张嘴就有冷风呛进来，冷风呛得我直咳嗽，本来我嗓子就疼得要命，现在咳嗽起来，更是疼得像是整个喉管都要裂开来。我的头也咳得痛起来，脑袋里头像被硬塞进一把石子，那些石子尖锐的棱角扎着我的血脉，让我呼吸困难。我弯着腰一直在那里咳，咳得掏心掏肺，就像是要把什么东西从自己体内用力地咳出来。我并不觉得痛苦，只是胸口那里好生难过，也许是因为受了凉，而我在生病……生病就是应该这样难过。

顾剑扶住了我，我却趔趄了一下，觉得有什么东西崩裂了似的，喑哑无声地喷溅出来，胸口那里倒似松快了一些。

他把我的脸扶起来，我听到自己的声音，我说："也没什么大不了……"我看到他的眼睛里竟然有一丝异样的痛楚，他忽然抬起手，拭过我的嘴角。

借着灯光，我看到他手指上的血迹，然后还有他的袍袖，上头斑驳的点痕，一点一点，原来全是鲜血。我的身子发软，人也昏昏沉沉，我知道自己站不住了，刚才那一口血，像是把我所有的力气都吐了出来。他抱住我，在我耳畔低声对我说："小枫，你哭一哭，你哭一哭吧。"

我用最后的力气推开他："我为什么要哭？你故意带我来看这个，我为什么要哭？你不用在这里假惺惺了，我为什么要哭？你说看了就放我回去，现在我要回去了！"

"小枫！"他追上来想要扶住我，我脚步踉跄，可是努力地站住了。我回转头，拔下头上的花胜就扔在他足下，我冷冷地望着他："你别碰我，也别跟着我；否则我立时就死在你眼前，你纵然武功绝世，也禁不住我一意寻死，你防得了一时，也防不了一世。只要你跟上来，我总能想法子杀了我自己。"

也许是因为我的语气太决绝，他竟然真的站在了那里，不敢再上前来。

我踉踉跄跄地不知走了有多远，四面都是人，四面都是灯，那些灯真亮，亮得眩目。我抓着襟口皮裘的领子，觉得自己身上又开始发冷，冷得我连牙齿都开始打战，我知道自己在发烧，脚也像踩在沙子上，软绵绵得没有半分力气。我虚弱地站在花灯底下，到处都是欢声笑语，熙熙攘攘的人穿梭来去，远处的天空上，一蓬一蓬的焰花正在盛开，那是七星塔的斗花，光怪陆离的上元，热闹繁华的上元，我要到哪里去？

天地之大，竟然没有我的容身之处。

阿渡，阿渡，你在哪儿？我们回西凉去吧，我想西凉了。

我的眼前是一盏走马灯，上头贴着金箔剪出的美人，烛火热气蒸腾，走马灯不停转动，那美人就或坐或立或娇或嗔或喜……我觉得眼前一阵阵发黑，灯上的美人似乎是赵良娣，她掩袖而笑，对我轻慢地笑：你以为有什么不同？你以为你能在他心里占有一席之地？你以为你替陛下做人质，他便会对你有几分怜惜……

不过是枉然一场。

我靠着树才能站稳，粗砺的树皮勾住了我的鬓发，微微生痛，但我倒觉得舒服……因为这样些微的疼痛，反而会让胸口的难受减轻些。阿渡不见了，在这上京城里，我终究是孤伶伶一个人。我能到哪里去？我一个人走回西凉去，一个月走不到，走三个月，三个月走不到，走半年，半年走不到，走一年，我要回西凉去。

我抬起头来看了看月亮，那样皎洁那样纯白的月色，温柔地照在每个人身上。月色下的上京城，这样繁华这样安宁，从前无数次在月色下，我和阿渡走遍上京的大街小巷，可是这里终究不是我的家，我要回家去了。

我慢慢地朝城西走去，如果要回西凉，就应该从光华门出去，一直往西，一直往西，然后出了玉门关，就是西凉。

我要回家去了。

我还没有走到光华门，就忽然听到众人的惊叫，无数人喧哗起来，还有人大叫：“承天门失火啦！”

我以为我听错了，我同所有人一样往南望去，只见承天门上隐约飘起火苗，斗拱下冒出浓重的黑烟，所有人掩口惊呼，看着华丽的楼宇渐渐被大火笼罩。刚刚那些华丽的珠灯、那些朱红的帷幕、那些巍峨的歇檐……被蹿起的火苗一一吞噬，火势越来越大，越来越烈，风助火势，整座承天门终于熊熊地燃烧起来。

街头顿时大乱，无数人惊叫奔走，不知道该怎么办才好。斜刺里冲出好几队神武军，我听到他们高喊着什么，嘈杂的人群主动让开一条道，快马疾驰像是一阵风，然后救火的人也疾奔了出来，抬着木制的水龙，还有好多大车装满清水，被人拉着一路辘辘疾奔而去。每年的上元都要放焰火，又有那么多的灯烛，一旦走水即是大祸，所以京兆尹每年都要预备下水车和水龙，以往不过民宅偶尔走水，只没料到今年派上了大用场。

我看到大队的神武军围住了承天门，不久之后就见到逶逦的仪仗，翠华摇摇的漫长队列，由神武军护卫着向着宫内去了，料想定没有事了。

我本不该有任何担心，承天门上任何人的生死，其实都已经与我无关。

我只应当回到西凉去，告诉阿爹我回来了，然后骑着小红马，奔驰在草原上，像从前一样，过着我无忧无虑的日子。

我积蓄了一点力气，继续往西城走去，神武军的快马从身边掠过，我听到鞭声，还有悠长的呼喝："陛下有旨！闭九城城门！"一迭声传一迭声，一直传到极远处去，遥遥地呼应着，"陛下有旨！闭九城城门！""陛下有旨！闭九城城门！"……

百年繁华，上元灯节，从来没有出过这样的事情，但百姓并无异议，他们还没有从突兀的大火中回过神来，犹自七嘴八舌地议论着。火势渐渐地缓下去，无数水龙喷出的水像是白龙，一条条纵横交错，强压在承天门上。半空中腾起灼热的水雾，空气中弥漫着焦炭的气息。

"关了城门，咱们出不去了吧？"

"咳，那大火烧的，关城门也是怕出事，等承天门的火灭了，城门自然就能开了……”

身边人七嘴八舌地说着话，各种声音嘈杂得令我觉得不耐烦。我是走不动了，连呼吸都觉得灼痛，喉咙里更像是含了块炭，又干又燥又焦又痛，我气吁吁地坐在了路边，将头靠在树上。

我想我只歇一会儿，没想到自己靠在那里，竟然迷迷糊糊就睡过去了。

好像是极小的时候，跟着阿爹出去打猎，我在马背上睡着了，阿爹将我负在背上，一直将我背回去。我伏在阿爹宽厚的背上，睡得十分安心，我睡得流了一点点口水，因为他背上的衣服有一点儿湿了。我懒得抬眼睛，只看到街市上无数的灯光，在视线里朦胧地晕出华彩，一盏一盏，像是夏夜草原上常常可以见到的流星。据说看到流星然后将衣带打一个结，同时许下一个愿望，就可以实现，可是我笨手笨脚，每次看到流星，不是忘了许愿，就是忘了打结……

今夜有这么多的流星，我如果要许愿，还能许什么愿望呢？

我用力把自己的手抽出来，想将衣带打一个结，可是我的手指软绵绵的，使不上半分力气，我的手垂下去，罢了。

就这样，罢了。

我阖上眼睛，彻底地睡过去了。

我不知道睡了有多久，像是一生那么漫长，又像是十分短暂，这一觉睡得很沉很沉，可是又很浅很浅，因为我总是觉得眼前有盏走马灯，不停地转来转去，转来转去，上面的金箔亮晃晃的，刺得我眼睛生痛，还有人嘈嘈杂杂在我耳边说着话，一刻也不肯静下来。我觉得烦躁极了，为什么不让我安稳地睡呢？我知道我是病了，因为身上不是发冷就是发热，一会儿冷，一会儿热，冷的时候我牙齿打战，格格作响，热的时候我也牙齿打战，因为连呼出的鼻息都是灼热的。

我也喃喃地说一些梦话，我要回西凉，我要阿爹，我要阿渡，我要我的小红马……

我要我从前的日子，只有我自己知道，我要的东西，其实再也要不到了。

那一口血吐出来的时候，我自己就明白了。

胸口处痛得发紧，意识尚浅，便又睡过去。

梦里我纵马奔驰在无边无垠的荒漠里，四处寻找，四处徘徊，我也许是哭了，我听到自己呜咽的声音。

有什么好哭的？我们西凉的女孩儿，原本就不会为了这些事情哭泣。

一直到最后终于醒来，我觉得全身发疼，眼皮发涩，沉重得好像睁都睁不开。我慢慢睁开眼睛，首先看到的竟然是阿渡，她的眼睛红红的，就那样瞧着我。我看到四周一片黑暗，头顶上却有星星漏下来，像是稀疏的一点微光。我终于认出来，这里是一间破庙，为什么我会在这里？阿渡将我半扶起来，喂给我一些清水。我觉得胸口的灼痛好了许多，我紧紧攥着她的手，喃喃地说："阿渡，我们回西凉去吧。"

我的声音其实嘶哑混乱，连我自己都听不明白，阿渡却点了点头，她清凉的手指抚摸在我的额头上，带给我舒适的触感。幸好阿渡回来了，幸好阿渡找到了我，我没有力气问她这两日去了哪里，我被刺客掳走，她一定十分着急吧。有她在我身边，我整颗心都放了下来，阿渡回来了，我们可以一起回西凉去了。我昏昏沉沉得几乎又要昏睡过去。忽然阿渡好像站了起来，我吃力地睁开眼睛看了她一眼，她就站在我身边，似乎在侧耳倾听什么声音，我也听到了，是隐隐闷雷般的声音，有大队人马，正朝着这边来。

阿渡弯腰将我扶起来，我虚软而无力，几乎没什么力气。

如果来者是神武军或者羽林郎，我也不想见到他们，因为我不想再见到李承鄞，可是恐怕阿渡没有办法带着我避开那些人。

庙门被人一脚踹开，就在这千钧一发的时候，梁上忽然有道白影滑下，就像是只硕大无朋的鸟儿。明剑亮晃晃地刺向门口，我听到许多声惨叫，我认出从梁上飞身扑下的人正是顾剑，而门外倒下去的那些人，果然身着神武军的服装。我只觉得热血一阵阵朝头上涌，虽然我并不想再见李承鄞，可是顾剑正在杀人。

阿渡手里拿着金错刀，警惕地看着顾剑与神武军搏杀，我从她手里抽出金错刀，阿渡狐疑地看着我。

我慢慢地走近搏杀的圈子，那些神武军以为我是和顾剑一伙的，纷纷持着兵刃朝我冲过来。顾剑武功太高，虽然被人围在中间，可是每次有人朝我冲过来，他总能抽出空来一剑一挑，便截杀住。他出手利落，剑剑不空，每次剑光闪过，便有一个人倒在我的面前。

温热的血溅在我的脸上，倒在我面前数尺之外的人也越来越多，那些神武军就像是不怕死一般，前赴后继地冲来，被白色的剑光绞得粉碎，然后在我触手可及处咽下最后一口气。我被这种无辜杀戮震撼，我想大声叫“住手”，可我的声音嘶哑，几乎无法发声，顾剑似乎闻亦未闻。

我咬了咬牙，挥刀便向顾剑扑去，他很轻巧地格开我的刀，我手上无力，刀落在地上。就在这个时候，我听到一种沉重的破空之声，仿佛有巨大的石块正朝我砸过来，我本能地抬头去看，阿渡朝我冲过来，四面烟尘腾起，巨大的声音仿佛天地震动，整座小庙几乎都要被这声音震得支离破碎。

我被无形的气浪掀开去，阿渡的手才刚刚触到我的裙角，我看到顾剑似乎想要抓住我，但汹涌如潮的人与剑将他裹挟在其中。房梁屋瓦铺天盖地般坍塌下来，我的头不知道撞在什么东西上，后脑勺上的剧痛让我几乎在瞬间失去了知觉，重新陷入无边无际的黑暗。

“噗！”

沉重的身躯砸入水中，四面碧水围上来，像是无数柄寒冷的刀，割裂开我的肌肤。我却安然地放弃挣扎，任凭自己沉入那水底，如同婴儿归于母体，如同花儿坠入大地，那是最令人平静的归宿，我早已经心知肚明。

“忘川之水，在于忘情……”

……

“一只狐狸它坐在沙丘上，坐在沙丘上，瞧着月亮。噫，原来它不是在瞧月亮，是在等放羊归来的姑娘……”

“太难听了！换一首！”

“我只会唱这一首歌……”

……

“生生世世，我都会永远忘记你！”

……

记忆中有明灭的光，闪烁着，像是浓雾深处渐渐散开，露出一片虚幻的海市蜃楼。我忽然，看到我自己。

我看到自己坐在沙丘上，看着太阳一分分落下去，自己的一颗心，也渐渐地沉下去，到了最后，太阳终于不见了，被远处的沙丘挡住了，再看不见了。天与地被夜幕重重笼罩起来，连最后一分光亮，也瞧不见了。

我绝望地将手中的玉佩扔进沙子里，头也不回地翻身上马，走了。

臭师傅！坏师傅！最最讨厌的师傅！还说给我当媒人，给我挑一个世上最帅最帅的男人呢！竟然把我诓到这里来，害我白等了整整三天三夜！

几天前中原的皇帝遣了使臣来向父王提亲，说中原的太子已经十七岁了，希望能够迎娶一位西凉的公主，以和亲永缔两邦万世之好。中原曾经有位公主嫁到我们西凉来，所以我们也应该有一位公主嫁到中原去。

二姐和三姐都想去，听说中原可好了，吃得好，穿得好，到处都有水，不必逐水草而居，亦不必有风沙之苦。偏偏中原的使臣说，因为太子妃将来是要做中原皇后的，不能够是庶出的身份，所以他们希望这位公主，是父王大阏氏的女儿。我不知道这是什么讲究，但只有我的阿娘是大阏氏，阿娘只生了我这一个女孩，其他都是男孩，这下子只能我去嫁了。二姐和三姐都很羡慕，我却一点儿也不稀罕。中原有什么好的啊？中原的男人我也见过，那些贩丝绸来的中原商人，个个孱弱得手无缚鸡之力，弓也不会拉，马也骑得不好。听说中原的太子自幼养在深宫之中，除了吟诗绘画，什么也不会。

嫁一个连弓都拉不开的丈夫，这也太憋屈了。我闹了好几日，父王说："既然你不愿意嫁给中原的太子，那么我总得给中原一个交待。如果你有了意中人，父王先替你们订亲，然后告知中原，请他们另择一位公主，这样也挑不出我们的错来。"

我还没满十五岁，族里的男人们都将我视作小妹妹，打猎也不带着我，唱歌也不带着我，我上哪儿去找一位意中人呢？

可愁死我了。

师傅知道后，拍着胸口向我担保，要替我找一个世上最帅最帅的男人，他说中原管这个叫"相亲"，就是男女私下里见一见，如果中意，就可以父母之命，媒妁之言了。私下里见一面能看出什么来啊，可是现在火烧眉毛，为了不嫁给中原的太子，我就答应了师傅去相亲。

师傅将相亲的地方约在城外三里最高的沙丘上，还交给我一块玉佩，说拿着另一块玉佩的男人，就是他替我说合的那个人，叫我一定要小心留意，仔细看看中不中意。

结果我在沙丘上等了整整三天三夜，别说男人了，连只公狐狸都没看见。

气死我了！

我就知道师傅他又是戏弄我，他天天以捉弄我为乐。上次他骗我说忘川就在焉支山的后头，害我骑着小红马，带着干粮，走了整整十天十夜，翻过了焉支山，结果山后头就是一大片草场，别说忘川了，连个小水潭都没有。

我回去的路上走了二十多天，绕着山脚兜了好大一个圈子，还差点儿迷路，最后遇上牧羊人，才能够挣扎着回到城中。阿娘还以为我走失了，再回不来了，她生了一场大病，抱着我大哭了一场，父王大发雷霆，将我关在王城中好多天，都不许我出门。后来我气恼地质问师傅，他说："我说，你就信啊？你要知道，这世上总有一些人是会骗你的，你不要什么人都信，我是在教你，不要随意轻信旁人的话，否则你以后可就吃亏了。"

我看着他亮晶晶的眼睛，气得只差没有吐血。

为什么我还不吸取教训呢？我被他骗过好几次了，为什么就还是傻乎乎地上当呢？

或许我一辈子，也学不会师傅的心眼儿。

我气恼地信马由缰往回走，马儿一路啃着芨芨草，我一路在想，要不我就对父王说我喜欢师傅，请父王替我和师傅订亲吧。反正他陷害我好多次了，我陷害他一次，总也不过分。

我觉得这主意棒极了，所以一下子抖擞精神，一路哼着小曲儿，一路策马向王城奔去。

"一只狐狸它坐在沙丘上，坐在沙丘上，瞧着月亮。噫，原来它不是在瞧月亮，是在等放羊归来的姑娘……一只狐狸它坐在沙丘上，坐在沙丘上，晒着太阳……噫……原来它不是在晒太阳，是在等骑马路过的姑娘……"

我正唱得兴高采烈的时候，身后突然有人叫：“姑娘，你的东西掉了。”

我回过头，看到个骑白马的男人。

师傅说，骑白马的有可能不是王子，更可能是东土大唐遣去西域取经的唐僧。可是这个男人并没有穿袈裟，他穿了一袭白袍，我从来没有见过人将白袍穿得那样好看，过来过往的波斯商人都是穿白袍，但那些波斯人穿着白袍像白兰瓜，这个男人穿白袍，却像天上的月亮一般皎洁。

他长得真好看啊，弯弯的眉眼仿佛含了一丝笑意，他的脸白净得像是最好的和阗玉，他的头发结着西凉的样式，他的西凉话也说得挺流利，但我一眼就看出他是个中原人，我们西凉的男人，都不可能有这么白。他骑在马上，有一种很奇怪的气势，这种气势我只在阿爹身上见到过，那是校阅三军的时候，阿爹举着弯刀纵马驰过，万众齐呼的时候，他骄傲地俯瞰着自己的军队，自己的疆土，自己的儿郎。

这个男人，就这样俯瞰着我，就如同他是这天地间唯一的君王一般。

我的心突然狂跳起来，他的眼神就像是沙漠里的龙卷风，能将一切东西都卷进去，我觉得他简直有魔力，当他看着我的时候，我脑子里几乎是一片空白。在他修长的手指上，躺着一块白玉佩，正是刚刚我扔掉的那块。他说：“这难道不是姑娘遗失的？”

我一看到玉佩就生气了，板着脸孔说：“这不是我的东西。”

他说：“这里四野无人，如果不是姑娘的东西，那么是谁的东西呢？”

我伸开胳膊比划了一下，强词夺理：“谁说这里没有人了？这里还有风，还有沙，还有月亮和星星……”

他忽然对我笑了笑，轻轻地说：“这里还有你。”

我仿佛中了邪似的，连脸都开始发烫。虽然我年纪小，也知道他这句话含有几分轻薄之意。我有点儿后悔一个人溜出城来了，这里一个人都没有，如果真动起手来，我未必能赢过他。

我大声地说：“你知道我是谁么？我是西凉的九公主，我的父王是西凉的国主，我的母亲大阏氏乃是突厥的王女，我的外祖父是西域最厉害的铁尔格达大单于，沙漠里的秃鹫听到他的名字都不敢落下来。如果你胆敢对我无礼，我的父王会将你绑在马后活活拖死。”

他慢吞吞地笑了笑，说：“好好一个小姑娘，怎么动不动就吓唬人呢？你知道我是谁么？我是中原的顾五郎，我的父亲是茶庄的主人，我的母亲是寻常的主妇，我的外祖父是个种茶叶的农人，虽然他们没什么来头，可如果你真把我绑在马后活活拖死，你们西凉可就没有好茶叶喝了。”

我鼓着嘴瞪着他，茶叶是这几年才传到西凉来的，在西凉人眼里，它简直是世上最好的东西。父王最爱喝中原的茶，西凉全境皆喜饮茶，没人能离得开茶叶一日，如果这个家伙说的是真的，那么也太可恼了。

他也就那样笑吟吟地瞧着我。

就在我正气恼的时候，我忽然听到身后不远处有人“噗”地一笑。

我回头一看，竟然是师傅。不知道他突然从哪里冒出来，正瞧着我笑。

我又气又恼，对着他说：“你还敢来见我！害我在沙丘上白白等了三天三夜！你替我找的那个最帅最帅的男人呢？”

师傅指了指骑白马的那个人，说道：“就是他啊！”

那个骑白马的人还是那样促狭地笑着，重新伸出手来，我看到他手心里原来不是一只玉佩，而明明是一对玉佩。他一手拿着玉佩，然后一副看好戏的样子。

我彻彻底底地傻了，过了好半晌才回过神来，我才不要嫁这个中原人呢！虽然看上去是长得挺帅的，但牙尖嘴利，半分也不肯饶人，而且还耍弄我，我最恨有人耍弄我了！

我气鼓鼓地打马往回走，睬也不睬他们。师傅跟那个顾五郎骑马也走在我后边，竟然有一句没一句地开始聊天。

师傅说："我还以为你不会来呢。"

那顾五郎道："接到飞鸽传信，我能不来么？"

他们谈得热络，我这才知道，原来师傅与他是旧识，两个人似乎有说不完的话似的，一路上师傅都在对那个顾五郎讲述西凉的风土人情。那个顾五郎听得很专注，他们的话一句半句都传到我耳朵里来。我不听也不成，这两个人渐渐从风土人情讲到了行商旅道，我从来没听过师傅说这么多话，听得我甚是无聊，不由得打了个哈欠。不远处终于出现王城灰色的轮郭，那是巨大的砾砖，一层层砌出来的城墙与城楼。巍峨壮丽的城郭像是连绵的山脉，高高的城墙直掩去大半个天空，走得越近，越觉得城墙高，西域荒凉，方圆千里，再无这样的大城。西凉各部落本来逐水草而居，直到百年前出了一位单于，纵横捭阖西域各部，最后筑起这宏大的王城，始称西凉国。然后历代以来与突厥、龟兹、月氏联姻，又受中原的封赏，这王城又正处在中原与大食的商旅要道上，来往行客必得经过，于是渐渐繁华，再加上历代国主厉兵秣马，儿郎们又骁勇善战，西凉终成了西域的强国。虽然疆域并不甚大，但便是中原，现在亦不敢再轻视西凉。雄伟的城墙在黑紫色天幕的映衬下，更显得宏大而壮丽。我看到楼头的风灯，悬在高处一闪一烁，仿佛一颗硕大的星子，再往高处，就是无穷无尽的星空。细碎如糖霜的星子，撒遍了整个天际，而王城，则是这一片糖霜下的薄馕，看到它，我就觉得安适与满足——就像刚刚吃饱了一般。

我拍了拍小红马，它轻快地跑起来，颈下系的鸾铃发出清脆的响声，和着远处驼铃的声音，“咣啷咣啷”甚是好听。一定会有商队趁着夜里凉快在赶路，所以王城的城门通宵是不会关闭的。我率先纵马跑进城门，城门口守着饮井的贩水人都认识我，叫着“九公主”，远远就抛给我一串葡萄。那是过往的商旅送给他们的，每次他们都留下最大最甜的一串给我。

我笑着接住葡萄，揪了一颗塞进嘴里，咬碎葡萄的薄皮，又凉又甜的果汁在舌间迸开，真好吃。我回头问师傅：“喂！你们吃不吃？”

我从来不叫师傅一声师傅，当初拜他为师，也纯粹是被他骗的。那会儿我们刚刚认识，我根本不知道他剑术过人，被他话语所激，与他比剑，谁输了就要拜对方为师，可以想见我输得有多惨，只好认他当了师傅。不过他虽然是师傅，却常常做出许多为师不尊的事来，于是我压根儿都不肯叫他一声师傅，好在他也不以为忤，任由我成天喂来喂去。

师傅心不在焉地摇了摇头，他还在侧身与那穿白袍的人说话。偶尔师傅也教我中原书本上的话，什么“既见君子，云胡不喜”，或者“谦谦君子，温润如玉”。说来说去我就以为君子都是穿白袍的了，但师傅也爱穿白袍，可师傅算什么君子啊，无赖差不多。

顾小五在西凉城里逗留下来，他暂时住在师傅那里。师傅住的地方布置得像所有中原人的屋子，清爽而干净，而且不养骆驼。

我像从前一样经常跑到师傅那里去玩，一来二去，就跟顾小五很熟了。听说他是茶庄的少主人，与他来往的那些人，也大部分是中原的茶叶商人。他的屋子里，永远都有好茶可以喝，还有许多好吃的，像是中原的糕饼，或者有其他稀奇古怪的小玩艺儿，让我爱不释手。可是讨厌的是，每次见了顾小五，他总是问我：九公主，你什么时候嫁给我？

我恼羞成怒，都是师傅为师不尊，惹出来这样的事情。我总是大声地答："我宁可嫁给中原的太子，也不要嫁你这样的无赖。"

他哈哈大笑。

其实在我心里，我谁都不想嫁，西凉这么好，我为什么要远嫁到中原去？

话虽然这样说，可是中原的使臣又开始催促父王，而焉支山北边的月氏，听闻得中原派来使臣向父王提亲，也遣出使节，带了许多礼物来到了西凉。

月氏乃是西域数一数二的大国，骁勇善战，举国控弦者以十万，父王不敢怠慢，在王宫中接见月氏使臣。我遣了使女去偷听他们的谈话，使女气喘吁吁地跑回来悄悄告诉我说，这位月氏使臣也是来求亲的，而且是替月氏的大单于求亲。月氏的大单于今年已经有五十岁了，他的大阏氏本来亦是突厥的王女，是我阿娘的亲姐姐，但是这位大阏氏前年不幸病死了，而月氏单于身边的阏氏有好多位，出自于不同的部族，纷争不已，大阏氏的位置就只好一直空在那里。现在月氏听闻中原派出使臣来求婚，于是也遣来使臣向父王求婚，要娶我作大阏氏。

阿娘对这件事可生气了，我也生气。那个月氏单于明明是我姨父，连胡子都白了，还想娶我当大阏氏，我才不要嫁个老头儿呢。父王既不愿得罪中原，也不愿得罪月氏，只好含糊着拖延下去。可是两位使臣都住在王城里，一日一日难以拖延，我下定决心，决定偷偷跑到外祖父那里去。

每年秋天的时候，突厥的贵族们都在天亘山那头的草场里围猎，中原叫做"秋狩"。外祖父总要趁着围猎，派人来接我去玩，尤其他这两年身体不好，所以每年都会把我接到他身边去。他说："看到你就像看到你的母亲一样，真叫阿翁高兴啊。"

按照突厥的规矩，嫁出去的女儿是不能归宁的，除非被夫家弃逐。所以每次阿娘总也高兴送我去见见阿翁，替她看望自己在突厥的那些亲人们。我偷偷把这计划告诉阿娘，她既不乐意我嫁到中原去，更不想我嫁到月氏，所以她瞒着父王替我备了清水和干粮，趁着父王不在王城中，就悄悄打发我溜走了。

我骑着小红马，一直朝着天亘山奔去。

王城三面环山，连绵起伏从西往北是焉支山，高耸的山脉仿佛蜿蜒的巨龙，又像是巨人伸出的臂膀，环抱着王城，挡住风沙与寒气，使得山脚下的王城成为一片温润的绿洲。向东则是天亘山，它是一座孤高的山峰，像是中原商贩卖的那种屏风，高高地插在半天云里，山顶上还戴着皑皑的白雪，据说没人能攀得上去。绕过它，就是无边无际水草丰美的草场，是阿娘的故乡。

出城的时候，我给师傅留了张字条，师傅最近很忙，自从那个顾小五来了之后，我总也见不着他。我想我去到突厥，就得过完冬天才能回来，所以我给他留了字条，叫他不要忘了替我喂关在他后院里的阿巴和阿夏。阿巴和阿夏是两只小沙鼠，是我偶然捉到的。父王不许我在自己的寝处养沙鼠，我就把它们寄放在师傅那里。

趁着天气凉快，我跟在夜里出城的商队后头出了王城，商队都是往西，只有我拐向东。

夜晚的沙漠真静啊，黑丝绒似的天空似乎低得能伸手触到，还有星星，一颗一颗的星星，又低又大又亮，让人想起葡萄叶子上的露水，就是这样的清凉。我越过大片的沙丘，看到稀疏的芨芨草，确认自己并没有走错路。这条道我几乎每年都要走上一回，不过那时候总有外祖父派来的骑兵在一块儿，今天只有我一个人罢了。小红马轻快地奔跑着，朝着北斗星指着的方向。我开始在心里盘算，这次见到我的阿翁，一定要他让奴隶们替我逮一只会唱歌的鸟儿。

天快亮的时候我觉得困倦极了，红彤彤的太阳已经快出来了，东方的天空开始泛起浅紫色的霞光，星星早就不见了，天是青灰色透着一种白，像是奴隶们将刚剥出的羊皮翻过来，还带着新剖的热气似的，蒸得半边天上都腾起轻薄的晨雾。我知道得找个地方歇一歇，近午时分太阳能够晒死人，那可不是赶路的好时候。

蹚过一条清浅的小河，我找到背阴的小丘，于是翻身下马，让马儿自己去吃草，自己枕着干粮，美美地睡了一觉。一直睡到太阳西斜，晒到了我的脸上十分不舒服，才醒过来。

我从包裹里取出干粮来吃，又喝了半袋水，重新将水囊装满，才打了个唿哨。

不一会儿我就听到小红马的蹄声，它欢快地朝着我奔过来，打着响鼻。一会儿就奔到了我面前，亲昵地舔着我的手。我摸着它的鬃毛："吃饱了没有？"

可惜它不会说话，但它会用眼睛看着我，温润的大眼睛里反着光，倒映出我自己的影子。我拍了拍它的脖子，它突然不安地嘶鸣起来。

我觉得有点儿奇怪，小红马不断地用前蹄刨着草地，似乎十分的不安，难道附近有狼？

草原里的狼群最可怕，它们成群结队，敢与狮子抗争，孤身的牧人遇上他们亦会有凶险。但现在是秋季，正是水草丰美的时候，到处都是黄羊和野兔，狼群食物充足，藏在天亘山间轻易不下来，不应该在这里出没。

不过小红马这样烦躁，必有它的道理。我翻身上马，再往前走就是天亘山脚，转过山脚就是突厥与西凉交界之处，阿娘早遣人给阿翁送了信，会有人在那里接应我。还是走到有人的地方比较安全。

纵马刚刚奔出了里许，突然听到了马蹄声。我站在马背上遥望，远处隐隐约约能看到一线黑灰色，竟似有不少人马。难道是父王竟然遣了人来追我？隔得太远，委实看不清骑兵的旗帜。我觉得十分忐忑不安，只能催马向着天亘山狂奔。如果我冲进了突厥的境内，遇上阿翁的人，阿爹也不好硬将我捉回去了吧。

追兵越来越近，小红马仿佛离弦之箭，在广袤无垠的草原上发足狂奔。但天地间无遮无拦，虽然小红马足力惊人，可是迟早会被追上的。

我不停地回头看那些追兵，他们追得很近了，起码有近千骑。在草原上，这样的骑兵真是声势惊人，就算是阿爹，只怕也不会轻易调动这样多的人马，如果真是来追我的，这也太小题大作了。我一边策马狂奔，一边在心里奇怪，这到底是哪里来的骑兵呢？

没有多久小红马就奔到了天亘山脚下，老远我就看到了几个小黑点，耳中听到悠长的声音，正是突厥牧歌的腔调，熟悉而亲切，我心想定然是阿翁派来接应我的人。于是我拼命夹紧马腹，催促小红马跑得快些快些，再快些。那些突厥人也看到我了，他们站上了马背，拼命地向我招手。

我也拼命地向他们挥手，我的身后就是铁骑的追兵，他们肯定也看到了。马跑得越来越快，越来越近，我看到突厥的白旄旗，它扬得长长的旆尾被黄昏的风吹得展开来，像是一条浮在空中的鱼。掌旗的人我认识，乃是阿翁帐前最受宠的神箭手赫失。他看到地平线上黑压压的骑兵追上来，立时将旗子狠狠插进岩石间，然后摘下了背上的弓。

我在狂奔的马背上看得分明，连忙大声叫："是什么人我不知道！"虽然他们一直追着我，但我还是想弄明白那些到底是什么人。

我的马一直冲过了赫失的马身十来丈远，才慢慢地停下来，赫失身后几十个射手手中的箭簇在斜阳下闪烁着蓝色的光芒。他们一边眯起眼睛瞄准那些追上来的骑兵，一边策马将我围拢在中间，赫失笑逐颜开地跟我打招呼："小公主，你好呀。"

我虽然不是突厥的王女，可是因为母亲的缘故，从小突厥大单于帐前的勇士便如此称呼我。我见到赫失就觉得分外放心，连后头千骑的追兵也立时忘到了脑后，兴高采烈地对他说："赫失，你也好啊！"

那些铁骑已经离我们不过两箭之地，大地震动，耳中轰轰隆隆全是蹄声。"呵！"赫失像是吁了口气似的，笑容显得越发痛快了，"这么多人马，难道是来跟咱们打架的吗？"赫失一边跟我说话，一边张开了弓，将箭扣在弦上，在他身旁，是突厥的白旄旗，被风吹得"呼啦呼啦"直响。在草原上，任何部族看到这面旗帜，就知道铁尔格达大单于的勇士在这里，任何人如果敢对突厥的勇士动武，突厥的铁骑定会踏平他们的帐篷，杀尽他们的族人，掳尽他们的牛羊。在玉门关外，还没有任何人敢对这面白旄旗不敬呢！

可是眼看着那些骑兵越冲越近，来势汹汹，分明就像根本没有看到旗帜一样。夕阳金色的光线照在他们的铁甲之上，反射出一片澄澄的铁色，我忽然猛地吸了口气。

这是月氏的骑兵，轻甲、鞍韂、头盔……虽然没有旗帜，但我仍旧分辨出来，这是月氏的骑兵。我虽然没有去过月氏，但是去过安西都护府，在那里见过月氏人操练。他们的马都是好马，甲胄鲜明，弓箭快利，骑士更是骁勇善战。赫失也认出来，他回头看了我一眼，对我说："公主，你先往东去，绕过宾里河，大单于的王帐在河东那里。"

我大声道："要战便战，我可不愿独自逃走。"

赫失赞叹似的点了点头，将他自己的佩刀递给我，我接过弯刀，手心里却生了一层汗。月氏骑兵的厉害我是知道的，何况现在对方有这么多人，黑压压地动山摇般压过来，虽然赫失是神箭手，但我们这方不过几十人，只怕无论如何也挡不住对方。

眼见那些骑兵越逼越近，我连刀都有点儿拿捏不住似的。虽然从小我觉得自己就不输给哥哥们，可老实讲，上阵杀敌，这还真是第一次。

白旄旗就在我们身后，“呼啦啦”地响着，草原的尽头，太阳一分一分地落下去，无数草芒被风吹得连绵起伏，就像是沙漠里的沙丘被风吹得翻滚一般。天地间突然就冷起来，我眨了眨眼睛，因为有颗汗正好滴到了眼角里，辣辣的刺得我好生难过。

那些骑兵看到了白旄旗，冲势终于缓了下来，他们摆开阵势，渐渐地逼近。赫失大声道：“突厥的赫失在这里，你们的马踏上了突厥的草原，难道是想不宣而战么？”

赫失乃是名动千里的神箭手，赫失在突厥语里头，本来就是箭的意思。传说他要是想射天上大雁的左眼珠，就决不会射到大雁的右眼珠，所以大单于十分宠信他。果然那些人听到赫失的名字，也禁不住震动，便有一人纵马而出，叽里咕噜说了一大堆话。我对月氏话一点儿也不懂，都是赫失不住地译给我听，原来这些人说他们走失了一个奴隶，所以才会追过来，至于这里是不是突厥的地界，因为正好在天亘山脚，其实是月氏、突厥与西凉的边界，从来是个三不管的地方，如果硬要说是突厥的领地，也算有点儿勉强。

“走失奴隶？”我不由得莫名其妙地重复了一遍，那个领兵的月氏将军扬起马鞭指着我，又指手画脚地说了一句话。赫失似乎很愤怒，大声说道：“公主，他竟然说你就是他们走失的那个奴隶。”

我也忍不住生气，拔出刀来说道：“胡说八道！”

赫失点了点头：“这只是他们的借口罢了。”

那月氏将军又开始叽里咕噜地说话，我问赫失：“他说什么？”

“他说如果我们不将你交出去，他便要领兵杀过来硬夺。突厥藏起了月氏人的奴隶，如果因为这件事两国交战，也是突厥人没有道理。”

我怒极了，反倒笑起来：“他现在这般不讲道理，竟然还敢说是我们没有道理。”

赫失沉声道：“小公主说的是，但对方人多，又是冲着小公主来的……”他对我说道：“小公主，你先往东去寻王帐，带援兵过来。月氏傲慢无礼，我们如果拦不住他们，定然要报知大单于知晓，不要让他们暗算了。”

说来说去，赫失还是想说动我先退走。我虽然心里害怕，但是仍旧挺了挺胸脯，大声道：“你另外遣人去报信，我不走！”

赫失静静地道：“小公主在这里，赫失分不出人手来保护。”

我想了一想，他说的话很明白，如果我在这里，只怕真的会拖累他们。虽然我射箭的准头不错，可是我从来没有打过仗，而这里其他人，全是突厥身经百战的勇士。

“好吧。”我攥紧了刀柄，说道，“我去报信！”

赫失点了点头，将他鞍边的水囊解下来，对我说：“一直往东三百里，若是寻不到大单于的王帐，亦可折向北，左谷蠡王的人马应该不远，距此不过百里。”

“我理会得。”

赫失用刀背重重击在我的马上，大喝一声：“咄！”

小红马一跃而出，月氏的骑兵聒噪起来，然而小红马去势极快，便如一道闪电一般，瞬间就奔出了里许。我不停地回头张望，只见月氏骑兵黑压压地逼上来，仿佛下雨前要搬家的蚂蚁一般，而赫失与数十骑突厥骑兵被他们围住，就像被黑压压的蚂蚁围住的黍粒。另有月氏骑兵逸出想要追击我，但皆追不过十个马身，便被纷纷射杀——赫失虽然被围，可是每箭必中，月氏骑兵竟然无一人能躲过他的箭锋，那些人马不断地摔倒翻滚在地，仓促间竟无一骑可以追上来。小红马越跑越快，除了那白旄旗，其余的一切都在最后一缕暮光中渐渐淡去，天色晦暗，夜笼罩了一切。

我策马狂奔在草原上，无星无月，闷得似要滴下水来。这样的天气我从来没有遇见过，只怕是要下大雨了。在草原上遇见下大雨可是件要命的事情，我抬头看天，天是黑沉沉的，像是一口倒扣的铁锅，没有星月，方向也难以辨识，我真担心自己走错了路。

草原上其实什么路也没有，不过是乱闯罢了。我摸黑策马飞驰了半宿，幸得那些月氏人没有追上来。可是赫失他们也没有突围出来，我心中既担心赫失的安危，又担心自己乱闯走错了方向，又急又气，只差没有哭出声来。就在这时候，只听“喀嚓”一声，一道紫色的长电划破黑沉沉的夜色，照得眼前瞬间一亮，接着轰轰隆隆的雷声便响起来。

是真的要下雨了，这可得想办法避一避。一道道闪电像是僵直的蛇，在乌云低垂的天幕上四处乱窜，我借着这一道紧似一道的电光，看到远处的乱石。原来我一直沿着天亘山奔跑，这跑了大半夜，仍旧是在天亘山脚下。

找块大石避一避吧，总比被雨淋死要好。我促马前行，小红马灵巧地踏过山石，我怕那些碎石伤到马蹄，于是翻身下马，牵着马儿往山间寻去。大雨早已经“哗哗”地下起来，粗白牛筋似的雨抽在人身上，生疼生疼。那些雨浇透了我的衣裳，顺着额发流进眼中，我连眼睛几乎都没办法睁开，抹了一把脸上的水，终于望见一块大石，突兀地悬出来，这大石下倒是个避雨的好所在。

我牵着小红马爬到了大石下，一人一马缩在那里，外面雨声轰隆隆直响，这雨势又急又猛，我想起赫失，心中说不出的担忧。小红马半跪在石下，似乎也懂得我心中焦急，不时地伸出舌头来，舔着我的手心。我抱着小红马的脖子，喃喃道：“不知道赫失他们怎么样了……”外头落雨很急，从山上流下来的水在石前冲汇成一片白色的水帘，迷蒙的雾气溅进石下，纷扬得就像一场小雨一般。

也不知这场雨到底下了有多久，最后终于渐渐停歇。山石外还淌着水，就像一条小溪似的，“哗哗”响着。而风吹过，天上乌云移开，竟然露出一弯皎洁的月亮。

我忍不住打了个喷嚏，衣服湿透了贴在身上，再让这风一吹，可真是冷啊。可是我身上带的火绒早就让雨给淋透了，这里没有干柴，也没办法生起火来。

外面水流的声音渐渐低下去，小红马亲热地凑过来，温热的舌头舔在我的脸上，我想既然雨停了，还是赶紧下山继续寻路。

走到山下的时候月亮已经快要落下去了，正好让我辨出了方向。小红马在山石下憋屈了半宿，此时抖擞精神奔跑起来，朝着泛着白光的东方。太阳就快升起来了吧，不然为什么我身上这么热呢?

我迷迷糊糊地想着，手中的马缰也渐渐松了，马儿一颠一颠，像摇篮一般，摇得人很舒服，我整晚上都没能睡，现在简直快要睡着了。

我不知道迷糊了多久，也许是一小会儿，也许是很久，最后马儿蹚进一条河里，我被马蹄溅起的冰冷水花浇在身上，才突然一激灵醒了过来。四处荒野无人，天亘山早就被抛在了身后，身后巨大的山脉远远望去，就像一个顶天立地的巨人。巨人的头顶是白色的雪冠，积着终年不化的冰雪，这条河也是天亘山上的雪水汇集奔流而成，所以河水冷得刺骨。

我浑身都发软，想起自己一直没有吃东西，怪不得一点儿力气都没有。可是干粮都系在鞍后，我口中焦渴无味，一点儿食欲都没有。正想着要不要下马来饮水，忽然望见不远处黑影摇动，竟似有一骑径直奔来，我害怕又是月氏的骑兵，极目望去，却也只能看见模糊的影子，来势倒是极快，可幸的是只有一人一骑。

如果是左谷蠡王的探哨就好了……我拼尽力气抽出背后的弯刀，万一遇上的是敌人，我一定力战到底。

这是我最后一个念头，然后我眼前一黑，竟然就栽下马去了。

西凉人自幼习骑射，不论男女皆是从会走路就会骑马，我更是从小在马背上长大的，堂堂西凉的九公主竟然从马背上栽下去了，若是传到西凉王城去，只怕要笑坏所有人的大牙。

醒过来的时候，我手里还紧紧攥着弯刀，我眨了眨眼睛，天色蓝得透亮，洁白的云彩低得仿佛触手可及。原来我是躺在一个缓坡下，草坡遮去了大半灼热的日光，秋日里清爽的风吹拂过来，不远处传来小红马熟悉的嘶鸣，让我不禁觉得心头一松。

“醒啦？”

这个声音也挺耳熟，我头晕眼花地爬起来，眨了眨眼睛，仍旧觉得不可相信。

竟然是那个中原茶贩顾小五，他懒洋洋地坐在草坡上，啃着一块风干的牛肉。

我好生惊诧：“你怎么会在这里？”

他说：“偶尔路过。”

我才不相信呢！

我的肚子饿得咕噜咕噜直响，我想起小红马还驮着干粮呢，于是打了个唿哨。小红马一路小跑过来，我定睛一看，马背上光秃秃的，竟然连鞍鞯都不在了。我再定睛一看，那个顾小五正坐在我的鞍子上，而且他啃的牛肉，可不是我带的干粮?

“喂！”我十分没好气，大声问，“我的干粮呢？”

他满嘴都是肉，含含糊糊地对我扬起手中那半拉牛肉：“还有最后一块……”

什么最后一块，明明是最后一口。

我眼睁睁瞧着他把最后一点儿风干牛肉塞进嘴里，气得大叫：“你都吃了？我吃什么啊？”

“饿着呗。”他拿起水囊喝了一口水，轻描淡写地说，“你刚刚发烧，这时候可不能吃这种东西。”

什么发烧，我跳起来：“你怎么会跑到这里来？还有，你吃完了我的干粮！赔给我！赔给我！”

他笑了笑：“吃都吃了，可没得赔了。”

我气急败坏，到处找赫失给我的佩刀。

他看我像热锅上的蚂蚁团团转，终于慢吞吞地说道：“你要是跟我回王城去，我就赔给你一头牛。”

我朝他翻白眼：“我为什么要跟你回王城去？”

“你的父王贴出悬赏告示，说谁要能将你寻到，带回王城去，就赏赐黄金一百锭。”他格外认真地瞧着我，“黄金一百锭啊！那得买多少头牛！”

我可真是气着了，倒不是生气别的，就是生气那一百锭黄金：“父王真的贴出这样的布告？”

“那还有假？”他说，“千真万确！”

“我就值黄金一百锭吗？”我太失望了，“我以为起码值黄金万铤！另外还给封侯，还有，应该赐给牛羊奴隶无数……”

父王还说我是他最疼爱的小公主，竟然只给出黄金一百锭的悬赏。小气！真小气！

顾小五“噗”一声笑了，也不知道他在笑什么。我顶讨厌他的笑，尤其是他笑吟吟地看着我，好像看着一百锭黄金似的。

我大声道：“你别做梦了，我是不会跟你回去的！”

顾小五说：“那么你想到哪里去呢？自从你走了之后，月氏王的使者可生气了，说你父王是故意将你放走的，月氏遣出了大队人马来寻你，你要是在草原上乱走，遇上月氏的人马，那可就糟了。”

我也觉得挺糟的，因为我已经遇上月氏的人马了。想到这里我不由得“哎呀”了一声，我差点儿把赫失给忘了，我还得赶紧去阿翁那里报信呢！

顾小五大约看到我脸色都变了，于是问我：“怎么了？”

我本来不想告诉他，可是茫茫草原，现下只有他在我身边，而且师傅剑术那样高明，本事那样大，说不定这个顾小五剑法也不错呢。

果然顾小五听我原原本本将遇上月氏追兵的事情告诉他之后，他说道：“据你说，突厥大单于王帐，距此起码还有三百里？”

我点了点头。

“左谷蠡王距此亦有百里？”

我又点了点头。

“可是突厥人游牧不定，你如何能找得到？”

“那可不用多想，反正我要救赫失。”

顾小五眉头微皱，说道：“远水救不了近火，安西都护府近在咫尺，为什么不向他们借兵，去还击月氏？”

我目瞪口呆，老实说，中原虽然兵势雄大，安西都护府更是镇守西域，为各国所敬忌，但是即使各国之间兵戈不断，也从来没有人去借助中原的兵力。因为在我们西域人眼里，打仗是我们西域人自己的事情，中原虽然是天朝上国，派有雄兵驻守在这里，但是西域各国之间的纷争，却是不会牵涉到他们的。就好比自己兄弟打架，无论如何，不会去找外人来施以援手的。

我说："安西都护府虽然近，但这种事情，可不能告诉他们。"

顾小五剑眉一扬："为什么？"

道理我可说不出来，反正各国都守着这样的禁忌，我说："反正我们打架，可不关中原皇帝的事。"

"普天之下，莫非王土。率土之滨，莫非王臣。"顾小五说道，"只要是天下的事，就跟中原的皇帝有关，何况中原设置安西都护府，就是为了维持西域的安定。月氏无礼，正好教训教训他们。"

他说得文绉绉，我也听不太懂。他把两匹马都牵过来，说道："从这里往南，到安西都护府不过半日路程，我陪你去借兵。"

我犹豫不决："这个……不太好吧？"

"你不想救赫失了？"

"当然想！"

他扶我上马，口中说道："那还磨蹭什么！"

一直策马奔出了老远，我才想起一件事来："你到底是怎么找着我的？"

中午日头正烈，他的脸被太阳一照，更像是和阗出的美玉一般白净。他咧嘴一笑，露出一口洁白牙齿："碰运气！"

安西都护府果然不过半日路程，我们策马南下，黄昏时分已经看到巍峨的城池。中原皇帝百余年前便在此设立安西都护府，屯兵开垦，扼守险要。这里又是商道的要冲，南来北往的商队皆要从此过，所以比起西凉王城，也繁华不啻。

我还担心我和顾小五孤身二人，安西都护府爱搭不理，谁知顾小五带着我进城之后，径直闯到都护衙前，击敲了门前的巨鼓。

后来我才知道那个鼓有讲究，虽然名字叫太平鼓，其实另外有个名字叫醒鼓，一击响就意味着征战。我们被冲出来的守兵不由分说带入了府内，都护大人就坐在堂上，他长着一蓬大胡子，穿着铠甲，真是员威风凛凛的猛将，我见过的中原人，他最像领兵打仗的将军。

他沉着声音问我们，我不怎么懂中原话，所以张口结舌看着顾小五。顾小五却示意我自己说，这下我可没辙了。幸好这个都护大人还会说突厥话，他看我不懂中原话，又用突厥话问："堂下人因何击鼓？"因为阿娘是突厥人，我的突厥话也相当流利。我于是将月氏骑兵闯入突厥境内的话说了一遍，然后恳请他发兵去救赫失。

都护大人有点犹豫，因为中原设置安西都护府以来，除了平定叛乱，其实很少干涉西域各国的事务。虽然月氏闯入突厥境内是大大的不妥，可是毕竟突厥强而月氏弱，以弱凌强，这样诡异的事情委实不太符合常理，所以我想他才会这样犹豫。

果然，他说道："突厥铁骑闻名关外，为什么你们突厥自己不出兵反倒求助于我？"

我告诉他说王帐游移不定，而左谷蠡王虽然在附近，但找到他们肯定要耽搁很久的时间。所以我们到安西都护府来求助，希望能够尽快地救出赫失。

我想到赫失他们不过数十骑，要抵抗那么多的月氏骑兵，不禁就觉得忧心如焚。都护大人还是迟疑不决，这时顾小五突然说了句中原话。

那个都护大人听到这句话，似乎吓了一大跳似的，整个人都从那个漆案后站了起来。顾小五走上前去，躬身行礼，他的声音很低，我根本就听不清，何况我也不怎么懂中原话，只见他说了几句话后，都护大人就不断地点头。

没一会儿工夫，都护大人就点了两千骑兵，命令一名千夫长带领，连夜跟随我们赶去救人。

我大喜过望，从安西都护府出来，我就问顾小五："你怎么说动那位大人，让他发兵救人的？"

顾小五狡黠地一笑，说："那可不能告诉你！"

我生气地撅起嘴来。

中原的军队纪律森严，虽然是夤夜疾行，但队列整齐，除了马蹄声与铠甲偶尔铿锵作响，还有火炬"呼啦啦"燃烧的声音，竟不闻别的半点声息。我留意到中原军中用的火炬，是木头缠了絮，浸透了火油。火油乃是天亘山下的特产，其色黝黑，十分易燃，牧人偶尔用它来生火煮水，但王城里的人嫌它烟多气味大，很少用它。没想到中原的军队将它用来做火炬。我觉得中原人很聪明，他们总能想到我们想不到的办法。

我们一夜疾行，在天明时分，终于追上了月氏的骑兵。这时候他们早已经退入月氏的境内。

月氏的骑兵行得极快，我们追上他们的时候，白旄旗早已经无踪影，赫失和数十突厥勇士也连人带马消失得干干净净。我心中惶急，唯恐赫失他们已经被月氏骑兵围杀，而顾小五正在和那名千夫长用中原话商议，然后听到中原的骑兵大声传令，散开阵势来。

我听父王说过，中原人打仗讲究阵法，以少胜多甚是厉害，尤其现在中原的兵力更胜过月氏骑兵的一倍有余，隐隐摆出合围之势。那个月氏将军便兜转马来，大声地呵斥。

我不懂他在说什么，顾小五在西域各国贩卖茶叶，却是懂得月氏话的。他对我说："这个将军在质问我们，为什么带兵闯入月氏的国境。"

我说："他昨天还闯入突厥的国境，硬说我是月氏逃走的奴隶，现在竟然还理直气壮起来。"

顾小五便对旁边的千夫长说了句什么，那千夫长便命人上去答话。顾小五笑着对我说："我告诉他们，我们乃是护送西凉的公主回国，路经此地。叫他不要慌乱，我们是绝不会入侵月氏领地的。”

我觉得要说到无耻，顾小五如果自认天下第二，估计没人敢认第一。他就有本事将谎话说得振振有词，是不是中原人都这样会骗人？师傅是这个样子，顾小五也是这个样子。

双方还在一来一回地喊话，那名千夫长却带着千名轻骑，趁着晨曦薄薄的凉雾，悄悄从后包抄上去，等月氏的骑兵回过神来，这边的前锋已经开始冲锋了。

这一仗胜得毫无悬念，月氏骑兵大败，几乎没有一骑能逃出去，大半丧命于中原的利刀快箭之下，还有小半眼见抵抗不过，便弃箭投降。顾小五虽然是个茶叶贩子，可是真真沉得住气，这样一场鏖战，血肉飞溅死伤无数，顾小五竟然连眉毛都没有皱一下，仿佛刚刚那一场厮杀，只是游戏而已。那名中原千夫长惯于征战，自然将受降之类的事情办得妥妥当当。两千骑兵押着月氏的数百名败兵残勇，缓缓向东退去。

我趁乱冲进月氏军中找寻赫失，可是怎么找也找不到。月氏领兵的将军被俘，被人捆得严实推搡到千夫长面前来，那千夫长却十分恭敬，将此人交给了顾小五。我让顾小五审问那个月氏将军，那个月氏将军十分倔强，一句话也不肯说。顾小五却淡淡地道：“既然不说，留着有何用？”

那千夫长听他这样说，立时命人将其斩首。军令如山，马上就砍了那月氏将军的头颅，揪着头发将首级送到我们面前来，腔子里的鲜血，兀自滴滴答答，落在碧绿的草地上，像是一朵朵艳丽的红花。

我可真忍不住了，再加上一整天几乎没吃什么东西，我一阵阵发晕，旁边人看我脸色不对，好心递给我水囊，我也喝不进去水。只听那顾小五又命人带上来一名月氏人，先令他看过月氏将军的首级，然后再问赫失的下落。月氏人虽然骁勇善战，但那人被俘后本来就意志消沉，又见将领被杀，吓得一五一十全都说了。

原来赫失他们且战且退，一直退到了天亘山下。他们据山石相守，直到最后弓箭用尽。月氏人却也没有立时杀了他们，而是夺去了他们的马匹，将他们抛在荒山深处。这些月氏人用心真是狠毒，山中恶狼成群，赫失他们没有了马，又没有了箭，如果再遇上狼群，那可危险了。

我们连忙带着人去寻找赫失，我忧心如焚，顾小五却说道："突厥人没那么容易死。"我本来觉得他这句话应该算是安慰我，可是听着真让人生气。

我们在天亘山间兜来转去，一直到太阳快要落下山去，我都快要绝望了，天亘山这样大，到底要到什么时候才能找到赫失？我一边想赫失不要被狼吃了，他要是被狼吃了，阿翁可要伤心死了；我一边又想，赫失是名动草原的勇士，怎么会轻易就被狼吃掉，就算他胯下没有马，手中没有箭，可是赫失就是赫失，他怎么样也会活下来的。

眼见太阳快要落山了，风吹来已经有夜的凉意，行在最前的斥候突然高声叫嚷，我连忙勒住马，问："怎么了？"

那些人用中原话连声嚷着，然后我看到了赫失，他从山石间爬了出来，左手攥着一大块尖石，右胳膊上有血迹，他身后还有好几个人，一直爬起来站到山石上。他们的样子虽然狼狈，满脸都是尘土，可是眼神仍旧如同勇士一般，无所畏惧地盯着中原的人马。

我大叫一声，翻身就滚下马去，一路连滚带爬冲过去，抱住了赫失。我也许碰到了他的伤处，他的两条眉毛皱到了一块儿。可是他马上咧开嘴笑："小公主！"整支队伍都欢腾起来，那些中原人也兴高采烈，比早上打了胜仗还要开心。

我们晚上就在天亘山脚下扎营。中原人的帐篷带得不多，全都让出来给伤兵住。赫失的右胳膊骨头都折了，千夫长命人给他敷上了伤药，他连哼都没有哼一声。找到了赫失，我一颗心全都放了下来，一口气将好大一只馕都吃完了，顾小五坐在我对面，看着我吃馕，我本来吃得挺香的，被他这么一看，最后一口便噎在了嗓子里，上又不能上，下又不能下。顾小五看我被哽住了，坐在那里哈哈大笑，连水都不肯递给我。

我好容易找着自己的水囊，喝了一大口，将那块馕给咽了下去。不过我有话问他，也不同他计较，只问他："昨天晚上在安西都护府，你到底跟都护大人说了句什么，他竟然就肯答应发兵来救？"

顾小五一笑，露出满口白牙："我对他说，要是他见死不救，从今以后就没好茶叶喝。"

我相信——才怪！

天上的星星真亮啊，我抬起头，满天的星星就像是无数盏风灯，又细，又远，光芒闪烁。中间一条隐约的白色光带，传说那是天神沐浴的地方，是一条星星的河流，天神在沐浴的时候，也许会随手捞起星子，就像我们用手捞起沙子，成千上万的星星从天神的指缝间漏下去，重新落回天河里，偶尔有一颗星星溅出来，于是就成了流星。正在这时候，有一颗闪烁的流星，像是一支光亮的小箭，飞快地掠过天际，转瞬就消失不见。我"啊"了一声，据说看到流星然后将衣带打一个结，同时许下一个愿望，就可以实现，可是我笨手笨脚，每次看到流星，不是忘了许愿，就是忘了打结……我懊恼地躺在了草地上，流星早就消失不见了。顾小五问我："你刚刚叫什么？"

"有流星啊！"

"流星有什么好叫的？"

"看到流星然后将衣带打一个结，同时许下一个愿望，这样愿望就可以实现。"我真懒得跟他说，"你们中原人不懂的。"

他似乎嗤笑了一声："你要许什么愿？"

我闭起嘴巴不告诉他。我才没有那么沉不住气呢。可是没想到他却顿了一顿，拖长了声调说："哦，我知道了，你许愿想要嫁给中原的太子。"

这下子我可真的要跳起来了："中原的太子有什么好的，我才不要嫁给他！"

他笑眯眯地说道："我就知道你不肯嫁他，当然是许愿要嫁给我。"

我这才觉得中了他的计，于是"呸"了一声，不再理他。

我重新躺在草地上，看着满天的星星。这样近，这样低，简直伸手都可以触得到。天神住的地方有那么多的星星，一定很热闹吧。

有只小蟋蟀蹦进了我的头发里，被发丝缠住了，还在那里"嚯嚯"地叫着。我用手将它拢住，慢慢将发丝从它身上解下来，它在我手心里挣扎，酥酥痒痒的，我对着它吹了口气，它一跳，就跳到草里面去了，再看不见。可是它还在这里没有走，因为我听到它在黑暗中，"嚯嚯"地一直叫。

顾小五也躺下来，枕着他的马鞍，我以为他睡着了，他却闭着眼睛，懒洋洋地说道："喂！唱个歌来听听。"

夜风真是轻柔，像是阿娘的手，温柔地摸着我的脸。我心情也好起来，可是习惯地跟顾小五抬杠："为什么要让我唱呀？要不你唱首歌给我听吧。"

"我不会唱歌。"

"撒谎，每个人都会唱歌的。唱嘛！就唱你小时候阿娘唱给你听的歌，好不好？"

顾小五却好长时间没有说话，过了好一会儿，我才听到他的声音，他淡淡地道："我没有娘。"

我觉得有点歉疚，我有个哥哥也没有娘，他的阿娘很早就病死了。每次阿娘待他总比待我还要好。我心里知道，那是因为他从小没有娘，所以阿娘特别照应他。我爬起来，偷偷看了看顾小五的脸色，我担心他不高兴。可是星光朦胧，他脸上到底是什么神气，老实说我也看不清楚。

“一只狐狸它坐在沙丘上，坐在沙丘上，瞧着月亮。噫，原来它不是在瞧月亮，是在等放羊归来的姑娘……”我像只蟋蟀一样哼哼，“一只狐狸它坐在沙丘上，坐在沙丘上，晒着太阳……噫……原来它不是在晒太阳，是在等骑马路过的姑娘……”

顾小五终于说话了，他皱着眉头：“太难听了！换一首！”

“我只会唱这一首歌……”

不远处响起筚篥的声音，我心下大喜，连忙站起来张望，原来是赫失。他坐在缓坡之下，吹奏筚篥。以前我只知道赫失是神箭手，没想到他的筚篥也吹得这么好。他只用一只手，所以好多音孔没有办法按到，可是虽然是这样，筚篥的旋律依旧起伏回荡，在清凉的夜风里格外好听。我昂着头听着，赫失吹奏的调子十分悲怆，渐渐地只听见那十余个突厥人和声而唱，男人们的声音雄浑沉着，越发衬得曲调悲壮苍凉。他们的声音像是大漠里的风，又像是草原上翱翔的鹰，盘旋在最深沉的地方，不住地回荡。天地间万籁俱寂，连草丛里的那些虫子都不再低吟，连马儿也不再嘶鸣，连那些中原人都安静下来，倾听他们众声合唱。

我一时听得呆住了，直到突厥人将歌唱完，大家才重新开始笑骂。顾小五漫不经心地问：“这是什么歌？”

“是突厥人的征歌。”我想了想，“就是出征之前，常常唱的那首歌。歌里的桑格是突厥有名的美女，她的情郎离开她，征战四方，最后却没能回来，只有他的马儿回来了。所以她手抚马鞍，看着情郎没有用完的箭壶，唱出了这支歌。”

他似乎是笑了笑：“那为什么却要四处征战呢？”

“他们是突厥的勇士，为了突厥而战，四处征战那是不得已啊。”我没好气地瞪了他一眼，“反正说了你也不会懂的。”

他说道：“这又有什么不懂呢？我们中原有句话，叫‘可怜无定河边骨，犹是春闺梦里人’，其实说的是和这个一样的故事。”

我一听见有故事就兴高采烈，于是缠着顾小五说给我听。他被我纠缠不过，想了想，终于说道：“好吧，讲故事也可以，可是你不能问为什么，只要你一问为什么，后面的故事我就不说给你听了。”

虽然条件苛刻，可是忍住不问“为什么”三个字，也不算什么难事，我马上就点头答应了。顾小五却似乎有点儿踌躇，想了片刻才说道：“在很久很久之前，有一个子虚国，在这子虚国里，有一位年轻的姑娘……”

“她生得漂亮吗？好看吗？”我迫不及待地问，“会骑马吗？”

他笑了笑：“她生得漂亮，十分好看，也会骑马。子虚国的姑娘骑马的时候，会戴着帷帽，就是头上有纱的帽子，这天这位姑娘骑马上街，风却把她的帷帽吹落了……有一位公子拾到了她的帷帽，就将帽子还给了她。这位公子虽然和这位姑娘只见了一面，可是倾心相许，约定要嫁娶，就是成亲。”

我喜欢这个故事的开头，我问：“那位公子长得俊吗？配得上漂亮的姑娘吗？”

他说：“俊不俊倒是不知道，不过这位公子是大将军的儿子，十分骁勇善战。他们约定终身后不久，这位公子就接到出征的命令，于是领着兵打仗去了。姑娘就在家里等着他，等啊等啊，一等等了好几年，公子却没有回来。姑娘的家里人，都劝说姑娘还是快快嫁给别人吧，毕竟女儿家的年纪，再耽搁下去，只怕就不容易嫁人了。姑娘却执意不肯，一直等下去，谁知道边关终于传回来了信，原来公子已经战死沙场了。”

他讲到这里就停了下来，我急急地问："那么姑娘呢？她知道公子死了，可怎么办？"

"姑娘非常地伤心，心里却疑惑，公子的武艺高超，也善读兵书，而且常年出征在外，经过无数次大大小小的战事，怎么会中了敌人的埋伏，就那样轻易被敌人所杀呢？姑娘将自己关在屋子里想了十天十夜，最后终于下了决心，要查出这件事情的真相。可是她是一个姑娘，手中无权无势，家里人虽然当着官，但也没有那么大的能耐，可以去办这样的事情。这个时候，恰好子虚国的国王，下了一道诏书，要甄选妃子。这位姑娘本来就生得美丽，于是就自愿入宫去，成了国王的妃子。她性情温婉，心思机敏，国王非常地宠爱她，她在后宫中的地位也渐渐显赫。于是她交结官员，利用其他人的力量，来查证几年前的那场战事，想知道究竟是什么原因，让公子死在了沙场。后来她渐渐获得了一些线索，知道公子其实不是中了敌人的埋伏，而是被自己人陷害杀死的。她顺着这些线索想要追查下去，却发现这件事情与王后有关。

"王后忌惮她已经不是一天两天了，因为国王太宠爱她，现在姑娘又想将公子真正的死因找出来，如果让国王知道这些事情，也许王后就当不成王后了。这个时候正巧这位姑娘替国王生了一位王子，王后就命人在滋补的汤药里，下了慢性的毒药。

"姑娘喝了这搀毒的汤药，慢慢就虚弱病死，临死之前，她希望能够将公子的死因公诸天下，可是来不及了。王后派人将她软禁起来，说她得了痨病，不许任何人再去见她，还将刚刚出生的小王子抱走……"

我紧张极了，问："王后连小王子也要杀吗？"顾小五却神色如常，摇了摇头："王后不会杀小王子，王后自己没有孩子，她就将小王子养大，教给他本事，小王子因此将王后视作自己的亲生母亲，可是小王子一直不知道，自己的亲生母亲却原来是王后害死的。后来……小王子终于知道了事情的真相，可是他没办法，他年纪还小，王后十分有势力，他是斗不过她的。这个时候，国王也犹豫起来，因为他不止小王子一个儿子，他还有其他的王子。国王在几个王子间犹豫不决，不知道将来要将王位传给谁才好。其他的王子都在暗中跃跃欲试，他们都知道小王子不是王后的亲生儿子，而王后呢，对小王子也有一层心病……可是国王最后，还是立了小王子为储君。因为在子虚国，能活过三十岁的储君少之又少，他们不是被暗杀死，就是被自己的父亲废黜、幽闭而死。也有储君为了抢占先机，所以干脆弑父谋反……有人成功，有人失败，成功的人当了国王，最后死了，失败的人没能当上国王，最后也死了……东宫，其实是一座浸满鲜血的宫廷……"

顾小五说到这里，突然怔怔地发起呆来，我也呆呆地看着他，这个故事一点儿也不好玩，一点儿也不像我从前听过的故事。可是不晓得为什么，我没有去打断顾小五，他过了片刻，又用那种平淡无奇的语调，继续给我讲着故事："虽然当了储君，但小王子的日子也不好过。王后提防着他；国王呢，也给小王子出了一个难题。国王说，你既然是储君，那么就应该为天下臣民做一个表率。国王将小王子派到一个地方，让他去完成一件几乎没有办法完成的事情……"

"这个小王子，可真是可怜。"我追着他问，"国王到底要他做什么事情？"

"后来没有了。"顾小五拍了拍马鞍，重新躺下去，一脸的舒适，"睡觉。"

我大怒，这样没头没脑的故事，叫我如何睡得着？我说："我又没问为什么，你为什么不讲了？"

顾小五说道："没有了就是没有了，没有了还讲什么？"

他翻过身，用背对着我。我只看到他的肩胛骨，虽然盖着羊皮，但是夜风很冷，所以他缩着肩头，好像已经睡着了。

我将皮褥子一直拉到自己下巴底下，盖得暖暖的，心想：这个顾小五看上去没心没肺的，说起故事来，更让人讨厌。不过看他睡着的样子，倒真有点可怜——他讲的故事里的小王子没有阿娘，他也没有阿娘，没有阿娘的人，当然可怜。我只要一想想我自己如果没有阿娘，我简直马上就要掉眼泪呢。

我迷迷糊糊就睡着了，大约是临睡前听过故事的缘故，在梦里我梦见了那个小王子。他还很小，真的很小，大约只有三四岁的样子，一个人蹲在那里嘤嘤地哭，他缩着肩胛骨，像只受伤的小兽。就像有次下雪以后，我在猎人挖的陷阱里看到一只受伤的小狐狸。那只小狐狸就是这样，缩成一团，只拿湿润的黑眼珠瞧着我，充满了戒备，却又隐约有一丝怯意一般。它的肩骨缩起来，突兀的、尖尖的嘴壳也藏在爪子下，大雪绵绵地下着，我心中对它怜惜无限，忍不住伸出手去，想要拉它。谁知它一抬头，竟然是顾小五，我吓了一大跳，心里只觉得好生诡异，马上就吓醒了。这时候天已经快亮了，斜月西沉，星子黯淡，连篝火都渐渐熄灭，夜色仿佛更加浓烈。草原上两千骑睡得沉沉的，只有梭巡的哨兵，还兀自走动着。我脸畔的草叶上已经凝满了清凉的露水，那些露水碰落在脸上，于是我用舌头舔了舔，是甜的。我翻了个身，又睡着了。

第二天天亮我们就拔营起身，一直又往东走了五六日，终于遇见了突厥遣出的游骑，赫失听说大单于的王帐就在左近，顿时大喜。我心中也甚是欢喜，因为马上就要见到阿翁了。只是中原护送我们的那两千骑，却不便逗留在突厥的国境，立时便要告辞回去。

赫失十分敬佩这队中原人马，说他们军纪严明，行动迅疾，打起仗来亦是勇猛，是难得一见的好汉。赫失又将他们送出好远，我随着赫失，也往西相送。午后阳光正烈，顾小五在鞍上垂眉低眼，似乎正懒洋洋地在打盹，我说："喂，你回去了，给我父王带个口信，就说我平安到了突厥。"

顾小五说道："那也得看我会不会再往王城中去贩茶叶。"

我说道："你不回去贩茶叶，却要往哪里去？"

他笑了笑，却没有答我。此时中原的人马已经去得远了，他对我挥了挥手，就纵马追了上去。

我用手遮在额上，草原地势一望无际，过了好久，还看得到他追上了队伍，兀自向我们摆了摆手。渐渐去得远了，像是浩然天地间的芥尘，细微的，再也辨不分明。我看着他的背影，想起昨天他对我讲的故事，只是怅然若失。

身后突然有人"哧"地一笑，我回过头，原来是赫失。他勒马立在我身后，我恼羞成怒地问他："你笑什么？"

赫失点点头，却又摇摇头，仍旧笑着对我说："小公主，咱们快回去吧。"

见到阿翁的时候我欢喜极了，把一切烦恼都忘在了脑后。一年不见，阿翁也更偏爱我了，由着我任性胡闹。赫失的手臂受了伤，阿翁又担心我闯祸，所以叫赫失的妹妹成天跟着我。赫失的妹妹跟我差不多年纪，自幼学武，刀术十分高明。我最喜欢叫她的名字："阿渡！阿渡！"就像唤一只小鸟儿，她也真的像只小鸟儿，不论我在什么地方，只要一唤，她马上就会出现在我眼前，就像鸟儿拍拍翅膀般轻巧灵活。

让我没想到的是，月氏王竟然遣了使者来，想要阿翁发话定夺婚事。阿翁根本没有让使者进帐，就派人对月氏王的使者说道："小公主虽然不是我们突厥的公主，但她的母亲是大单于的女儿。大单于将小公主视作自己的孙女一般，只愿意将她嫁给当世的英雄。你们的王如果想要娶小公主，那么请他亲自到帐前来，跟突厥的勇士相争，只要他能抓住天亘山里的那只白眼狼王，大单于就将小公主嫁给他。这是大单于的谕旨，既使是小公主的父亲，西凉国主，也愿意听从大单于的安排。”

月氏王的使者碰了这样一个钉子，悻悻地走了。

铁尔格达大单于的谕旨传遍了整个草原，人人皆知如果要娶西凉的小公主，就得去杀掉那只白眼狼王。传说天亘山的狼群成千上万，却唯独奉一头白眼狼为王。狼群也和人一样，屈服于最强的王者之下。那只白眼狼王全身毛色黧黑，唯有左眼上有一圈白毛，就像是蘸了马奶画上去的，雪白雪白。据说这样的狼根本就不是狼，而是近乎于妖。狼群在草原上甚是可怕，白眼狼王，那就更为可怕了。小股的骑兵和牧人，遇上白眼狼王都甚是凶险，因为它会率着数以万计的狼跟人对阵，然后连人带马吃得干干净净。我一度觉得白眼狼王是传说，就是阿嬷讲的故事，毕竟从来没有人亲眼见过白眼狼王，可是每个人又信誓旦旦，说狼王真的在天亘山上，统领着数以十万计的狼。

月氏王受了大单于的激将，据说亲自带人入天亘山，寻找白眼狼王去了。如果他真的杀死白眼狼王呢？我可不要嫁给那老头子。但是没有人能杀死白眼狼王，所有突厥人都这样想，所有草原上的人也都这样想，虽然月氏王带了人浩浩荡荡地进山，但也不见得就能遇上白眼狼王，因为根本没有人真正见过那匹白眼狼王，它只活在传说里头。我一想到这些就觉得安慰了，月氏王年老体衰，天亘山方圆几百里，多奇石猛兽，说不定他会从马上摔下来，摔得动弹不得呢，那样我就不用嫁给他了。

我在突厥的日子过得比在西凉还要逍遥快活，每天同阿渡一起，不是去打猎就是去捕鸟。突厥女子嫁人都早，阿渡也到了可以唱歌的年纪。有时候就有人在她帐篷外边唱一整夜的歌，吵得我睡不着。不过没有人来对我唱歌，我想那些人可能也知道，要想娶我就得杀白眼狼王。即使对草原上的勇士们来说，这也是个很难的题目。

我才不会觉得是因为我长得不漂亮，才没有人来对我唱歌咧。

这天我正在帐篷里头睡觉，突然听到外头一片吵嚷声，仿佛是炸了营一般。我一骨碌就爬起来，大声地叫“阿渡”，她匆匆地掀开帐篷的帘子走进来，我问她：“怎么了？出事了？”

阿渡也是一脸的茫然，我想她同我一样，不知道发生什么事了。这时阿翁遣了人过来，弯着腰对我们行礼：“大单于传小公主到帐前去。”

“是要打仗吗？”我有点儿忐忑不安地问，上次月氏王的使者灰溜溜地回去了，以月氏王的性子，难以善罢甘休。月氏王被激将地去找白眼狼王，但白眼狼王谁能找得着？这分明是大单于——最疼我的阿翁给月氏王下的圈套。如果月氏王恼羞成怒，突然明白过来，说不定会与突厥交战，如果月氏与突厥两国交兵，那么对整个西域来说，真是一件恶事。虽然突厥是西域最强的强国，雄踞漠北，疆域一直延伸到极东之海边，但月氏亦是西域数一数二的大国，纵然比不上突厥强盛，可是国力委实不弱。况且西域十数年短暂的和平，已经让商路畅通无阻，城池渐渐繁华，就像我们西凉，如果没有商路，也不会有今天的繁荣。如果再打起仗来，也许这一切都将不复存在。

我带着阿渡匆忙走到了王帐外，大单于的大帐被称为王帐，用了无数牛皮蒙制而成，上面还绘满了艳丽的花饰，雪白的帐额上写着祈福的吉祥句子，勾填的金粉被秋后的太阳光一照，笔划明灿得教人几乎不敢看。那些金晃晃的影子倒映在地上，一句半句，都是祈天的神佑。在那一片灿然的金光里，我眯起眼睛看着帐前那个熟悉而又陌生的身影，虽然他穿了一款西凉人常见的袍子，可是这个人一点儿也不像我们西凉人。他转过头来对我笑了笑，果然这个人不是西凉人，而是中原人。

顾小五，那个贩茶叶的商人。

我不由得问他："你来做什么？"

"娶你。"

我目瞪口呆地看着他，过了好半晌才笑着问他："喂，你又到这里来贩茶叶？"

顾小五不再答话，而是慢吞吞用脚尖拨弄了一下地上的东西。

我看到那样事物，惊得下巴都快要掉下来了。

是一头全身毛色黧黑的巨狼，比寻常野狼几乎要大上一倍，简直像一头小马驹，即使已经死得僵硬，却依旧瞪着眼珠，仿佛准备随时扑噬吞人。它唯有左眼上有一圈白毛，就像是蘸了马奶画上去的，雪白雪白。我揉了揉眼睛，愣了好一会儿，然后又蹲下来，拔掉它左眼上一根毛，那根毛从头到梢都是白的，不是画上去的，是真的白毛。

这时王帐前已经聚满了突厥的贵族，他们沉默地看着这离奇巨大的狼尸，有大胆的小孩冲上来，学着我的样子拔掉它眼上的毛，对着太阳光看，然后嚷："是白的！是白的！"

小孩子们嘈杂的声音令我心神不宁，阿翁的声音却透过人群直传过来："不论是不是我们突厥的人，都是勇士。"众人们纷纷为大单于让出一条路，阿翁慢慢地走出来，他看了地上的狼尸一眼，点了点头，然后又对顾小五点了点头，说道："好！"

要想大单于夸奖一句，那可比让天亘山头的雪化尽了还要难。可是顾小五杀掉了白眼狼王，大单于亲口允诺过，谁能杀掉白眼狼王，就要把我嫁给谁。

我可没想到这个人会是顾小五。我跟在他后头，不停地问他，到底是怎么样杀死白眼狼王的。

他轻描淡写地说："我带人贩着茶叶路过，正好遇上狼群，就把这匹狼给打死了。"

我微张着嘴，怎么也不相信。据说月氏王带了三万人马进了天亘山，也没找见白眼狼王的一根毫毛，而顾小五贩茶叶路过，就能打死白眼狼王？

打死我也不信啊！

可是大单于说过的话是一定要算数的，当下突厥的好些人都开始议论纷纷，眼见这个中原的茶贩，真的就要迎娶西凉的公主了。顾小五被视作英雄，我还是觉得他是唬人的，可是那天赫失喝醉了酒，跟他吵嚷起来，两个人比试了一场。

他们的比试甚是无聊，竟然比在黑夜时分，到草原上去射蝙蝠，谁射的多，谁就赢了。

只有射过蝙蝠的人，才知道那东西到底有多难射。

突厥人虽然都觉得赫失赢定了，但还是打了赌。我也觉得赫失赢定了，虽然他右手的骨头没好，但即使赫失是用左手，整个突厥也没有人能比得上他的神箭。

这场比试不过短短半日工夫，就轰传得人尽皆知。旁人都道赫失是想娶我，毕竟他是大单于帐下最厉害的武士，将来说不定还是大单于帐下最厉害的将军。而我，虽然是西凉的公主，可是谁都知道大单于最喜欢我，如果娶了我，大单于也一定会更信任他。

我却觉得赫失不会有这许多奇怪的想法，我觉得也许是阿渡告诉他，我并不愿意嫁给顾小五。

虽然我隐隐绰绰觉得，顾小五不是寻常的茶叶贩子。但我还是希望，自己不要这么早就嫁人。

突厥的祭司唱着赞歌，将羊血沥到酒碗中，然后将酒碗递给两位即将比试的英雄，他们两人都是一气饮尽。今天晚上他们两个就要一决高下。赫失乃是突厥族中赫赫有名的英雄，而顾小五，也因为白眼狼王的缘故，被很多突厥人视作了英雄，这两个人的比试令所有人都蠢蠢欲动。而我心里十分为难，不知道希望结果是怎么样的才好。

如果顾小五赢了，我是不是真的得嫁给他了？

如果赫失赢了呢？难道我要嫁给赫失吗？

我被这想法吓了一跳，赫失只是代我教训教训顾小五，让他不那么狂妄，就像赫失平日教训那些在阿渡帐篷外头唱歌的小子们，如果他们闹腾得太厉害，赫失就会想法子让他们安静下来。我想这是一样的，顾小五杀了白眼狼王，任凭谁都是不服气的。他还浑不在乎，公然就对阿翁说，他要娶我。

所以赫失才会想要出手教训教训他。

这次的比试，连大单于都听说了，他兴致勃勃，要亲自去看一看。我忐忑不安，跟在阿翁身后，随着瞧热闹的人一起，一涌而出，一直走到了河边。大单于帐前的武士抱来了箭，将那些箭分别堆在两人的足边。赫失拿着他自己的弓，他见顾小五两手空空，便对顾小五说道："把我的弓借给你。"

顾小五点点头，大单于却笑道："在我们突厥人的营地里，难道还找不到一张弓吗？"

大单于将一张铁弓赐给顾小五，我可替顾小五犯起难来，这张铁弓比寻常的弓都要重，以他那副文弱模样，只怕要拉开弓都难。赫失只怕也想到这点，他不愿占顾小五的便宜，对大单于说："还是让他用我的弓，大单于就将这张弓赐给我用吧。"

大单于摇了摇头，说道："连一张弓都挽不开，难道还想娶我的外孙女吗？"

围观的人都笑起来，好多突厥人都不相信白眼狼王真的是顾小五杀的，所以他们仍旧存着一丝轻蔑之意。顾小五捧着那张弓，似乎弹琴一般，用手指拨了拨弓弦。弓弦铮铮作响，围观的人笑声更大了，他本来就生得白净斯文，像是突厥贵族帐中那些买来的中原乐师，现在又这样弹着弓弦，更加令突厥人瞧不起。

天色渐渐暗下来，河边的天空中飞满了蝙蝠。大单于点了点头，说道："开始吧。"

赫失和顾小五身边都堆着一百支箭，谁先射到一百只蝙蝠，谁就赢了。赫失首先张开了弓，他虽然用左手，可是箭无虚发，看得人眼花缭乱，只不过一眨眼的工夫，只见蝙蝠纷纷从天上跌下来。而这边的顾小五，却慢条斯理，抽了五支箭，慢慢搭上弓弦。

我叫了声“顾小五”，虽然我不知道他会不会射箭，可是他也应该知道箭是一支一支射的啊。顾小五回过头，对我笑了笑，然后挽开了弓。

老实说，我压根儿就没有想到，他轻轻松松就拉开了那张弓。不仅拉开了弓，而且五箭连发，快如流星一般，几乎是首尾相联，旁边的人都不由得惊呼。

“连珠箭！连珠箭！”好几个突厥贵族都在震惊地叫喊，连大单于也情不自禁地点了点头。中原有位大将善使连珠箭，曾经与突厥对阵，便是用这连珠箭法，射杀了突厥的左屠耆王。可那毕竟是传说，数十年过去了，突厥的贵族们再也没有见过连珠箭。而顾小五更是一气呵成，次次五箭连发，那些蝙蝠虽然乱飞，但禁不住他箭箭连发，一只只黑色的蝙蝠坠在他足边，就像一场零乱的急雨。赫失虽然射得快，可是却没有他这般快，不一会儿顾小五就射完了那一百支箭。奴隶们拾起蝙蝠，在河岸边累成黑压压的一团，一百只蝙蝠就像是一百朵诡异的黑色花朵，叠在一起变成硕大的黑色小丘。

赫失虽然也射下了一百只蝙蝠，可是他比顾小五要射得慢。赫失脸色平静，说道：“我输了。”

顾小五说道：“我用强弓，方才能发连珠箭，如果换了你的弓，我一定比你慢。而且你右手不便，全凭左手用力，如果要说我赢了你，那是我胜之不武。咱们俩谁也没有输，你是真正的勇士，如果你的手没有受伤，我一定比不过你。”

顾小五的箭技已经震住了所有人，见他这样坦然相陈，人群不由得轰然叫了一声好。突厥人性情疏朗，最喜行事痛快，顾小五这样的人，可大大地对了突厥人的脾气。大单于爽快地笑了：“不错，咱们突厥的勇士，也没有输。”他注视着顾小五，道，“中原人，说吧，你想要什么样的赏赐？”

“大单于，您已经将最宝贵的东西赐予了我。”顾小五似乎是在微笑，“在这世上，有什么比您的小公主更宝贵的呢？”

大单于哈哈大笑，其他的突厥贵族也兴高采烈，这桩婚事，竟然就真的这样定下来了。

祭司选了吉期，趁着秋高气爽的好天气，就要为我们举办婚礼。我心里犹豫得很，悄悄问阿渡：“你觉得，我是嫁给这个人好，还是不嫁给这个人好？”

阿渡用她乌黑的眼睛看着我，她的眼睛里永远只是一片镇定安详。我自己也拿不定主意，最后我终于大着胆子，约顾小五在河边见面。

我也不知道要对他说什么，可是如果真的这样稀里糊涂嫁了他，总觉得有点儿不安似的。

秋天的晚上，夜风吹来已经颇有凉意，我裹紧了皮袍子，徘徊在河边，听着河水“哗哗”地响着，远处传来大雁的鸣叫声，我抬起头张望。西边已经有一颗明亮的大星升起来，天空是深紫色的，就像是葡萄冻子一般。

风吹得茇茇草“沙沙”作响，顾小五踏着茇茇草，朝着我走过来。

我突然觉得心里一阵发慌。他穿了突厥人的袍子，像所有突厥人一般，腰间还插着一柄弯刀。这些日子以来，顾小五甚得大单于的喜欢，他不仅箭法精独，而且又会说突厥话，虽然他是个中原人，可是大单于越来越信任他，还将自己的铁弓赐给了他。而赫失自从那晚比试之后，跟他几乎成了兄弟一般。顾小五教赫失怎么样使连珠箭，赫失也将草原上的一些事教给他。大单于每次看到他们两个，都会禁不住欣慰地点头。赫失甚至同顾小五交换了腰刀——突厥人换刀，其实就是结义，上阵杀敌，结义兄弟比亲兄弟还要亲，都肯为对方而死。所以顾小五的腰带上，其实插的是赫失的弯刀，我一看到那柄刀，就想起来，赫失曾经将它递到我手里，催促我先走。

顾小五也瞧见了我，他远远就对我笑了笑，我也对他笑了笑。看到他的笑容，我忽然就镇定下来，虽然我没有说话，他也没有说话，可是他一定懂得，我为什么将他约到这里来。果然的，他对我说道："我带了一样事物给你。"

我的心怦怦地跳起来，不会是腰带吧？如果他要将自己的腰带送给我，我该怎么样回答呢？按照突厥和西凉的风俗，男人都要在唱歌之后才送出腰带……他都没有对我唱过歌。我心里觉得怪难为情的，一颗心也跳得又急又快，耳中却听到他说："你晚上没吃饱吧？我带了一大块烤羊排给你！"

我顿时气得连话都说不出来了，鼓着腮帮子，老半天才蹦出一句："你才没吃饱呢！"

顾小五一脸的莫名其妙："我当然吃饱了啊……我看你晚上都没吃什么，所以才带了块羊排来给你。"

我闷不做声生着气，听着远处不知名的鸟儿唱歌。河水"哗哗"地响着，水里有条鱼跳起来，溅起一片水花。顾小五将那一大块喷香的羊排搁在我面前，我晚上确实也没有吃什么，因为我惦记着跟顾小五在河边约会的事情，所以晚上的时候根本就是食不知味。现在看到这香喷喷的羊排，我肚子里竟然咕噜噜响起来。他大笑着将刀子递给我，说："吃吧！"

羊排真好吃啊！我吃得满嘴流油，兴高采烈地问他："你怎么知道我爱吃羊排？"

顾小五说了句中原话，我没听懂，他又用突厥话对我说了一遍，原来是："世上无难事，只怕有心人。"

我从来没有听说过这样一句话，不知为什么心里倒是一动。有心人，什么样的人才叫有心人呢？虽然我和顾小五认识并不久，可是我一直觉得，我已经同他认识很久了。也许是因为我们之间经历了这么多的事情，每次都是他帮助我，保护我。虽然他每次说的话总惹我生气，可是这句话，却叫我生气不起来。我们两个沉默地坐在河边，远处飘来突厥人的歌声，那是细微低婉的情歌，突厥的勇士总要在自己心爱的姑娘帐篷外唱歌，将自己的心里话都唱给她听。

我从来没有觉得歌声这般动听，飘渺得如同仙乐一般。河边草丛里飞起的萤火虫，像是一颗颗飘渺的流星，又像是谁随手撒下的一把金砂。我甚至觉得，那些熠熠发光的小虫子，是天神的使者，它们提着精巧的灯笼，一点点闪烁在清凉的夜色里。河那边的营地里也散落着星星点点的火光，欢声笑语都像是隔了一重天。我忽然体会到，如果天神从九重天上的云端俯瞰人间，会不会也是这样的感受？这样飘渺，这样虚幻，这样遥远而模糊。

我终于问顾小五：“你到底愿不愿意娶我呢？”

顾小五仿佛有点儿意外似的，看了我一眼，才说道：“当然愿意。”

“可是我脾气不好，而且你是中原人，我是西凉人，你喜欢吃黍饭，我喜欢吃羊肉。你说中原话，我听不懂，你们中原的事情，我也不明白。如果叫你留在西凉，这里离中原千里万里，你定然会想家。如果叫你不留在西凉，回到中原去，那里离西凉千里万里，我定然会想家。虽然你杀死了白眼狼王，可是你不见得是因为我呀，你也说了，你只是贩茶叶的时候路过……我年纪虽然小，也知道这种事情是勉强不得的……”

我滔滔不绝地说了一大番话，从我们俩初相识一直讲到现在，种种不便我统统都说到了，直说得口干舌燥。顾小五并没有打断我，一直到看我放下羊排去喝水，他才问："说了这么多，其实都是些身外之事。我只问你，你到底愿不愿意嫁给我呢？"

我口里的水差点全喷了出去，我瞪着他半晌，突然脸上一热："愿不愿意……嗯……"

"说呀！"他催促着我，"你到底愿不愿意呢？"

我心里乱得很，这些日子以来的一幕幕都像是幻影，又像是做梦。事情这样多又这样快，我从前真的没有想过这么快嫁人，可是顾小五，我起先觉得他挺讨厌，现在却讨厌不起来了。我不知道怎么回答才好，看着漫天飞舞的点点秋萤，我突然心一横，说："那你给我捉一百只萤火虫，我就答应你。"

这句话一出口，他却突兀地站起来。我怔怔地瞧着他，他却如同顽童一般，竟然扬手就翻了一个大大的筋斗。我看他整个人都腾空而起，仿佛一颗星——不不，流星才不会像这样呢，他简直快要落到河滩里去了。突然他就挥出手，我看他一把就攥住了好几只萤火虫，那些精灵在他指缝间闪烁着细微的光芒，我将长袍的下摆兜起，急急地说："快！快！"他将那些萤火虫放进我用衣摆做成的围囊里，我看着他重新跃起，中原的武术，就像是一幅画，一首诗，挥洒写意。他的一举一动都像是舞蹈一般，可是世上不会有这样英气的舞蹈。他在半空中以不可思议的角度旋转，追逐着那些飘渺的萤火虫。他的衣袖带起微风，我替他指着方向："左边！左边有好些！""唉呀！""跑了！那边！哎呀那里有好些！"

……

我们两个人的笑声飘出河岸老远，我衣摆里拢的萤火虫越来越多，越来越多，它们一起发出荧荧的光，就像是一团明月，被我拢在了怀中。河边所有的萤火虫都不见了，它们都被顾小五捉住，放进了我的怀里。

“有一百只了吧？”他凑近过来，头挨着我的头，用细长的手指揭开我衣摆的一角，“要不要数一数？”

我们刚刚数了十几只，顾小五的身上有股淡淡的清凉香气，那是突厥人和西凉人身上都没有的，我觉得这种淡淡的香气令我浑身都不自在，脸上也似乎在发烧，他离我真的是太近了。突然一阵风吹过，他的发丝拂在我脸上，又轻又软又痒，我擎着衣摆的手不由得一松，那些萤火虫争先恐后地飞了起来，明月散开，化作无数细碎的流星，一时间我和顾小五都被这些流星围绕，它们熠熠的光照亮了我们彼此的脸庞，我看到他乌黑的眼睛，正注视着我。我想起了在阿渡帐篷外唱歌的那些人，他们就是这样看阿渡的，灼热的目光就像是火一般，看得人简直发软。可是顾小五的眼神却温存许多，他的眼神里倒映着我的影子，我忽然觉得心里有什么地方悄悄发软，让我觉得难受又好受。他看到我看他，突然就不好意思起来，他转开脸去看天上的萤火虫，说：“都跑了！”

我忍不住说：“像流星！”

他也呵呵笑：“流星！”

无数萤火虫腾空飞去，像是千万颗流星从我们指端掠过，天神释出流星的时候，也就是像这样子吧。此情此景，就像是一场梦一般。我想我永远也不会忘记河边的这一晚，成千上万的萤火虫环绕着我们，它们轻灵地飞过，点点萤光散入四面八方，就像是流星金色的光芒划破夜幕。我想起歌里面唱，天神与他眷恋的人，站在星河之中，就像这一样华丽璀璨。

大单于遣了使者去告诉父王，说替我选定了一位夫婿，就是顾小五。父王正在月氏与中原之间左右为难，所以他立刻写了一封回信，请阿翁为我做主，主持婚事。父王的回信送到的时候，婚礼都已经开始了一半。

突厥的婚俗隆重而简单，十里连营宰杀了无数只肥羊，处处美酒飘香。这些日子以来，顾小五已经和突厥的贵族都成了朋友，突厥风气最敬重英雄，他先射杀了白眼狼王，又在比试中赢了赫失，在突厥人心目中，已经是年少有为的英雄。祭司唱着喜气洋洋的赞歌，我们踏着红毡，慢慢走向祭祀天神的高台。就在这个时候，却听到马蹄声急促，斥候连滚带爬地奔到了大单于座下。

隔着热闹的人群，我看到大单于的眉毛皱了起来，顾不得祭司还拉长腔调唱着赞歌，我回头奔到大单于面前："阿翁！"

大单于摸了摸我的头发，微笑着对我说："没事，月氏王遣了些人来叫骂，我这便派兵去打发他们。"

顾小五不知何时也已经走到我的身后，他依着突厥的礼仪向大单于躬身点肩："大单于，让我去吧。"

"你？"大单于抬起眼来看了他一眼，"月氏王有五万人。"而且月氏王是久经沙场的宿将，而顾小五虽然箭法精妙，但是面对成千上万的敌人，只怕箭法再精妙也没有用处吧。

"那么大单于以逸待劳，遣三万骑兵迎敌。"顾小五说道，"如果大单于不放心，请派遣一位将军去，我替将军掠阵，如果能放冷箭射乱月氏的阵脚，也算是一件微功。"

大单于还在犹豫，赫失却说道："中原的兵法不错，在路上就是他们带人打败了月氏人。"

大单于终于点了点头，对顾小五说道："去吧，带回月氏将军的首级，作为你们婚礼祭祀天神的祭品。"

顾小五依照中原的礼节跪了一跪，说道："愿天佑大单于！"他站起来的时候，看了我一眼，说道，"我去去就回。"

我心里十分担心，眼看着他转身朝外走去，连忙追上几步，将自己的腰带系在他的腰上。

按照婚礼的仪式，新人互换腰带，就已经是礼成。两个人就在天神的见证下，正式成为夫妻。我原本想叫他把自己的腰带解下来替我系上，可是奴隶已经将他的马牵过来了。我都来不及同他说话，他一边认镫上马，一边对我说："我去去就回来。"

我拉着他的衣袖，心中依依不舍。我想起很多事情，想起我在沙丘上等了三天三夜，就是为了等这个人；想起我从马上栽下来，他救了我；想起那天晚上，他给我讲的故事；想起他杀了白眼狼王，还赢了赫失；我想起河边那些萤火虫，从那个时候，我就下定决心和他永不分离……但现在他要上阵杀敌，我不由得十分地牵挂起来。

他大约看见我眼中的神色，所以笑了笑，俯身摸了摸我的脸。他的手指微暖，不像是父王的手，更不像是阿翁的手，倒像是阿娘的手一般。我想他既然箭法这样精妙，为什么手上却没有留下茧子呢?

我总是在莫名其妙的时候，想起这些微不足道的事情。他已经收回了手，三万人整队完毕，大单于遣出领兵的将军是我的大表兄，也就是大单于的孙子伊莫延。伊莫延笑着对我说："妹妹，放心吧，我会照应好他。"突厥人惯于征战，将打仗看得如同吃饭一般简单。我很喜欢伊莫延这个哥哥，因为小时候他常常同我一起打猎，像疼爱自己的妹妹一样疼爱我。我大声道："谁要你照应他了？你照应好你自己就行了，我还等着你回来喝酒呢！"众人尽皆放声大笑，纷纷说："小公主放心，等烤羊熟了，我们就带着月氏人的首级回来了。"

顾小五随在伊莫延的大纛之下，他也披上了突厥人的牛皮盔甲，头盔将他的脸遮去大半，看我在人丛里找寻他的脸，他朝我又笑了笑，然后对我举起手挥了挥。我看到他腰间系着的腰带，我的腰带叠在他的腰带上，刚刚我只匆忙地打了一个结，我不由得担心待会儿那腰带会不会散开，如果腰带散开，那也太不吉利了……可是不容我再多想，千军万马蹄声隆隆，大地腾起烟尘，大军开拔，就像潮水一般涌出连营，奔腾着朝着草原淌去，一会儿工夫，就奔驰到了天边尽头，起初还远远看得见一道长长的黑影，到了最后转过缓坡，终于什么都看不见了。

阿渡见我一脸怅然地站在那里，忍不住对我打了个手势。我懂得她的意思，她是安慰我，他们一会儿就回来了。我点了点头，虽然月氏王有五万人，但皆是远来的疲兵，突厥的精兵以一挡十，三万足以迎敌。况且王帐驻扎在这里，便有十万人马，立时也可以驰援。

烤羊在火上“滋滋”地响着，奴隶们献上马奶和美酒，到处都是欢声笑语。大家都知道，不过一会儿定然有战胜的消息传来，那时候突厥的儿郎们就会回转来了。我心中想起适才送别的事，脸上不由得一阵发烧，等到伊莫延回来，他还不知道会怎么样笑话我呢！他一定会说我舍不得顾小五，等到他回来，一定会领头取笑我。突厥的少年贵族隐隐以伊莫延为首，今天晚上的赛歌大会，那些人可有得嘲弄了。我心里一阵阵发愁，心想顾小五不会唱歌，等他回来之后，我一定得告诉他，以免赛歌的时候出丑。

我却不知道，他们永远不会回来了。

很多很多年后，我在中原的史书上，看到关于这一天的记载。寥寥数语，几近平淡：“七月，太子承鄞亲入西域，联月氏诸国，以四十万大军袭突厥，突厥铁尔格达单于凶悍不降，死于乱军。突厥阖族被屠二十余万，族灭。”

关于那一天，我什么都已经不记得，只记得赫失临死之前，还紧紧攥着他的弓，他胸腹间受了无数刀伤，鲜血直流，眼见是活不成了。他拼尽全力将我和阿渡送上一匹马，最后一句话是：“阿渡，照应好公主！”

我看着黑压压的羽箭射过来，就像密集的蝗雨，又像是成千上万颗流星，如果天神松开手，那么他手心里的星子全都砸落下来，也会是这样子吧……阿渡拼命地策着马，带着我一直跑一直跑。四面都是火，四面都是血，四面都是砍杀声。中原与月氏的数十万大军就像是从地上冒出来的，突厥人虽然顽强反抗，可是也敌不过这样的强攻……无数人就在我们身后倒下，无数血迹飞溅到我们身上，如果没有赫失，我们根本没有法子从数十万大军的包围圈中逃出去，可是最后赫失还是死了，我和阿渡在草原上逃了六天六夜，才被追兵追上。

我腿上受了伤，阿渡身上也有好几处轻伤，可是她仍旧拔出了刀子，将我护在了身后。我心中勃发的恨意仿佛是熊熊烈火，将我整个人都灼得口干舌燥，我在心里想：这些人，这些人杀了阿翁；这些人，这些人杀了顾小五；这些人，这些人杀了所有的突厥人。我虽然不是突厥人，可是血统里却有一半的突厥血液。现在就剩了我和阿渡，哪怕流尽最后一滴血，我也不会给阿翁丢脸，不会给突厥丢脸。

这时中原人马中有一骑逸出，阿渡挥着刀子就冲过去，可是那人只是轻轻巧巧地伸手一探，阿渡的刀子就“咣啷”一声掉在了地上。我目瞪口呆地看着那个人，这个人一定会妖术吧？不然怎么会使法术夺去阿渡的刀子，还令她在那里一动也不能动?

阿渡对那人怒目而视，阿渡很少生气，可是我知道她是真的生气了。我拾起阿渡的刀，就朝着那人砍去。我已经红了眼，不论是谁，不管是谁，我都要杀了他!

那人也只是伸出手来，在我身上轻轻一点，我眼前一黑，顿时什么都不知道了。

醒过来的时候我脸朝下被驮在马背上，就像是一袋黍米，马蹄溅起的泥土不断地打在我脸上，可是我动弹不得。四面八方都是马蹄，无数条马腿此起彼伏，就像无数芨芨草被风吹动，我一阵眩目，不得不闭上眼睛。也不知过了多久，马终于停了下来，我被从马背上拎下来，可是我腿上的穴道被封得太久，根本站不稳，顿时滚倒在了地上。

地上铺着厚毡，这里一定是中原将军的营帐，是那位都护大人吗？我抬起头来，却看到了顾小五，无数突厥的勇士都已经战死，尤其是事先迎敌的那三万突厥精兵，根本没有一个人活着回来，可是顾小五，他还好端端地活着。

他不仅活着，而且换了中原的衣衫，虽然并没有穿盔甲，文质彬彬得像是中原的书生一般，可是我知道，这样的帐篷绝不会是给书生住的。在他的周围有很多卫兵，而捉到我们的那个中原大将，竟然一进来就跪下来向顾小五行礼，中原将军身上的甲胄发出清脆的响声，这是中原最高的礼节，据说中原人只有见到最尊贵的人才会行这样的礼。我突然明白过来，顾小五，顾小五原来是中原的内应！是他，就是他引来了敌人的奇袭。我不知道从哪里来的力气，用尽全力向他啐去："奸细！"

左右的卫兵大声呵斥着，有人踢在我的腿上，我腿一软重新滚倒在地上。我看到了都护大人，他也躬身朝顾小五行礼，他们都说着中原话，我一句也听不懂。顾小五并没有看我，都护大人对顾小五说了很多话，我看顾小五沉着脸，最后所有的人都退出了帐篷，顾小五拿着匕首，朝着我走过来。

我原以为他会杀了我，可是他却挑断了绑着我手的牛筋，对我说道："委屈你了。"

我歪着头看着他，语气尽量平静："顾小五，总有一天我会杀了你，替阿翁报仇。"

"你这个叛徒，奸细。"我骂不出更难听的话，只得翻来覆去地这样骂他，他一点儿也不动怒生气，反倒对我笑了笑："你要是觉得生气，便再骂上几句也好。"

我看着他，就像看着一个陌生人。这个人从我们的婚礼上走掉，领着三万突厥子弟去迎敌。却没想到与月氏人里应外合，不仅突厥的三万精锐被歼灭得干干净净，中原与月氏诸国的大军，更冲进了王帐所在。阿翁措手不及，被他们杀死，突厥是真的亡了！二十万人……那是怎么样一场屠杀，我和阿渡几乎是从修罗场中逃了出来，二十万人的血淌满了整个草原，而主持这场屠杀的人，却浑若无事地站在这里。

我终于骂得累了，蜷在那里只是想，他的心肠到底是什么样的铁石铸成。我筋疲力尽地看着他，说道：“你骗了我这么久，为什么现在不一刀杀了我呢？”

他瞧着我，好久好久都没有说话，又过了许久，突然转过脸去，望着门帘外透进来的阳光。门帘原是雪白的布，现在已经被尘土染成了黑灰色，初秋的阳光却是极好，照在地上明晃晃的，映出我们的影子。他突然伸手扣住我的手腕，我腕上无力，刚刚偷拔出的细小弯刀就落在地上。那还是他的刀，他原本和赫失换刀结义，这把刀赫失最后却塞给了我。一路上我和阿渡狼狈万分，我藏着这刀，一直想要在最后时刻，拿它来刺死自己，以免被敌人所辱。到了帐中我终于改了主意，我觉得应该用它来刺死眼前的这个人，可是却被他察觉了。怎么样才能替阿翁报仇呢？我倒在地上喘着气。

他看着我，目光沉沉，说道：“你不要做这样的傻事。”

傻事？我几乎想要放声大笑，这世上还有谁会比我更傻？我轻信了一个人，还差点嫁给他，这个人却是中原派来的奸细，我还一心以为他死在与月氏的交战之中，我还一心想要为他报仇。

就在这个时候，突然有人走进来，对顾小五说了句中原话。顾小五的脸色都变了，他抓起那柄细小的弯刀，撇下我快步走出帐外去。我筋疲力尽，伏在那里一动不动。也不知过了多久，有人轻轻地扯动我的衣衫，叫我的名字：“小枫！”

我回头一看，竟然是师傅，不由得大喜过望，抓着他的手问：“你怎么会在这里？”

师傅对我说：“这里不是说话的地方，我先带你走。”

他拔剑将帐篷割了一道口子，我们从帐后溜了出去。那里系着好几匹马，我们两个人都上了马，正待要冲出营去，我突然想起来："阿渡！还有阿渡！"

"什么阿渡？"

我说："赫失的妹妹阿渡，她一直护着我冲出来，我可不能抛下她。"

师傅没有办法，只得带着我折返回去找寻阿渡。我们在关俘虏的营地里找着了阿渡，可是却惊动了看守。师傅虽然剑术高明，可是陷在十里连营里，这场厮杀却是纠缠不清，难以脱身。营地里早就已经哗然，四面涌出更多的人来，师傅见势不妙，且战且退，一直退到马厩边，他晃燃了火折子，就手将那火折扔进了草料中。

大营里的马厩，堆了无数干草作饲料，这一点起来，火势顿时熊熊难以收拾。军营中一片哗然大乱，所有人都赶着去救火，趁这一个机会，师傅终于将我和阿渡带着逃了出来。中原军纪甚是严明，不过短短片刻，营中的哗乱已经渐渐静下去，有人奔去救火，另一些人却骑上马朝着我们追过来。

这样且战且退，一直退到了天亘山脚下，追兵却越来越多了。我看着那些追兵打着杏黄的旗号，上面的中原字我并不认识，于是问师傅："这些人都是安西都护府的？"中原在安西都护府屯有重兵，可是没想到他们打仗如此厉害。

师傅脸颊上溅了几滴血，他性好整洁，挥手拭去那血迹，却是连声冷笑："安西都护府哪里有这样多的轻骑……这些人是东宫的羽林卫，就是中原所谓的羽林郎，皆是世家子弟，此番出塞，却是捞功名利禄来了。你看他们一个个奋勇争先，那都是想要大大地立一番功劳。"

我问："什么大功劳？"

师傅说道："活捉你，便是一场大功劳了。"

我还从来不曾想过，自己会这样重要。那些羽林军对我们穷追不舍，不停叫骂，有人还学了怪腔怪调的西凉话，说我们只会夹起尾巴逃走。若要是平时，我早就被激得回身杀入阵中，但一连串的波折之后，我终于知道，万军之中一人犹如沧海一粟，就像是飓风之前的草叶，没有任何人能抵挡千军万马的攻势。阿翁不行，赫失不行，师傅也不行。

天黑的时候我们逃入了天亘山中，大军不便上山，就驻在山脚下。我们从山石后俯瞰，山下燃着点点篝火，不远处蜿蜒一条火龙，却是大营中仍在不断有驰援而来。我终于问师傅："顾小五是什么人？"

"他根本就不姓顾。"师傅的语气却像往常一样平静下来，"他是李承鄞，中原皇帝的第五个儿子，也是当今天朝的东宫太子。"

我只猜到顾小五不是贩运茶叶的商贩，事变之后，我隐约觉得他应该是中原朝廷的将军，可是他又这样年轻。中原朝廷有名的将军不少，并没有听说过姓顾的将军。原来他根本不姓顾，不仅不姓顾，身份竟然如此显赫。

我不知道是想哭，还是想笑。

我想起中原派来的使节，那时候使节是来替中原太子求亲的。可是事情怎么会变成这样呢？那时候我虽然对中原没有什么好感，可是也不会像现在这样，恨之入骨。

"他为什么要说自己姓顾？"

师傅犹豫了片刻，我还从来没有想过他也会犹豫，可是最后他还是告诉我实话："因为他的母亲姓顾。"

我看着师傅，黑暗中其实什么都看不到，他的声音又低又缓："不错，你早就知道我也姓顾，他的母亲淑妃，原是我的亲姑姑。所以我其实也不是什么好人，陛下令他出塞西征，他却遣了我悄悄潜入西凉，替他作内应……"

我脑子里乱成一锅粥，我想了许久，终于想起师傅的名字，我静静地叫出他的名字：“顾剑！”我问他，“那么，你打算什么时候杀了我，或者什么时候带着我，去向太子殿下交差？”

顾剑并没有答话，虽然在黑暗里，我似乎也能看见他唇角凄凉的笑意。过了好久，他才说道：“你明明知道我不会。”

我心中勃发的恨意像是一团熊熊燃烧的火焰，那火焰吞噬着我的心，我抓着手中的尖石，那些细碎的尖利的棱角一直深深地陷入我的掌心。我的声音犹带着痛恨：“你们中原人，还有什么不会？你们一直这样骗我！顾小五骗我，你更是一次又一次地骗我！你从一开始认识我，就是打定了这样的主意吧？你们还有什么不会！你骗了我一次又一次，枉费我父王那样相信你！枉费我叫你师傅……”

我不知道自己在说什么，我滔滔不绝地咒骂着他，咒骂所有的中原人都是骗子。其实我心里明白，我恨的只是顾小五，他怎么可以这样待我。我从来没有这么强烈的痛恨，如果顾小五一剑杀了我倒好了，如果师傅不救我就好了，说不定我就早已经死了……我骂了很久，终于累了。我看着顾剑，冷嘲热讽：“你这次来救我，是不是什么擒什么纵……将来好到中原的皇帝那里去领赏？”

师傅看着我，过了好一会儿，他才说道：“小枫，我确实是别有居心才认识你，从前我都是在骗你，可是……可是每次骗你的时候，我总觉得好生难过。你根本就还是个小孩子，不管我怎么骗你，你总还是相信我，我越骗你，心中就越是内疚。我给李承鄞飞鸽传信，其实那时候，我真的盼望他永远都不要来……你在沙丘上等着，我其实就在不远处看着你，看着你在那儿一直等，一直等，一直等了三天三夜……那天晚上月亮的光照在你的脸上，我看着你脸上的神气，就像是你歌里唱的那只小狐狸……”他的声音慢慢低下去，“我知道我自己是着了魔……你明明还是个小孩子……可是那时候，我真的盼望李承鄞永远都不要出现，这样我说不定就可以带你走了……带着你走到别的地方去，离开西凉……可是后来他竟然还是来了，一切都按事先的计划行事，我只得暂时避开你……我不知道……本来我还抱着万一的希望，想着你或许不会喜欢他……可是……李承鄞要去杀白眼狼王的时候，我就知道，事情没有挽回的余地。是我帮着他杀死了那头恶狼，他的腿都被狼咬伤了，我对他说：殿下，这又是何必？其实我心里更鄙视我自己，我做的这一切，又是何必……我知道他杀了狼王，就是为了去再见你。我帮着他，其实就是把你往他怀里推……”

我不知道他在说什么，他的神色凄楚，最后只是说：“小枫，是我对不住你。”

我没有说话，这世上没有任何人对不住我，只有我对不住别人。

我对不住阿翁，我引狼入室，令阿翁信任顾小五，结果突厥全军覆灭。

我对不住赫失，如果不是我，他就不会死。

我对不住阿渡，如果不是我，她也不会受伤。

我对不住所有突厥人，他们都是我的亲人，我却为他们引来了无情的杀戮。

这世上没有任何人对不住我，只除了顾小五……

可是没有关系，我会杀了他，我总会有机会杀了他……

我仰天看着头上的星星，以天神的名义起誓，我总有一天，会杀了他。

天明的时候我睡着了一小会儿，山下羯鼓的声音惊醒了我，我睁开眼睛，看到阿渡正跳起来。而顾剑脸色沉着，对阿渡说：“带公主走。”

“我不走。”我倔强地说，“要死我们三个人死在一块儿。”

“我去引开敌人，阿渡带着你走。”顾剑抽出剑来，语气平静，“李承鄞性情坚硬，你难道还指望他对你有真心？你如果落在他手里，不过是为他平定西凉再添一个筹码。”

西凉！

我只差惊得跳起来，顾剑看着我，我张口结舌：“他还想要去攻打西凉？”

顾剑笑了笑，说道：“对王者而言，这天下何时会有尽头？”

我一句话也说不出来，羯鼓“嗵嗵嗵”响过三遍，底下的中原人已经开始冲锋。顾剑对我说：“走吧！”

阿渡拉着我，她虽然受了轻伤，可是身手还十分灵活，她拉着我从山石上爬过去，我仓促地回过头，只看到顾剑站在山石的顶端，初晨的太阳正照在他的身上，他身上的白袍原本溅满了鲜血，经过了一夜，早凝成黑紫的血痂。他站在晨光的中央，就像是一尊神祇，手执长剑，风吹起他的衣袂，我想起昨天晚上他对我说的那些话，简直宛如一场梦境。我想起当初刚刚遇见他的时候，那时候他从惊马下救出一个小儿，他的白袍滚落黄沙地，沾满了尘土，可是那时候他就是这般威风凛凛，像是能挡住这世上所有的天崩地裂。那时候的事情，也如同梦境一般。这么多日子以来发生的所有事情，对我来说，都像是一场噩梦。

我和阿渡在山间乱走，昼伏夜出。中原人虽然大军搜山，可是我们躲避得灵巧，他们一时也找不到我们。我们在山里躲了好多天，渴了喝雪水，饥了就挖沙鼠的洞，那里总存着草籽和干果，可以充饥。我们不知道顾剑是否还活着，也不知道一共在山间躲了多少天。

这时候已经到了八月间，因为开始下雪了。仿佛是一夜之间，天亘山就被铺天盖地的雪花笼罩，牧草枯黄，处处冰霜。一下雪山间便再也藏身不住，连羚羊也不再出来觅食。到了夜里，山风简直可以将人活活吹得冻死。中原的大军在下雪之前就应该撤走了，因为军队如果困在雪地里，粮草断绝的话将是十分可怕的事，领兵的将军不能不思量。我和阿渡又在山上藏了两天，不再见有任何搜山的痕迹，便决定冒险下山。

我们的运气很好，下山后往南走了一整天，就遇上放牧的牧人。牧人煮化雪水给我们洗手洗脸，还煮了羊肉给我们吃。我和阿渡两个都狼狈得像野人，我们在山间躲藏了太久，一直都吃不饱，雪后的山中更是难熬。在温暖的帐篷里喝到羊奶，我和阿渡都像是从地狱中重新回到人间。这个牧人虽然是月氏人，可是十分同情突厥的遭遇，他以为我们是从突厥逃出来的女人，所以待我们很好。他告诉我们说中原的大军已经往南撤了，还有几千突厥人也逃了出来，他们逃向了更西的地方。

我顾不得多想，温暖的羊奶融化了我一意复仇的坚志，我知道靠着我和阿渡是没办法跟那些中原人抵抗的，更谈不上替阿翁报仇了。我决定带阿渡回西凉去，我想父王了，我更想阿娘。我急急地想要回到王城去，告诉父王突厥发生的事情，叫他千万要小心提防中原人。阿翁死了，阿娘一定伤心坏了，我急于见到她，安慰她。阿翁虽然不在了，可是阿娘还有我啊。

一路上，我忧心如焚，唯恐自己迟了一步，唯恐西凉也被李承鄞攻陷，就像他们杀戮突厥一样。我们风雪兼程，在路上历经辛苦，终于赶到了西凉王城之外。

看到巨大的王城安然无恙，我不由得微微松了口气。城门仍旧洞开着，冬天来了，商队少了，守城的卫士缩在门洞里，裹着羊皮袍子打盹。我和阿渡悄无声息地溜进了王城。

熟悉的宫殿在深秋的寒夜中显得格外庄严肃穆，我们没有惊动戍守王宫的卫士，而是直接从一道小门进入王宫。西凉的王宫其实也不过驻守了几千卫士，而且管得很松懈，毕竟西凉没有任何敌人，来往的皆是商旅。说是王宫，其实还比不上安西都护府戒备森严。过去我常常从这扇小门里溜出王宫，出城游玩之后，再从这里溜回去，没有一次被发现过。

整座宫殿似乎都在熟睡，我带着阿渡走回我自己的屋子，里面静悄悄的，一个人也没有。天气太冷了，阿渡一直冻得脸色发白，我拿了一件皮袍子给阿渡穿上，我们两人的靴子都磨破了，露出了脚趾。我又找出两双新靴子换上，这下可暖和了。

我顺着走廊往阿娘住的寝殿去，我一路小跑，只想早一点儿见到阿娘。

寝殿里没有点灯，不过宫里已经生了火，地毡上放着好几个巨大的火盆，我看到阿爹坐在火盆边，似乎低着头。

我轻轻地叫了声："阿爹。"

阿爹身子猛然一颤，他慢慢地转过身来，看到是我，他的眼眶都红了："孩子，你到哪里去了？"

我从来没有看过阿爹这个样子，我的眼眶也不由得一热，似乎满腹的委屈都要从眼睛底下流出来。我拉着阿爹的袖子，问他："阿娘呢？"

阿爹的眼睛更红了，他的声音似乎是从鼻子里发出来的，他说："孩子，快逃，快点逃吧。"

我呆呆地看着他，阿渡跳起来拔出她的刀。四面突然明亮起来，有无数人举着灯笼火炬涌了进来，为首的那个人我认识，我知道他是中原遣到西凉来求亲的使节，现在他神气活现，就像一只战胜的公鸡一般，踱着方步走进来。他见到阿爹，也不下跪行礼，而是趾高气扬地说道："西凉王，既然公主已经回来了，那么两国的婚约自然是要履行的，如今你可再没有托辞可以推诿了吧。"

这些人真是讨厌，我拉着阿爹的衣袖，执著地问他："阿娘呢？"

阿爹突然就流下眼泪，我从来没有见过阿爹流泪，我身子猛然一震，阿爹突然就拔出腰刀，指着那些中原人，他的声音低哑暗沉，他说道："这些中原人，孩子，你好好看着这些中原人，就是他们逼死你的阿娘。就是他们逼迫着我们西凉，要我交出你的母亲，你的母亲不甘心受辱，在王宫之中横刀自尽。他们……他们还闯到王宫里来，非要亲眼看到你母亲的尸体才甘心……这些人是凶手！是杀害你母亲的凶手……"

父王的声音仿佛喃喃的诅咒，在宫殿中"嗡嗡"地回荡，我整个人像是受了重重一击，往后倒退了一步，父王割破了自己的脸颊，他满脸鲜血，举刀朝着中原的使节冲去。他势头极猛，就如同一头雄狮一般，那些中原人仓促地四散开来，只听一声闷响，中原使节的头颅已经被父王斩落。父王挥着刀，沉重地喘着气，四周的中原士兵却重新逼近上来，有人叫喊："西凉王，你擅杀中原使节，莫非是要造反！"

阿娘！我的阿娘！我历经千辛万苦地回来，却再也见不到我的阿娘……

我浑身发抖，指着那些人尖声呵斥："李承鄞呢？他在哪里？他躲在哪里？"

没有人回答我，人丛中有人走出来，看装束似乎是中原的将军。他看着我，说道："公主，西凉王神智不清，误杀中原使节，待见了殿下，臣自会向他澄清此事。还望公主镇定安详，不要伤了两国的体面。"

我认出这个将军来，就是他当初在草原上追上我和阿渡，夺走阿渡的刀，并且将我带到了中原大军的营地。他武功一定很好，我肯定不是他的对手。上次我可以从中原大营里逃出来，是因为师傅，这次师傅也不在了，还有谁能救我？

我说："我要见李承鄞。"

那个中原将军说道："西凉王已经答允将公主嫁与太子殿

下，两国和亲。而太子殿下亦有诚意，亲自前来西域迎娶公主。公主终有一日会见到殿下的，何必又急在一时？”

我眼睁睁地看着那些人一涌而上，阿爹挥刀乱砍，却最终被他们制服。王宫里闹出这样大的动静，却没有一个卫士来瞧上一眼，显然这座王城里里外外，早就被中原人控制。阿爹被那些人按倒在地上，兀自破口大骂。我心里像是一锅烧开的油，五脏六腑都受着煎熬，便想要冲上去，可是那些人将刀架在阿爹的脖子里，如果我妄动一动，也许他们就会杀人。这些中原人总说我们是蛮子，可是他们杀起人来，比我们还要残忍，还要野蛮。我眼泪直流，那个中原将军还在说：“公主，劝一劝王上吧，不要让他伤着自己。”我所有的声音都噎在喉咙里，有人抓着我的胳膊，是阿渡，她的手指清凉，给我最后的支撑，我看着她，她乌黑的眼睛也望着我，眼中满是焦灼。我知道，只要我说一句话，她就会毫不犹豫地冲上去替我拼命。可是何必？何必还要再连累阿渡？突厥已亡，西凉又这样落在了中原手里，我说：“你们不要杀我阿爹，我跟你们走就是了。”

阿爹是真的神智昏聩了，自从阿娘死后，据说他就是这样子，清醒一阵，糊涂一阵。清醒的时候就要去打杀那些中原人，糊涂的时候，又好似什么事情都不曾发生过。我倒宁愿他永远糊涂下去，阿娘死了，父王的心也就死了。哥哥们皆被中原人软禁起来，宫里的女人们惶惶然，十分害怕，我倒还沉得住气。

还没有报仇，我怎么可以轻易去死？

我接受了中原的诏书，决定嫁给李承鄞。中原刚刚平定了突厥，他们急需在西域扶持新的势力，以免月氏坐大。而突厥虽亡，西域各部却更加混乱起来，中原的皇帝下诏册封我的父王为定西可汗，这是尊贵无比的称谓。为此月氏十分地不高兴，他们与中原联军击败突厥，原本是想一举吞掉突厥的大片领地，可是西凉即将与中原联姻，西域诸国原本隐然以突厥为首，现在却唯西凉马首是瞻了。

我换上中原送来的火红嫁衣，在中原大军的护送下，缓缓东行。

一直行到天亘山脚下的时候，我才见到李承鄞。本来按照中原的规矩，未婚夫妇是不能够在婚前见面的，可是其实我们早就已经相识，而且现在是行军途中，诸事从简，所以在我的再三要求之下，李承鄞终于来到了我的营帐。仆从早就已经被屏退，帐篷里面只有我们两个人。

我坐在毡毯之上，许久都没有说话。直到他要转身走开，我才对他说道："你依我一件事情，我就死心塌地地嫁给你。"

他根本就没有转身，只是问："什么事情？"

"我要你替我捉一百只萤火虫。"

他背影僵直，终于缓缓转过身来，看我。我甚至对他笑了一笑："顾小五，你肯不肯答应？"

他的眼睛还像那晚在河边，可是再无温存，从前种种都是虚幻的假象，我原本早已经心知肚明。而他呢？这样一直做戏，也早就累了吧。

"现在是冬天了，没有萤火虫了。"他终于开口，语气平静得像不曾有任何事情发生，"中原很好，有萤火虫，有漂亮的小鸟，有很好看的花，有精巧的房子，你会喜欢中原的。"

我凝睇着他，可是他却避开我的眼神。

我问："你有没有真的喜欢过我？哪怕一点点真心？"

他没有再说话，径直揭开帘子走出了帐篷。

外边的风卷起轻薄的雪花，一直吹进来，帐篷里本来生着火盆，黯淡的火苗被那雪风吹起来，摇了一摇，转瞬又熄灭。真是寒冷啊，这样的冬天。

我和阿渡是在夜半时分逃走的，李承鄞亲自率了三千轻骑追赶，我们逃进山间，可是他们一直紧追不舍。

天明时分，我和阿渡爬上了一片悬崖。

藏在山间的时候，我们经常遇见狼群。自从白眼狼王被射杀，狼群无主，也争斗得十分激烈。每次见到狼群，它们永远在互相撕咬，根本不再向人类启衅，我想这就是中原对付西域的法子。他们灭掉突厥，就如同杀掉了狼王，然后余下的部族互相争夺、杀戮、内战……再不会有部落对中原虎视眈眈，就如同那些狼一样，他们只顾着去残杀同伴，争夺狼王的位置，就不会再伤人了。

悬崖上的风吹得我的衣裙猎猎作响，我站在崖边，霜风刮得我几乎睁不开眼睛。如果纵身一跳，这一切一切的烦恼，就会烟消云散。

李承鄞追了上来，我往后退了一步，中原领兵的将军担心我真的跳下去，我听到他大声说："殿下，让臣去劝说公主吧。"

一路行来，中原话我也略懂了一些，我还知道了这个中原的将军姓裴，乃是李承鄞最为宠信的大将。可是现在裴将军却劝不住李承鄞，我看到李承鄞甩开缰绳下马，径直朝悬崖上攀来。

我也不阻他，静静地看着他爬上悬崖。山风如咽，崖下云雾缭绕，不知道到底有多深。他站在悬崖边，因为一路行得太急，他微微喘息着。我指着那悬崖，问他："你知道这底下是什么吗？"

也许是雪风太烈，他的脸色显得十分苍白，大风卷起雪霰，吹打在脸上，隐隐作痛。我用手抹去脸上的雪水，他大约不知道对我说什么才好，所以只是沉默不语。我告诉他："那是忘川。"

"忘川之水，在于忘情……在我们西域有这样一个传说，也许你从来没有听说过：只要跳进忘川之中，便会忘记人世间的一切烦恼，脱胎换骨，重新做人。很神奇，可是天神就有这样的力量，神水可以让人遗忘痛苦，神水也可以让人遗忘烦恼，但是从来没有人能够从忘川之中活着回去，天神的眷顾，有时候亦是残忍……你以我的父兄来威胁我，我不能不答应嫁给你。”我甚至对他笑了笑，“可是，要生要死，却是由我自己做主的。”

他凝视着我的脸，却说道：“你若是敢轻举妄动，我就会让整个西凉替你陪葬。”

“殿下不会的。”我安详地说，这是我第一次称呼他为殿下，也许亦是最后一次，“殿下有平定西域、一统天下的大志，任何事情都比不上殿下的千秋大业。突厥刚定，月氏强盛，殿下需要西凉来牵制月氏，也需要西凉来向各国显示殿下的胸怀。殿下平定突厥，用的是霹雳手段，殿下安抚西凉，却用的是菩萨心肠。以天朝太子之尊，却纡尊降贵来娶我这个西凉蛮女做正妃，西域诸国都会感念殿下。”我讥诮地看着他，“如果殿下再在西凉大开杀戒，毁掉的可不只是一个小小的西凉，而是殿下您苦心经营的一切。”

李承鄞听闻我这样说，脸色微变，终于忍不住朝前走了一步，我却往后退了一步。我的足跟已经悬空，山崖下的风吹得我几欲站立不稳，摇晃着仿佛随时会坠下去，风吹着我的衣衫猎猎作响，我的衣袖就像是一柄薄刃，不断拍打着我的手臂。他不敢再上前来逼迫，我对他说道：“我当初错看了你，如今国破家亡，是天神罚我受此磨难。”我一字一顿地说道，“生生世世，我都会永远忘记你！”

李承鄞大惊，抢上来想要抓住我，可是他只抓住了我的袖子。我左手一扬，手中的利刃“嗤”一声割开衣袖，我的半个身子已经凌空，他应变极快，抽出腰带便如长鞭一扬，生生卷住我，将我硬拉住悬空。那腰带竟然是我当日替他系上的那条，婚礼新娘的腰带，累累缀缀镶满了珊瑚与珠玉……我曾经渴求白头偕老，我曾经以为地久天长，我曾经以为，这就是天神让我眷恋的那个人……我曾经在他离开婚礼之前亲手替他系上，以无限的爱恋与倾慕，期望他平安归来，可以将他的腰带系在我的腰间……到那时候，我们就正式成为天神准许的夫妻……我手中的短刀挥起，割断那腰带，山风激荡，珠玉琳琅便如一场纷扬的乱雨飞溅……我终于看清他脸上的神色，竟然是痛楚万分……

我只轻轻往后一仰，整个人已经跌落下去。无数人在惊叫，还有那中原的裴将军，他的声音更是惊骇："殿下……"

崖上的一切转瞬不见，只有那样清透的天……就像是风，托举着云，我却不断地从那些云端坠落。我整个身子翻滚着，我的脸变成朝下，天再也看不见，无穷无尽的风刺得我睁不开眼睛。阿渡告诉我说这底下就是忘川，可是忘川会是什么样子？是一潭碧青的水吗？还是能够永远吞噬人的深渊……虚空的绝望瞬间涌上，我想起阿娘，就这样去见她，或许真的好。我已经万念俱灰，这世上唯有阿娘最疼爱我……

有人抓住了我的手，呼呼的风从耳边掠过，那人拉住了我，我们在风中急速向下坠落……他抱着我在风中旋转……他不断地想要抓住山壁上的石头，可是我们落势太快，纷乱的碎石跟着我们一起落下，就像满天的星辰如雨点般落下来……就像是那晚在河边，无数萤火虫从我们衣袖间飞起，像是一场灿烂的星雨，照亮我和他的脸庞……天地间只有他凝视着我的双眼……

那眼底只有我……

我做梦也没有想过，他会跳下来抓住我，我一直以为，他从来对我没有半点真心。

他说："小枫！"风从他的唇边掠走声音，轻薄得我几乎听不见。我想，一定是我听错了，或者，这一切都是幻觉。他是绝不会跳下来的，因为他是李承鄞，而不是我的顾小五，我的顾小五早已经死了，死在突厥与中原决战的那个晚上。

他说了一句中原话，我并没有听懂。

那是我记忆里的最后一句话，而也许他这样追随着我坠下，只为对我说这样一句，到底是什么，我已经无意想要知晓……我觉得欣慰而熨帖，我知道最后的刹那，我并不是孤独的一个人……沉重的身躯砸入水中，四面碧水围上来，像是无数柄寒冷的刀，割裂开我的肌肤。我却安然地放弃挣扎，任凭自己沉入那水底，如同婴儿归于母体，如同花儿坠入大地，那是最令人平静的归宿，我早已经心知肚明。

渊水

“忘川之水，在于忘情……”

……

“一只狐狸它坐在沙丘上，坐在沙丘上，瞧着月亮。噫，原来它不是在瞧月亮，是在等放羊归来的姑娘……”

“太难听了！换一首！”

“我只会唱这一首歌……”

……

“生生世世，我都会永远忘记你！”

……

记忆中有明灭的光，闪烁着，像是浓雾深处渐渐散开，露出一片虚幻的海市蜃楼。我忽然睁开模糊的眼睛，一切渐渐清晰。我看到了阿渡，她就守在我旁边，我也看到了永娘，她的眼睛也红红的，还微微有些肿。

我看到帐子上绣着精巧的花，我慢慢认出来，这里是东宫，是我自己的寝殿。

我慢慢地出了口气，觉得自己像是做了一场噩梦，梦里发生了很可怕的事情：我被刺客掳去了，然后那个刺客竟然是顾剑，我就站在承天门下，眼睁睁看着楼上的李承鄞……最可怕的是，我梦见我早就认识李承鄞，他化名顾小五，屠灭了突厥，杀死了阿翁，还逼死了我的阿娘……父王疯了，而我被迫跳下了忘川……这个噩梦真是可怕……可怕得我根本就不敢去想……

幸好那一切只是噩梦，我慢慢抓着永娘的手，对她笑了笑，想说："我好饿……"

我却不能发出任何声音，我的喉头一阵剧痛，气流在我口腔里回旋，但我无法说话。我急得用手卡住了自己的脖子，永娘含着眼泪拉着我的手："太子妃不要急，太医说您只是急火攻心，所以才烧坏了嗓子。慢慢调理自然就好了……"

我看看阿渡，又看看永娘，宫娥捧上了一盏清露，永娘亲自喂给我，那清露甘芳的气息与微凉的滋味令我觉得好生舒适，顿时缓和了喉头的痛楚。我大口吞咽着，永娘说道："慢些，慢些……别呛着……唉……这几天滴水未进……可真是差点儿急煞奴婢了……"

几天？

我已经睡了几天了？

我比画着要纸笔，永娘忙命人拿给我，宫娥捧着砚台，我蘸饱了墨汁，可是下笔的时候却突然迟疑。

写什么呢？

我要问什么呢？问突厥是否真的全族俱没，问我的父王，他是否早就已经疯癫？我到中原来，他从来没有遣人来看过我，我日思夜想的西凉，竟然从来没有遣人来看过我。我从前竟然丝毫不觉得怪异，我从前只怨阿爹无情，现在我才知道，原来我的西凉早就已经成了一场幻梦。我根本就不敢问阿渡，我又怎么敢，敢去问永娘？

我久久无法落笔。

笔端的墨汁凝聚太久，终于“嗒”一声落下，滴落在纸上，溅出一团墨花。

我忽然想起“泼墨门”，想起李承鄞用燕脂与螺子黛画出的山河壮丽图，想起鸣玉坊，想起那天晚上的踏歌，想起那天晚上的刀光剑影……我想起他折断利箭，朗声起誓……我想起梦里那样真实的刀光血影，我想起我在沙丘上唱歌，我想起顾小五替我捉了一百只萤火虫，我想起忘川上凛冽的寒风……还有我自己挥刀斩断腰带时，他脸上痛楚的神情……

我扔下笔，急急地将自己重新埋进被子里，我怕我想起来。

永娘以为我仍旧不舒服，所以她轻轻拍着我的背，像哄小孩儿睡觉似的，慢慢拍着我。

阿渡轻手轻脚地走开，她的声音虽然轻，我也能听出来。

我忽然觉得很难过。我甚至都不敢问一问阿渡，问一问突厥，问一问过去的那些事情，我梦里想起的那些事是不是真的？阿渡一定比我更难过吧，她明明是突厥人，却一直陪着我，陪我到中原来，陪我跟着仇人一起过了这么久……我变得前所未有的怯弱，我什么都不想知道了。

我在迷迷糊糊间又睡了大半日，晚间的时候永娘将我唤醒，让我喝下极苦的药汁。

然后永娘问我，可想要吃点什么。

我摇了摇头，我什么都不想吃。

现在我还吃得下什么呢？

永娘还是命人做了汤饼，她说："汤饼柔软，又有汤汁，病中的人吃这个甚好。"

我不想吃汤饼，挑了一筷子就放下了。

汤饼让我想到李承鄞。

其实东宫里的一切，都让我想到李承鄞。

我只不愿再想到他。不管从前种种是不是真的，我本能地不想再见到他。

可是避是避不过去的，李承鄞来看我的时候，永娘刚刚将汤饼端走，他满面笑容地走进来，就像从前一样，只有我知道，一切都和从前不一样了。我们有着那样不堪的过往，忘川的神水让我忘了一切，也让他忘了一切，我们浑浑噩噩，竟然就这样成了亲。而我浑浑噩噩，在这里同他一起过了三年……没有等我想完，李承鄞已经快步走到我的床边，然后伸出手想要摸我的额头。

我将脸一侧就避过去了。

他的手摸了个空，可是也并没有生气，而是说道："你终于醒过来了，我真是担心。"

我静静地瞧着他，就像瞧着一个陌生人。他终于觉得不对，问我："你怎么了？"

他见我不理睬他，便说道："那日你被刺客掳走，又正逢是上元，九门洞开……"

我只觉得说不出的不耐烦。那日他站在城楼上的样子我早已经不记得了，可是那天我自己站在忘川之上的样子，只怕我这一生一世都会记得。如今再说这些又有什么用？他还想用甜言蜜语再骗我么？他就这样将从前的事都忘记了，可是我记起来了，我已经记起来了啊！

他说道："……城中寻了好几日不见你，我以为……"说到这里他声调慢慢地低下去，说道，"我以为再见不着你了……"

他伸出手来想要摸摸我的肩头，我想起父王迷离的泪眼，我想起阿娘倒在血泊，我想起阿翁最后的呼喝，我想起赫失用沾满鲜血的双手将我推上马背……我突然抽出绾发的金钗，狠狠地就朝着他胸口刺去。

我那一下子用尽了全力，他压根儿都没有想到我会突然刺他，所以都怔住了，直到最后的刹那才本能地伸手掩住胸口。金钗钗尖极是锋锐，一直扎透了他整个掌心，血慢慢地涌出来，他怔怔地瞧着我，眼睛里的神色复杂得我看不懂，像是不信我竟然做了这样的事情。

其实我自己也不信，我按着自己的胸口，觉得自己在发抖。

过了好久，他竟然抓住那支金钗，就将它拔了出来。他拔得极快，而且哼都没有哼一声，只是微微皱着眉，就像那根本不是自己的血肉之躯似的。血顿时涌出来，我看着血流如注，顺着他的手腕一直流到他的袍袖之上，殷红的血迹像是蜿蜒的狰狞小蛇，慢慢地爬到衣料上。他捏着那兀自在滴血的金钗瞧着我，我突然心里一阵阵发慌，像是透不过气来。

他将金钗掷在地上，“铛”的一声轻响，金钗上坠的紫晶瓔珞四散开去，丁丁东东蹦落一地。他的声音既轻且微，像是怕惊动什么一般，问：“为什么？”

叫我如何说起，说起那样不堪的过去？我与他之间的种种恩怨，隔着血海一般的仇恨。原来遗忘并不是不幸，而是真正的幸运。像他如此，遗忘了从前的一切，该有多好。

我自欺欺人地转开脸，他却说：“我知道了。”

我不知道他知道什么，可是他的声音似乎透出淡淡的寒意：“我本来并不想问你，因为你病成这样。可是既然如此，我不能不问一句，你是怎么从刺客那里逃出来的？是阿渡抱着你回来，如何问她，她也不肯说刺客的行踪，更不肯说是在哪里救了你。她是你们西凉的人，我不便刑求。可是你总得告诉我，刺客之事究竟是何人指使……”

我看着这个男人，这个同我一起坠下忘川的男人，他已经将一切都忘记了，可是我永远也不会忘记，我不会忘记是他杀死了阿翁，我不会忘记是他让我家破人亡，我不会忘记，我再也回不去西凉。我张了张嘴，并没有发出任何声音，我只是几近讥诮地看着他。他竟然来问我刺客是谁？难道刺客是谁他会不知道？还是他坠下忘川之后，连同顾剑是谁都忘记了？

我看着他，他也看着我，过了好久好久，他忽然把一对玉佩扔在我面前。我盯着那对羊脂玉的鸳鸯佩，我认出来这对玉佩，我曾经拿着它在沙丘上等了三天三夜。那时候他还叫顾小五；那时候我欢天喜地，一直等着我以为的良人；那时候他手里拿着这对玉佩，对我促狭地微笑；那时候，在西凉王城的荒漠之外，有着最纯净的夜空，而我和他一起，纵马回到王城。

那时候，我们两个都不像现在这般面目狰狞。我还是西凉无忧无虑的九公主，而他，是从中原贩茶来的顾小五。

李承鄞的手上还在流血，他抓着我的胳膊，捏得我的骨头都发疼。他逼迫我抬起头来，直直地望着我的眼睛，他问：“为什么？”

他又问了一遍，为什么。

我也想知道，为什么，为什么命运会如此地捉弄我们，一次又一次，将我们两个，逼入那样决绝的过往。我看着他的眼睛，他的眼中竟然是难以言喻的痛楚，犹带着最后一丝希冀，似乎盼着我说出什么话来。

我张了张嘴，却什么也没有说。

他手上的血沾到了我脸上，温凉的并不带任何温度，他说道：“为什么你会安然无恙地从刺客那里回来，为什么阿渡就不肯告诉我刺客的行踪，为什么你手里会有这么一对鸳鸯佩……鸳鸯鸳鸯……我拆散了你们一对鸳鸯是不是？”

他手上的劲力捏得我肩头剧痛，我忽然心灰意冷，在忘川之上，他到底是抱着什么样的心态，同我一起跳下去的呢？难道只是为了对我说那句话？那句我根本就听不懂的中原话？我早就忘了那句话说的是什么。我只记得裴照最后的惊呼，他一定也惊骇极了。毕竟李承鄞不是顾小五，可是我的顾小五，早就已经死在了乱军之中。我终于抬起眼睛看着他，他的眸子漆黑，里面倒映着我的影子。他到底是谁呢？是那个替我捉萤火虫的顾小五？还是在婚礼上离我而去的爱人？或者，在忘川之上，看着我决绝地割裂腰带，他脸上的痛悔，可会是真的？

我一次又一次地被这个男人骗，直到现在，谁知道他到底是不是在骗我？他对着刺客折箭起誓，说得那样振振有词，可是一转眼，他就同赵良娣站在承天门上……我的顾小五早就已经死了，我想到这里，只是心如刀割。我的声音支离破碎，可怕得简直不像我自己的声音。我说："你拆散了我们，你拆散了我——和顾小五。"

他怔了怔，过了好一会儿，反倒轻蔑地笑了："顾小五？"

我看着他，他手上还在汩汩地流着血，一直流到袍子底下去。在忘川之上的时候，我觉得心如灰烬，可是此时此刻，我连挣扎的力气都没有了。我觉得疲倦极了，也累极了，我一个字一个字地说："你杀了顾小五。"

我的顾小五，我唯一爱过的人，就这样，被他杀死了。被他杀死在突厥，被他杀死在我们未完的婚礼之上，被他杀死在西凉。

我稀里糊涂，忘了从前的一切，然后到这里来，跟李承鄞成亲。而他——我把一切都忘了，我甚至都不知道，顾小五已经死了。

他怒极反笑："好！好！甚好！"

他没有再看我一眼，转身就走了。

永娘回来的时候十分诧异，说：“殿下怎么走了？”旋即她惊呼起来，“哎呀，这地上怎么有这么多血……”

她叫了宫娥进来擦拭血迹，然后又絮絮地问我究竟发生了什么事，我不愿意让她知道，麻木地任由她将我折腾来，折腾去。我该怎么办呢？我还能回西凉去吗？就算回到西凉，顾小五也已经死了啊。

永娘以为我累了要睡了，于是没有再追问。她让阿渡进来陪我睡，阿渡依旧睡在我床前的厚毡之上。

我却睡不着了，我爬起来，阿渡马上也起来了，而且给我倒了一杯茶，她以为我是要喝水。

我没有接她手里的茶，而是拉着她的手，在她手心里写字。

我问她，我们回西凉去好不好？

阿渡点点头。

我觉得很安心，我到哪里，她就会跟我到哪里。我都不知道从前她吃过那样多的苦，我都不知道她是怎么心甘情愿，跟我到这里来的。我拉着她的手，怔怔的忽然掉下了眼泪。阿渡看我哭了，顿时慌了神，她用衣袖替我擦着眼泪，我在她的手心里写，不要担心。阿渡却十分心酸似的，她将我搂在她怀里，慢慢抚摸着我的头发，就像抚摸着孩子一般。她就这样安慰着我，我也慢慢阖上眼睛。

其实我心里明白，我自己是完了。从前我喜欢顾小五，我忘了一切之后，我又喜欢李承鄞。哪怕他一次又一次地骗我，我竟然还是爱着他。

忘川之水，在于忘情。凡是浸过神水的人，都会将自己经历过的烦恼忘得干干净净。我忘了他，他也忘了我，我们两个，再无前缘纠葛。可是为什么我会在忘记一切之后，再一次爱上他呢？他对我从来就不好，可是我却偏偏喜欢他。这三年来，我们一次次互相推开对方，可是为什么还是走到了今天？天神曾经听从了我的祈求，让我忘记他加诸在我身上的一切痛苦与烦恼。可是如今天神是在惩罚我吗？让我重新记起一切，在又一次爱上他之后。

李承鄞再也没有来看过我。

我病了很长时间，等我重新能说话的时候，檐外的玉兰花都已经谢了，而中庭里的樱桃花，已经开得如粉如霞。

樱桃开花比桃树李树都要早，所以樱桃花一开，就觉得春天已经来了。庭院里的几株樱桃花树亭亭如盖，绽开绮霞流光般的花朵，一团团一簇簇，又像是流霞轻纱，簇拥在屋檐下，有几枝甚至探进窗子里来。

我病着的时候发生了许多事情，都是永娘告诉我的。首先是首辅叶成被弹劾卖官，然后听说诛连甚广，朝中一时人人自危，唯恐被算作是“叶党”。然后是征讨高丽的骁骑大将军裴况得胜还朝，陛下赏赐了他不少金银。还有陛下新册的一位妃子，非常的年轻，也非常的漂亮，宫中呼为“娘子”，据说陛下非常宠爱她，连暂摄六宫的高贵妃也相形见绌。大家纷纷议论陛下会不会册立她为皇后，因为这样的恩宠真的是十分罕见。不论是朝局，还是宫里事，我左耳听，右耳出，听过就忘了。

我也不耐烦听到这些事，我觉得男人的恩情都是靠不住的，尤其是帝王家的男人，在天下面前，女人算什么呢？顾剑说过，一个人要当皇帝，免不了心硬血冷。我觉得他说的是对的。

午后的时候，忽然淅淅沥沥落起雨来。永娘望着庭中的雨丝轻叹，说道：“这下子花都要不好了。”

我病虽然好了，可是落下个咳嗽的毛病，太医开了很多药方，天天喝，天天喝，但没多大效力。所以我一咳嗽，永娘就连忙拿了披风来给我披上，不肯让我受一点凉气。我也希望咳嗽早一些好，早一些好，我就可以早一些跟阿渡回西凉去。

不管我的西凉变成了什么样子，我终归是要回去的。

我坐在窗前，看着雨里的樱桃花，柔弱的花瓣被打得渐渐低垂下去，像是剪碎了的绸子，慢慢被雨水浸得湿透了，黏在枝头。永娘已经命人支起锦幄，这是中原贵家护花用的东西，在花树上支起锦幄，这样雨水就摧残不了花树。我看着锦幄下的樱桃花，锦幄的四周还垂着细小的金铃，那是用来驱逐鸟儿的，金铃被风吹得微微晃动，便响起隐约的铃声。

现在我经常一发呆就是半晌，永娘觉得我像变了个人似的，从前我太闹，现在我这样安静，她总是非常担忧地看着我。

阿渡也很担心我，她不止一次地想带我溜出去玩儿，可是我打不起精神来。我没有告诉阿渡我想起了从前的事情，我想有些事情，我自己独自承受就好。

樱桃花谢的时候，天气也彻底地暖和起来。宫里新换了衣裳，东宫里也换了薄薄的春衫，再过些日子就是初夏了。永娘叫人在中庭里新做了一架秋千，从前我很喜欢荡秋千，但李承鄞认为那是轻薄率性，所以东宫里从来没有秋千，现在永娘为着我叫人新做了一架，可是我现在根本就不玩那个了。

装秋千架子的时候我看到了裴照，我已经有许久许久没有见过他，自从上次在路上他劝我不要和月娘来往，我就没有再见过他了。我就像第一次看到他，我还记得他夺走阿渡的刀，我还记得忘川之上他惊骇的声音。他一定不会知道，我都已经全部想起来了吧。

我不会告诉他我想起了从前的事，那样他一定会对我严加防范。中原人那样会骗人，我也要学着一点儿，我要瞒过他们，这样才能找寻时机，跟阿渡一起走。

裴照是给我送东西来的，那些都是宫中的颁赐，据说是骁骑大将军裴况缴获的高丽战利品，陛下赐给了不少人，我这里也有一份。

都是些古玩珠宝，我对这样的东西向来没什么兴趣，只命永娘收过罢了。

还有一只捧篮，裴照亲自提在手里，呈上来给我。

我没有接，只命永娘打开，原来竟是一只小猫，只不过拳头般大小，全身雪白的绒毛，好像一只粉兔。可明明是猫，两只眼睛却一碧一蓝，十分有趣。它伏在盒底，细声细气地叫着。

我问："这个也是陛下颁赐的？"

裴照道："这个是末将的父亲缴获，据说是暹罗的贡品，家中弟妹淘气，必养不大，末将就拿来给太子妃了。"

我将小猫抱起来，它伏在我的掌心咪咪叫，伸出粉红的小舌头舔着我的手指。柔软酥痒的感觉拂过我的手指，麻麻的难受又好受，我顿时喜欢上这只小猫，于是笑着对裴照说："那替我谢过裴老将军。"

不知为什么，我觉得裴照似乎松了口气似的。我毫无忌惮地看着他，面露微笑。当初他跟随李承鄞西征，一切的一切他都尽皆知晓，在忘川的悬崖上，也是他眼睁睁看着我跳下去。可是他从来没有在我面前说漏过半个字，我想，他其实对李承鄞忠心耿耿。如果他知道我早就已经想起来，会不会立时神色大变，对我多加提防？中原人的这些诡计，我会一点一点地学着，我会将他们加诸在我身上的所有痛苦，都一一偿还给他们。

我逗着小猫，跟它说话："喵喵，你是要吃鱼吗？"

小猫"喵"地叫了一声，舌头再次舔过我的手指，它舌头上的细刺刷得我好痒，我不由得笑起来，抱着猫给阿渡看："你看，它眼睛真好看。"

阿渡点点头。我叫永娘去取牛乳来喂猫，然后又跟阿渡商量给小猫取个什么名字。

我问阿渡："叫小花好不好？"

阿渡摇了摇头，我也觉得不好，这只小猫全身纯白，一根杂毛也没有，确实不应该叫小花。

“那么就叫小雪吧……”我絮絮叨叨地跟阿渡说着话，要替小猫做个窝，要替小猫取名字……我都不知道裴照是什么时候走的。

不过自从有了这只小猫，我在东宫里也不那么寂寞了。小雪甚是活泼，追着自己的尾巴就能玩半晌。庭院里桃李花谢，乱红如雪，飘飞的花瓣吹拂在半空中，小雪总是跳起来用爪子去挠。可是廊桥上积落成堆的花瓣，它却嗅也不嗅，偶尔有一只粉蝶飞过，那就更不得了了，小雪可以追着它满院子乱跳，蝴蝶飞到哪里，它就蹿到哪里。

永娘每次都说：“这哪里是猫，简直比狐狸精还要淘气。”

日子就这样平缓地过去。每天看着小雪淘气地东跑西窜；看庭院里的花开了，花又谢了，樱桃如绛珠般累累垂垂，挂满枝头；看桃子和李子也结出黄豆大的果实，缀在青青的枝叶底下。时光好似御沟里的水，流去无声，每一天很快就过去了。晚上的时候我常常坐在台阶上，看着一轮明月从树叶底下渐渐地升起来。千年万年以来，月亮就这样静静地升起来，没有悲，没有喜，无声无息，一天的风露，照在琉璃瓦上，像是薄薄的一层银霜。天上的星河灿然无声，小雪伏在我足边，“咪咪”叫着，我摸着它暖绒绒的脖子，将它抱进自己怀里。我静静地等待着，我要等待一个最好的时机，从这个精致的牢笼里逃走。

本来因为我一直病着，所以东宫里仪注从简，许多事情都不再来问过我。从前赵良娣虽然管事，但许多大事表面上还是由我主持，我病了这么些日子，连宫里的典礼与赐宴都缺席了。等我的病渐渐好起来的时候，绪宝林又病了。

她病得很重，终究药石无灵，但东宫之中似乎无人过问，若不是永娘说走了嘴，我都不知道绪宝林病得快死了。

不知出于什么原因，我决定去看她。也许是怜悯，也许我想让李承鄞觉得，一切没有什么异样。或者，让李承鄞觉得，我还是那个天真傻气的太子妃，没有任何心计。

绪宝林仍旧住在那个最偏远的小院子里，服侍她的两个宫女早已经又换了人。巫蛊的事情虽然没有闹起来，可是赵良娣得了借口，待她越发地刻薄。我病后自顾不暇，自然也对她少了照拂。我觉得十分后悔，如果我及早发现，她说不定不会病成这样。

她瘦得像是一具枯骨，头发也失去了光泽，发梢枯黄，像是一蓬乱草。我隐约想起我第一次见到她，那时候还是在宫里，她刚刚失去腹中的孩子，形容憔悴。但那个时候她的憔悴，是鲜花被急雨拍打，所以嫣然垂地。而不是像现在，她就像是残在西风里的菊花，连最后一脉鲜妍都枯萎了。

我唤了她好久，她才睁开眼睛瞧了瞧我，视线恍惚而迷离。

她已经不大认得出来我，只一会儿，又垂下眼帘沉沉睡去。

永娘婉转地告诉我太医的话，绪宝林已经拖不了几日了。

她今年也才只得十八岁，少女的芳华早就转瞬即逝，这寂寞的东宫像是一头怪兽，不断吞噬着一切鲜妍美好。像鲜花一般的少女，只得短短半载，就这样凋零残谢。

我觉得十分难过，从她住的院子里出来，我问永娘："李承鄞呢？"

永娘亦不知道，遣人去问，才知道李承鄞与吴王击鞠去了。

我走到正殿去等李承鄞，一直等到黄昏时分，才看到七八轻骑，由羽林郎簇拥拱卫着，一直过了明德门，其余的人都下了马，只有一骑遥遥地穿过殿前广袤的平场，径直往这边来。我忽然觉得心里很乱，我已经有好几个月没有见到李承鄞，很久以前虽然我也不是天天能见着他，可是隔一阵子，他总要气势汹汹地到我那里去，为了乱七八糟的事同我吵架。但现在我和他，不见面了，也不吵架了。

我其实一直躲着他。在我想起从前的事之后，我明明应该杀了他，替所有的人报仇。

也许，今天去看绪宝林，也只是为了给自己找寻一个，来见他的理由。我看着他骑马过来，心里突然就想起，在大漠草原上，他纵马朝我奔来，露出那样灿烂的笑容。

他从来没有那样笑过吧？毕竟那是顾小五，而不是太子李承鄞。

内侍上前来伏侍李承鄞下马，他把鞭子扔给小黄门，踏上台阶，就像没有看到我。

我站起来叫住他，我说："你去看一看绪宝林。"

他终于转过脸瞧了我一眼，我说："她病得快要死了。"

他没有理睬我，径直走到殿中去了。

我一个人站在那里，初夏的风吹过我的脸颊，带着温润的气息，春天原来已经过完了。

如果是从前，我一定会和他吵架，逼着他去看绪宝林，哪怕绑着他，我也要把他绑去。

可是现在呢？我明明就知道，不爱就是不爱，哪怕今日要咽下最后一口气又如何，他怕已经早就忘了她。忘了那个明眸皓齿的女子，忘了他们曾经有过血肉相连的骨肉，忘了她曾经于多少个夜晚，期盼过多少寂寞的时光。就像他忘了我，忘了我曾经恨过他爱过他，忘了他曾经给我捉过一百只萤火虫，忘了我最后决绝的一跃，就此斩断我和他之间的一切。

这一切，不正是我求仁得仁？

天气一天天热起来，绪宝林陷入了昏睡，她一天比一天更虚弱，到最后连滴水都不进了。我每天都去看她，永娘劝说，她认为我刚刚大病初愈，不宜再在病人身边久做逗留，可是我根本不听她的。我照顾着她，如同照顾自己心底那个奄奄一息的自己。

我守在绪宝林身边，那些宫人多少会忌惮一些，不敢再有微词。比起之前不管不顾的样子，要好上许多。可是绪宝林已经病得这样，一切照料对她而言，几乎都是多余。

黄昏时分天气燠热，庭院里有蜻蜓飞来飞去，墙下的芭蕉叶子一动也不动，一丝风都没有。天色隐隐发紫，西边天空上却涌起浓重的乌云，也许要下雨了。

绪宝林今日的精神好了些，她睁开眼睛，看了看周围的人，我握着她的手，问她："要不要喝水？"

她认出了我，对我笑了笑。

她没有喝水，一个时辰后她再次陷入昏迷，然后气息渐渐微弱。

我召来御医，他诊过脉之后，对我说："宝林福泽过人，定可以安然无恙。"

我虽然没什么见识，也知道御医说这种话，就是没得救了。

永娘想要说服我离开，我只是不肯。永娘只得遣人悄悄去预备后事，天色越发暗下来，屋子里闷热得像蒸笼，宫娥脚步轻巧，点上纱灯。烛光晕开来，斜照着床上的病人。绪宝林的脸色苍白，嘴角一直微微翕动，我凑到她唇边，才听到她说的那两个字，轻得几乎没有声音，原来是"殿下"。

我心里觉得很难过，或许她临终之前，只是想见一见李承鄞。

可是我却没有办法劝说他到这里来。

这个男人，招惹了她，却又将她撇下，孤伶伶地将她独自抛在深宫里。可是她却不能忘了他。

纵然薄幸，纵然负心，纵然只是漫不经心。

她要的那样少，只要他一个偶尔回顾，可是也得不到。

我握着绪宝林的手，想要给她一点最后的温暖，可是她的手渐渐冷下去。

永娘轻声劝说我离开，因为要给绪宝林换衣服，治丧的事情很多，永娘曾经告诉过我。还有冠冕堂皇的一些事，比如上书给礼部，也许会追册她一个稍高的品秩，或者赏她家里人做个小官。我看着宫娥将一方锦帕盖在绪宝林的脸上，她已经没有了任何声息，不管是悲伤，还是喜悦，所有的一切都已经消失了，短暂的年华就这样戛然而止。

远处天际传来沉闷的雷声，永娘留下主持小敛，阿渡跟着我回寝殿去。走上廊桥的时候，我听到隐约的乐声，从正殿那边飘扬过来。音乐的声音十分遥远，我忽然想起河畔的那个晚上，我坐在那里，远处飘来突厥人的歌声，那是细微低婉的情歌，突厥的勇士总要在自己心爱的姑娘帐篷外唱歌，将自己的心里话都唱给她听。

那时候的我从来没有觉得歌声这般动听，飘渺得如同仙乐一般。河边草丛里飞起的萤火虫，像是一颗颗飘渺的流星，又像是谁随手撒下的一把金砂。我甚至觉得，那些熠熠发光的小虫子，是天神的使者，它们提着精巧的灯笼，一点点闪烁在清凉的夜色里。河那边营地里也散落着星星点点的火光，欢声笑语都像是隔了一重天。

我看着他整个人都腾空而起，我看他一把就攥住了好几只萤火虫，那些精灵在他指缝间闪烁着细微的光芒，中原的武术，就像是一幅画，一首诗，挥洒写意。他的一举一动都像是舞蹈一般，可是世上不会有这样英气的舞蹈。他在半空中以不可思议的角度旋转，追逐着那些飘渺的萤火虫。他的衣袖带起微风……

那些萤火虫争先恐后地飞了起来，明月散开，化作无数细碎的流星，一时间我和顾小五都被这些流星围绕，它们熠熠的光照亮了我们彼此的脸庞，我看到他乌黑的眼睛，正注视着我……歌声隔得那样远，就像隔着人间天上。

我的血一寸一寸涌上来，远处墨汁般的天上，突然闪过狰狞的电光，紫色的弧光像是一柄剑，蜿蜒闪烁，划出天幕上的裂隙。

我对阿渡说："你先回去。"

阿渡不肯，又跟着我走了两步，我从她腰间把金错刀连同刀鞘一块儿解了下来，然后对她说："你去收拾一下，把要紧的东西带上，等我回来，我们就马上动身回西凉去。"

阿渡的眼睛里满是疑惑，她不解地看着我，我连声催促她，她只得转身走了。

我决心在今天，将所有的事情，做一个了断。

我慢慢地走进正殿，才发现原来这里并没有宴乐，殿里一个人都没有，值宿的宫娥不知道去哪里了，李承鄞一个人坐在窗下，吹着箫管。

他穿着素袍，神色专注，真不像以往我看惯的样子。眉宇间甚是凝澹，竟然像变了一个人似的。我忽然想起顾小五，当初我们刚刚相识的时候，他好像就是这般稳重。可是那时候他神采飞扬，会对着我朗声大笑。

我从来不知道他还会吹箫。

我不知道他吹奏的是什么曲子，但曲调清淡落泊，倒仿佛怅然若失。

他听到脚步声，放下箫管，回头见是我，神色之间颇是冷漠。

我心里挟着那股怒气，却再也难以平抑。我拔出金错刀就扑上去，他显然没想到我进来就动手，而且来势这样汹汹，不过他本能地就闪避了过去。

我闷不做声，只将手中的金错刀使得呼呼作响，我基本没什么功夫，但我有刀子在手里，李承鄞虽然身手灵活，可是一时也只能闪避。我招招都带着拼命的架势，李承鄞招架得渐渐狼狈起来，好几次都险险要被伤到，可是不知道为什么，他并不唤人。

这样也好。我的刀子渐渐失了章法，最开始拼的是怒气，到了后来力气不济，再难以占得上风。我们两个闷不做声地打了一架，时间一长我就气喘吁吁，李承鄞终于扭住了我的胳膊，夺下我手里的刀，他把刀扔得远远的，我趁机狠狠在他虎口上咬了一口。腥咸的气息涌进牙齿间，他吃痛之余拉着我的肩膀，我们两个滚倒在地上，我随手抓起压着地衣的铜狮子，正砸在他腿上，精致的镂雕挂破了他的衣裤，撕裂开一道长长的口子。他痛得蹙起眉来，不由得用手去按着腿上的痛处，我看到他腿上的旧疤痕，是深刻而丑陋的野兽齿痕，撕去大片的皮肉，即使已经事隔多年，那伤痕仍旧狰狞而可怕。我突然想起来顾剑说过的话，那是狼咬的，是白眼狼王咬在了他的腿上。他为了娶我，去杀白眼狼王。可是他根本不是为了娶我，他只是为了骗阿翁，为了跟月氏一起里应外合……我胸中的痛悔愈发汹涌，可是这么一错神的工夫，他已经把我按在地毯上，狠狠地将我的胳膊拧起来了。

我用脚乱踢乱踹，他只得压着我，不让我乱动。我颈子里全是汗，连身上的纱衣都黏在了皮肤上，这一场架打得他额头上也全是汗珠，有一道汗水顺着他的脸往下淌，一直淌到下巴上，眼看就要滴下来，滴下来可要滴到我脸上，我忙不迭地想要闪开去。李承鄞却以为我要挣扎着去拿不远处的另一尊铜狮子，他伸手就来抓我的肩膀，没想到我正好拧着身子闪避，只听“嚓”一声，我肩头上的纱衣就被撕裂了，他的指甲划破我的皮肤，非常疼。我心中恼怒，弓起腿来就打算踹他，但被他闪了过去。外头突然响起沉闷的雷声，一道紫色的电光映在窗纱上，照得殿中亮如白昼。我看到他脸色通红，眼睛也红红的，就像是喝醉了一样，突然摇摇晃晃地又向我扑过来。

这次我早有防备，连滚带爬地就躲了过去，可是裙子却被他扯住了，我踹在他的胳膊上，但他没有放手，反倒用一只手抓住了我的腰带。本来我的腰带是司衣的宫娥替我系的双胜结，那个结虽然看上去很复杂精巧，实际上一抽就开了。他三下两下就把腰带全扯了下来，我还以为他又要把我绑起来，心中大急，跟他拉着那条带子。外头的雷声密集起来，一道接一道的闪电劈开夜空，风陡然吹开窗子，殿中的帐幔全都飞舞起来。他突然一松手，我本来用尽了全力跟他拉扯，这下子一下就往后跌倒，后脑勺正磕在一尊歪倒的铜狮子之上，顿时痛得我人都懵了，半晌也动弹不了。李承鄞的脸占据了我整个视野，他凶狠地瞪着我，我觉得他随时会举起手来给我一拳，可是他却没有。外头的雷声越来越响，闪电就像劈在屋顶上，他突然低头，我原以为他要打我，可是他却狠狠咬住我的唇。

他把我的嘴唇咬破了，我把他的舌头也咬了，他流血了还不肯放开我，反倒吸吮着那血腥的气息。他的声音几近凶狠，他的面目也狰狞，他狠狠地逼问着我："顾小五是谁？顾小五是谁？说！是不是那个刺客！"

顾小五是谁？我拼命挣扎，拳打脚踢，他却全然不在乎，拳脚全都生生挨下来，就是不管不顾地扯着我的衣服。我最后哭了："顾小五就是顾小五，比你好一千倍！比你好一万倍！"我说的都是实话，谁也比不上我的顾小五，他曾经为我杀了白眼狼王，他曾经为我捉了一百只萤火虫，我本来应该嫁给他，可是在我们婚礼的那天，他就死了……我哭得那样大声，李承鄞像是被彻底激怒了，他简直像是要把我撕成碎片，带着某种痛恨的劫掠。我从来没有经历过这样可怕的事情，我一直哭着叫顾小五救我，救我……我心里明明知道，他是永远不会来了。李承鄞的眼睛里全是血丝，就像是我曾经见过的沙漠中的孤狼，那样可怕，那样凶狠，他终于将我的嘴堵了起来，咸咸的眼泪一直滑到我的嘴角，然后被他吻去了，他的吻像是带着某种肆虐的力道，咬得我生疼。外头“刷拉拉”响，是下雨了。片刻间轰轰烈烈的大雨就下起来，雨柱打在屋瓦上，像是有千军万马挟着风势而来，天地间只余隆隆的水声。

我眼睛都哭肿了，天快亮的时候雨停了，檐角稀疏响着的是积雨滴答答的声音，还有铜铃被风吹动的声音。殿里安静得像是坟墓，我哭得脱了力，时不时抽噎一下，李承鄞从后头搂着我，硬将我圈在他的胳膊里。我不愿意看到他的脸，所以面朝着床里，枕头被我哭湿了，冰凉地贴在我的脸上。他轻轻拨开我颈中濡湿的头发，灼热的唇贴上来，像是烙铁一样。

我还因为抽噎在发抖，只恨不能杀了他。

他说：“小枫，我以后会对你好，你忘了那个顾小五好不好？我……我其实是真的……真的……”他连说了两遍“真的”，可是后面是什么话，他最终也没有说出来。

他或许这辈子还从来没有这样低声下气，我猛然就回过头，因为太近，他本能地往后仰了仰，像是我的目光灼痛了他似的。

我对他说：“我永远也不会忘记顾小五。”

我想，我也永远不会忘记这一刻他的脸色。他整张脸上都没有血色了，他本来肤色白皙，可是这白皙，现在变成了难看的青，就像是病人一般透着死灰，他怔怔地瞧着我。我痛快地冷笑：“顾小五比你好一千倍，一万倍，你永远都比不上他。你以为这样欺负了我，我就会死心塌地跟着你吗？这有什么大不了，我就当是被狗咬了。”

那一刻他的脸色让我觉得痛快极了，可是痛快之后，我反倒是觉得一脚踏虚了似的，心里空落落的。他的眼睛里失了神采，他的脸色也一直那样难看，我原本以为他会同我争吵，或者将我逐出去，再不见我。可是他什么也没有说。

东宫里都知道昨天晚上的事情了，因为我受了伤，手腕脚腕上都是淤青。而李承鄞也好不到哪里去，脸上不是被我抓伤的，就是被我咬伤的。宫人们不禁窃窃私语，永娘为此觉得十分尴尬，一边替我揉着淤青，一边说道：“娘娘应当待殿下温存些。”

没有一刀杀了他，我已经待他很温存了，如果不是我武功不够，我会真的杀了他的，我甚至想过等他睡着的时候就杀死他，可是他没有给我那样的机会。就在永娘替我揉手的时候，一个宫娥突然慌慌张张地跑进来，告诉我说，小雪不见了。

小雪甚是顽皮，老是从殿里溜出去，所以永娘专门叫一个宫娥看住它，现在小雪不见了，这宫娥便慌张地来禀报。

永娘遣了好几个人去找，也没有找到。我没有心思去想小雪，我只想着怎么样替阿娘报仇。现在我觉得一刀杀了李承鄞太痛快，他做了那么多可恶的事，不能这样便宜地就轻易让他去死。我早就说过，我会将他加诸在我身上的痛苦，一点一滴，全都还给他。

第二天是端午节，东宫里要采菖蒲，宫娥突然瞧见池中浮起一团白毛，捞起来一看竟然是小雪。

它是活生生被淹死的。

我觉得非常非常伤心，在这里，任何生灵都活得这样不易，连一只猫，也会遭遇这样的不幸。

我想李承鄞也知道了这件事情，因为第二天他派人送来了一只猫。

一模一样的雪白毛，一模一样的鸳鸯眼，据说是特意命人去向暹罗国使臣要来的，我瞧也没瞧那猫一眼，只是恹恹地坐在那里。我还没想到小雪的死会引起一场轩然大波。

有人瞧见赵良娣的宫女将小雪扔进了湖中，李承鄞听见了，突然勃然大怒，便要责打那几个宫女四十杖，四十杖下去，那些宫人自然要没命了。永娘急急地来告诉我，我本来不想再管闲事，可是毕竟人命关天，我还是去了丽正殿。

果然丽正殿中一派肃杀之气，李承鄞已经换了衣服，却还没有出去。殿角跪着好几个宫娥，在那里嘤嘤哭泣。我刚刚踏入殿中，还没有来得及说一句话，小黄门已经通传，赵良娣来了。

赵良娣显然也是匆忙而来，花容惨淡，一进门就跪下，哀声道："殿下，臣妾冤枉……臣妾身边的人素来安守本分，绝不会做这样的事情，臣妾委实冤枉……"一语未了，就泪如雨下。

我瞧着她可怜兮兮的样子，不由得叹了口气，对李承鄞说："算了吧，这又不关她的事。"

虽然我很伤心小雪的死，但总不能为了一只猫，再打死几个人。

李承鄞恨恨地道："今日是害猫，明日便是害人了！"

赵良娣显然被这句话给气到了，猛然抬起头来，眼睛里满是泪光："殿下竟然如此疑我？"

我本来是来替那几个宫人求情的，赵良娣竟然不领情。她尖声道："是你！定然是你！你做成现成的圈套，你好狠毒！你除去了绪宝林，现在竟又来陷害我！"

不待我说话，李承鄞已经大声呵斥："你胡说什么！"

赵良娣却拭了拭眼泪，直起身子来："臣妾没有胡说，太子妃做了符咒巫蛊臣妾，却栽赃给绪宝林。绪宝林的宫女是太子妃亲自挑选的，太子妃指使她们将桃符放在绪宝林屋中，巫蛊事发，太子妃却拖延着不肯明察，意图挑拨臣妾与绪宝林。太子妃这一招一石二鸟，好生狠毒！殿下，绪宝林死得蹊跷，她不过身体虚弱，怎么会突然病死？必然是遭人杀人灭口！"

我气得连说话都不利索了，大声道："胡说八道！"

赵良娣抬头看着我，她脸上泪痕宛然，可是眼神却出奇镇定，她瞧着我："人证物证俱全，太子妃，今日若不是你又想陷害我，我也原想替你遮掩过去。可是你如此狠心，杀了绪宝林，又想借一只猫陷害我，你也忒狠毒了。”

我怒道：“什么人证物证，有本事你拿出来！”

赵良娣道：“拿出来便拿出来。”她转身就吩咐人几句，不一会儿，那些人就押解了两个宫女前来。

我没想到事情会突然变成这个样子，绪宝林的两个宫女供认是我指使她们，将桃木符放在绪宝林床下。

“太子妃说，她不过是想除去赵良娣……如果赵良娣真的能被咒死，她一定善待我们宝林，劝殿下封宝林为良娣，共享富贵……”

“太子妃说，即使被人发觉也不要紧，她自然能替宝林做主……”

我听着那两个宫女口口声声的指控，忽然觉得心底发寒。

这个圈套，赵良娣预备有多久了？她从多久之前，就开始算计，将我引入圈中？我从前不过觉得，她也许不喜欢我，也许还很讨厌我，毕竟是我抢走她太子妃的位置，毕竟是我横在她与李承鄞之间。可我没有想过，她竟然如此恨我。

赵良娣长跪在那里，说道：“臣妾自从发现巫蛊之事与太子妃有关，总以为她不过一时糊涂，所以忍气吞声，并没有敢对殿下有一字怨言，殿下可为臣妾作证，臣妾从未在殿下面前说过太子妃一个不字，还好生劝说殿下亲近太子妃，臣妾的苦心，日月可鉴。直到绪宝林死后，臣妾才起了疑心，但未奉命不敢擅查，不过暗中提防她罢了。没想到她竟然借一只猫来陷害臣妾，臣妾为什么要去害一只猫？简直是可笑之极，她定然是想以此计激怒殿下，令臣妾失宠于殿下，请殿下做主！”

李承鄞瞧着跪在地上的那两个宫女，过了片刻，才说道：“既然如此，索性连绪宝林的事一块儿查清楚，去取封存的药渣来。”

召了御医来一样样比对，结果绪宝林喝剩的药渣里，查出有花梅豆。绪宝林的药方里一直有参须，花梅豆这种东西虽然无毒，可是加在有参须的药中，便有了微毒，时日一久，会令人虚弱而死。负责煎药的宫女说，每次太医开完药方，都是我这个太子妃遣人去取药的。煎药的宫人不识药材，总不过煎好了便送去给绪宝林服用，谁知药中竟然会有慢毒。

百口莫辩。

我是个急性子，在这样严实的圈中圈、计中计里，便给我一万张嘴，我也说不清楚。

我怒极反笑："我为什么要杀绪宝林？一个木牌牌难道能咒死你，我就蠢到这种地步？"

赵良娣转过脸去，对李承鄞道："殿下……"

李承鄞忽然笑了笑："天下最毒妇人心，果然。"

我看着李承鄞，过了好半晌，才说出一句话："你也相信她？"

李承鄞淡淡地道："我为何不信？"

我忽然觉得轻松了："反正我早就不想做这个太子妃了，废就废吧。"

废了我，我还可以回西凉去。

李承鄞淡淡地道："你想得倒便宜。"

原来我真的想得太便宜。李承鄞召来了掖庭令，我的罪名一桩接一桩地冒出来，比如率性轻薄、不守宫规，反正贤良淑德我是一点儿也沾不上边，样样罪名倒也没错。严重的指控只有两件，一是巫蛊，二是害死绪宝林。

我被软禁在康雪殿，那里是东宫的最僻静处，从来没有人住在那里，也就和传说中的冷宫差不多。

当初废黜皇后的时候我才知道，李承鄞若想要废了我这个太子妃，也是个很复杂的过程。需得陛下下诏给中书省，然后门下省同意附署。那些白胡子的老臣并不好说话，上次皇后被废就有人嚷嚷要死谏，就是一头撞死在承天门外的台阶上。后来还真的有人撞了，不过没死成。陛下大大地生了一场气，但皇后还是被废了。

其实我想的是，也许这里看守稍怠，我和阿渡会比较容易脱身逃走。

月娘来看我的时候，我正在院子里种花。

我两只手上全是泥巴，月娘先是笑，然后就是发愁的样子："陛下遣我来看你，怎么弄成这样？"

我这才知道，原来宫中陛下新近的宠妃，被称为"娘子"的，竟然就是月娘。

我打量着月娘的样子，她穿着宫样的新衣，薄罗衫子，云鬓额黄，十分的华丽动人。我淡淡地笑着，说："幸好李承鄞不要我了，不然我就要叫你母妃，那也太吃亏了。"

月娘却连眉头都蹙起来了："你还笑得出来？"她也打量着我的样子，皱着眉头说，"你瞧瞧你，你还有心思种花？"

月娘告诉我一些外头我不知道的事。

原来赵良娣的家族在朝中颇有权势，现在正一力想落实我的罪名，然后置我于死地。陛下十分为难，曾经私下召李承鄞，因为屏退众人，所以也不知道说了些什么，只是后来陛下大怒，李承鄞亦是气冲冲而去。现在连天家父子都闹翻了，月娘从旁边婉转求情，亦是束手无策。

月娘说："我知道那些罪名都是子虚乌有，可是现在情势逼人，我求了陛下让我来看看你，你可有什么话，或是想见什么人？"

我觉得莫名其妙："我不想见什么人。"

月娘知道我没听懂，于是又耐心地解释了一番。原来她的意思是想让我见一见李承鄞，对他说几句软话。只要李承鄞一意压制，赵良娣那边即使再闹腾，仍可以想法子将这件事大事化小，小事化了，毕竟死掉的绪宝林没什么背景，而巫蛊之事，其实可大可小。

月娘道："我听人说宫里宝成年间也出过巫蛊之事，可是牵涉到当时最受宠的贵妃，中宗皇帝便杖杀了宫女，没有追查，旁人纵有些闲言碎语，又能奈何？"

要让我对李承鄞低头，那比杀了我还难。

我冷冷地道："我没做过那些事，他们既然冤枉我，要杀要剐随便，但让我去向他求饶，万万不能。"

月娘劝说我良久，我只是不允。最后她急得快要哭起来，我却拉着她去看我种的花。

我在冷宫里种了许多月季花，负责看守冷宫的人，对我和阿渡还挺客气，我要花苗他们就替我买花苗，我要花肥他们就替我送来花肥。这种月季花只有中原才有，从前在鸣玉坊的时候，月娘她们总爱簪一朵在头上。我对月娘说："等这些花开了，我送些给你戴。"

月娘蹙着眉头，说道："你就一点儿也不为自己担心？"

我拿着水瓢给月季花浇水："你看这些花，它们好好地生在土中，却被人连根挖起，又被卖到这里来，但还是得活下去，开漂亮的花。它们从来不担心自己，人生在世，为什么要担心这些那些，该怎么样就会怎么样，有什么好杞人忧天的。"

再说担心又有什么用，反正李承鄞不会信我。从前的那些事，我真希望从来没有想起来过。幸好，只有我想起来，他并没有想起。反正我一直在等，等一个机会，我想了结一切，然后离开这里，我不想再见到李承鄞。

月娘被我的一番话说得哭笑不得，无可奈何，只得回宫去了。

我觉得冷宫的日子也没什么不好，除了吃得差了些，可是胜在清静。

从前我明明很爱热闹的。

有天睡到半夜的时候，阿渡突然将我摇醒，我揉了揉眼睛，问："怎么了？"

阿渡神色甚是急迫，她将我拉到东边窗下，指了指墙头。

我看到浓烟滚滚，一片火光，不由得大是错愕。怎么会突然失火了？

火势来得极快，一会儿便熊熊烧起来，阿渡踹开了西边的窗子，我们从窗子里爬出去，她拉着我冲上了后墙。我们还没在墙上站稳，突然一阵劲风迎面疾至，阿渡将我一推，我一个倒栽葱便往墙下跌去。只见阿渡挥刀斩落了什么，"叮"的一响，原来是一支钢箭，阿渡俯身冲下便欲抓住我，不知从哪里连珠般射来第二支钢箭、第三支钢箭……阿渡斩落了好几支，可是箭密如蝗，将墙头一片片的琉璃瓦射得粉碎。我眼睁睁看着有支箭"噗"一声射进了她的肩头，顿时鲜血四溅，我大叫了一声"阿渡"，她却没有顾及到自己的伤势，挣扎着飞身扑下来想要抓住我的手。风呼呼地从我耳边掠过，我想起我们那次翻墙的时候也是遇上箭阵，阿渡没能抓住我，是裴照将我接住了。可是现在不会有裴照了，我知道，阿渡也知道。

在密密麻麻的箭雨中，阿渡终于拉住了我的胳膊，她的金错刀在墙上划出一长串金色的火花，坚硬的青砖簌簌往下掉着粉末，可是我们仍旧飞快地往下跌去，她的右肩受了伤，使不上力，那柄刀怎么也插不进墙里去，而箭射得更密集了，我急得大叫："阿渡你放手！放手！"

她若是不放手，我们两个只有一块儿摔死了。这么高的墙，底下又是青砖地，我们非摔成肉泥不可。

阿渡的血滴在我脸上，我使劲想要挣开她的手，她突然用尽力气将我向上一抡，我被她抛向了半空中，仿佛腾云驾雾一般，我的手本能地乱抓乱挥，竟然抓住了墙头的琉璃瓦。我手足并用爬上了墙头，眼睁睁看着阿渡又被好几支箭射中，她实在无力挥开，幸得终于还是一刀插进了墙上，落势顿时一阻，可是她手上无力，最后还是松开了手，重重地摔落在地上。

我放声大哭，在这样漆黑的夜晚，羽箭纷纷射在我旁边的琉璃瓦上。那些羽箭穿破瓦片，“砰砰”连声激起的碎屑溅在我脸上，生疼生疼，我哭着叫阿渡的名字，四面落箭似一场急雨，铺天盖地将我笼罩在其中。我从来没觉得如此的无助和孤独。

有人挡在了我面前，他只是一挥袖，那些箭纷纷地四散开去，犹有丈许便失了准头，歪歪斜斜地掉落下去。透着模糊的泪眼我看到他一袭白袍，仿佛月色一般皎洁醒目。

顾剑。

他挥开那些乱箭，拉着我就直奔上殿顶的琉璃瓦，我急得大叫：“还有阿渡！快救阿渡！”

顾剑将我推到鸱尾之后，转身就扑下墙去，我看到夜色中他的袍袖被风吹得鼓起，好似一只白色的大鸟般滑下墙头。底下突然有颗流星一般的火矢划破岑寂的夜色，无数道流星仿佛一场乱雨，那些火箭密密麻麻地朝着顾剑射去，我听到无数羽箭撞在墙上，“啪啪”的像是夏日里无数蛾子撞在羊皮蒙住的灯上一般，半空中燃起一簇簇星星点点的火光，又迅速地熄灭下去，顾剑身形极快，已经抱起阿渡。但那些带火的箭射得更密了，空气里全是灼焦的味道，那些箭带着尖利的啸声，曳着火光的尾从四面八方射向顾剑。我从鸱尾后探出头，看到一层层的黑甲，一步踏一步，那些沉重的铁甲铿然作响，密密地一层接一层地围上来，竟然不知埋伏了有几千几万人。

顾剑一手抱着阿渡，一手执剑斩落那些乱箭，在他足下堆起厚厚一层残箭，仍旧熊熊燃着，火光映在他的白袍上，甚是飘渺。他身形如鬼魅般，忽前忽后。那些箭纷纷在他面前跌落下去，但四面箭雨如蝗，他亦难以闯出箭阵包围。他白色的袍子上溅着血迹，不知道究竟是他的血，还是阿渡身上的血。阿渡虽然被他抱着，可是手臂垂落，一动不动，也不知道伤势如何。再这样下去，他和阿渡一定会被乱箭射死的。我心中大急，又不知道这里埋伏的究竟是些什么人，我忽然想这些人皆身着重甲，又在东宫之中明火放箭，这样大的动静，一定不会是刺客。我想到这里，不由得猛然站起身来，背后却有人轻轻将我背心一按，说道："伏下。"

我回头一看竟然是裴照，在他身后殿顶的琉璃瓦上，密密麻麻全是身着轻甲的羽林郎。他们全无声息地伏在那里，手中的弓箭引得半开，对准了底下的包围圈，这些人居高临下，即使顾剑能冲出包围，他们定然齐齐放箭，将他逼回箭阵之中。

我心中大急，对裴照说："快叫他们停下！"

裴照低声道："太子妃，太子殿下有令歼灭刺客，请恕末将不能从命。"

我抓着他的手臂："他不是刺客，而且他抱着的人是阿渡，阿渡也不是刺客。快快叫他们停下！"

裴照脸色甚是为难，可是一点一点，将手臂从我的指间抽了出来。我气得大骂："就算顾剑曾经行刺皇帝，又没有伤到陛下一根头发。再说你们要抓顾剑就去抓他，阿渡是无辜的，快快令他们停下。"

裴照声音低微，说道："殿下有令，一旦刺客现身，无论如何立时将他歼灭于乱箭之下，绝不能令其逃脱。请太子妃恕罪，末将不能从命。"

我大怒，说道："那要是我呢？若是顾剑抓着我，你们也放乱箭将我和他一起射死么？"

裴照抬起眼睛来看着我，他眸子幽暗，远处流矢的火光映在他的眼睛里，像是一朵一朵燃起的小小火花，可是转瞬即逝。我说道："快命他们停下，不然我就跳下去跟他们死在一起！"

裴照忽然手一伸，说道："末将失礼！"我只觉得穴位上一麻，足一软就坐倒在那里，四肢僵直再也不能动弹分毫。他竟然点了我的穴，令我动弹不得。我破口大骂，裴照竟不理会，回头呼："起！"

殿宇顶上三千轻甲铿然起身，呈半跪之姿，将手中的硬弓引得圆满，箭矢指着底下火光圈中的两人。

我急得眼泪都流出来了，我尖声大叫："裴照！今日你若敢放箭，我一定杀了你！"

裴照并不理我，回头大喝一声："放！"

我听到纷乱的破空之声，无数道箭从我头顶飞过去，直直地落向火光圈中的人。顾剑腾空而起，想要硬闯出去，可是被密集的箭雨逼退回去。我泪眼朦胧，看着铺天盖地的箭矢密不透风，顾剑白袍突然一挥，将阿渡放在了地上。他定是想独自闯出去，箭越来越密，到最后箭雨首尾相联，竟然连半分间隙都不露出来，将顾剑和阿渡的身影完全遮没不见。我急怒攻心，不停地大骂，裴照似乎充耳不闻。到后来我哭起来，我从来没有哭得这样惨过，昏天暗地，我甚至哀求他不再放箭，可是裴照只是无动于衷。

也不知过了多久，裴照终于叫了停，我泪光模糊，只看底下乱箭竟然堆成一座小山，连半分人形都看不到。第一排身着重甲的羽林郎沉重地退后一步，露出第二排的羽林郎，那些人手执长戈，将长戈探到箭山底下，然后齐心合力，将整座箭山几乎掀翻开去。

我看到顾剑的白袍，浸透了鲜血，几乎已经染成了红袍。

我张大了嘴，却哭不出声来，大颗大颗的眼泪从我脸颊上滑下去，一直滑到我的嘴里，又苦又涩。阿渡，我的阿渡。

这三年来一直陪着我的阿渡，连国恨家仇都没有报，就陪着我万里而来的阿渡，一直拿命护着我的阿渡……我竟然毫无办法，眼睁睁看着她被乱箭射死。

不知道什么时候裴照将我从殿上放下来，他解开我的穴道，我夺过他的剑指着他。他看着我，静静地道：“太子妃，你要杀便杀吧，君命难违，末将不能不从。”

我跌跌撞撞地走到包围圈外，那些人阻在中间不让我过去，我看着裴照，他挥了挥手，那些羽林郎就让开了一条缝隙。

阿渡脸上衣上全是鲜血，我放声大哭，眼泪纷纷落在她的脸上，她的身子还是暖的，我伸手在她身上摸索，只想知道她伤在何处，还能不能医治。她身上奇迹般没有中箭，只是腿上中了好几只箭，我一边哭一边叫着她的名字，她的眼珠竟然动了动。

我又惊又喜，带着哭腔连声唤着她的名字。她终于睁开眼来，可是她说不了话。最后只是拼尽全力，指着一旁的顾剑，我不懂她是什么意思，可是她的眼睛望着顾剑，死死攥着我的衣襟。

“你要我过去看他？”我终于猜到了她的意思，她微微点了点头。

我不知道阿渡究竟是何意，可是她现在这样奄奄一息，她要我做的事，我一定是会做的。

我走到顾剑身边，他眼睛半睁着，竟然还没有死。

我十分吃惊，他眼神微微闪动，显然认出了我，他背上不知插了有几十几百支箭，密密麻麻得像是刺猬一般，竟无一寸完好的肌肤。我心下甚是难过，他曾经一次又一次地救过我。在天亘山中是他救了我，适才乱箭之中，也是他救了我。我蹲了下来，叫了一声他的名字。

我并不知道李承鄞在此设下圈套埋伏，是我连累他。

他嘴角翕动，我凑过去了一些，裴照上前来想要拦阻我：“娘娘，小心刺客暴起伤人。”我怒道：“他都已经这样了，难道还能暴起伤人？”

我凑近了顾剑的唇边，他竟然喃喃地说：“阿渡……怎样……”

我万万没料到他竟然记挂着阿渡，我说：“她没事，就是受了伤。”

他嘴角动了动，竟然似一个笑意。

他受的伤全在背上，而阿渡的箭伤全在腿上，要害处竟然半分箭伤都没有。我忽然不知怎么地猜到了：“你将她藏在你自己身下？”

他并没有回答我，只是瞧着我，痴痴地瞧着我。

我忽然觉得心中一动，他救了阿渡，本来他走得脱，明明他已经将阿渡放下了，只要他撇下阿渡，说不定能硬闯出去，可是他不肯，硬拿自己的命救了阿渡。他为什么要救阿渡？我几乎是明知故问：“你为什么要救阿渡……”

“她……她要是……”他的声音轻微，像是随时会被夜风吹走，我不得不凑得更近些。只听他喃喃地说：“你会……会伤心死……”

我心中大恸，他却似乎仍旧在笑：“我可……可不能……让你再伤心了……”

我说：“你怎么这么傻啊，我又不喜欢你……你怎么这么傻啊……”

他直直地瞧着我：“是我……对不住你……”

我见他眼中满是惭悔之色，觉得非常不忍心，他明显已经活不成了，我的眼泪终于流出来：“师傅……”

他的眼睛却望着天上的星空，呼吸渐渐急促：“那天……星星就……像今天……亮……你坐沙丘……唱……唱歌……狐狸……”

他断续地说着不完整的句子，我在这刹那懂得他的意思，我柔声道："我知道……我唱歌……我唱给你听……"

我将他的头半扶起来，也不管裴照怎么想，更不管那些羽林郎怎么想，我心里只觉得十分难过，我记得那首歌，我唯一会唱的歌：

"一只狐狸……它坐在沙丘上……坐在沙丘上，瞧着月亮……噫，原来它不是在瞧月亮……是在等放羊归来的姑娘……"我断断续续唱着歌，这首歌我本来唱得十分熟练，可是今天不知道怎么回事，几乎每一句话都会走调，我唱着唱着，才发现自己泪如雨下，我的眼泪落在顾剑的脸上，他却一直瞧着我，含笑瞧着我，一直到他的整个身子都发冷了，冷透了……他的手才落到了地上。他的白袍早就被箭射得千疮百孔，褴褛不堪，我看到他衣襟里半露出一角东西，我轻轻往外拉了拉，原来是一对花胜。已经被血水浸得透了，我忽然想起来，想起上元那天晚上，他买给我一对花胜，我曾经赌气拔下来掷在他脚下，原来他还一直藏在自己衣内。我抛弃不要的东西，他竟然如此珍藏在怀里。

我半跪半坐在那里，声音凄惶。像是沙漠上刮过的厉风，一阵阵旋过自己的喉咙，说不出的难受："一只狐狸它坐在沙丘上……坐在沙丘上，晒着太阳……噫……原来它不是在晒太阳，是在等骑马路过的姑娘……"

裴照上前来扶我："太子妃……"

我回手一掌就劈在他的脸上，他似乎怔了怔，但仍旧将我硬拉了起来："末将送太子妃去见殿下。"

"我谁也不见！"我厉声道，逼视着他，"你们……你们……"我反复了两次，竟然想不出词来指责他。他不过是奉李承鄞之命，罪魁祸首还是李承鄞。

阿渡奄奄一息，顾剑死了。

都是因为我，为了我。

他们设下这样的圈套，顾剑本来可以不上当的，只是因为我。

顾剑本来也可以不死的，只是因为我。

是我要他救阿渡。

他便拼了命救阿渡。

一次又一次，身边的人为我送了命。

他们杀了阿翁，他们杀了阿娘，他们杀了赫失，他们又杀了顾剑……

他们将我身边的人，将爱着我的人，一个又一个杀得尽了……

裴照说道："阿渡姑娘的伤处急需医治，太子妃，末将已经命人去请太医……"

我冷冷地瞪着他，裴照并不回避我的目光，他亦没有分辩。

我不愿意再跟他说一句话。

可是阿渡的伤势要紧，我不让他们碰阿渡，我自己将阿渡抱起来。每次都是阿渡抱我，这次终于是我抱她，她的身子真轻啊，上次她受了那样重的伤，也是顾剑救了她，这次她能不能再活下来?

阿渡右肩的琵琶骨骨折了，还断了一根肋骨。太医来拔掉箭杆，扶正断骨，然后敷上伤药，阿渡便昏沉沉睡去了。

我蜷缩在她病榻之前，任谁来劝我，我连眼皮都不抬一下。我用双臂抱着自己，一心一意地想，待阿渡伤势一好，我就带她回西凉去。

李承鄞来见我，我衣上全是血水，头发亦是披散纠结，他皱眉道："替太子妃更衣。"

永娘十分为难，刚刚上前一步，我就拔出了金错刀，冷冷地盯着她。

李承鄞挥了挥手，屋子里的人全都退了出去。

他一直走到我面前，我从自己披散的头发间看到他的靴子，再近一步，再近一步……我正要一刀扎过去，他却慢慢地弯腰坐下来，瞧着我。

我直直地瞧着他。

他低声道："小枫，那人不可不除，他武功过人，竟能挟制君王，于万军中脱身而去，我不能不杀他……"

我连愤怒都没有了，只是淡淡地看着他。

"以你为饵是我的错，可是我也是不得已。赵良娣为世家之女，父兄悉是重臣，我得有一个正当的名义才能除去她。赵家和高相狼狈为奸，陛下亦为高党掣肘，所以才下决心替陈家翻案，陈氏旧案一旦重新开审，势必可以拔除高于明……赵良娣又陷害你……我只能先将计就计……现在你放心吧，事情已经结束了……"

他说的话太复杂了，我听不懂。

他又讲了许多话，大部分是关于朝局的。借着月娘家中十年前的冤情，一路追查，现在高家已经被满门抄斩，赵家亦已经伏诛，赵良娣毒杀绪宝林，却陷害我的事情也被彻底地揭露，她被逐出东宫，羞愤自尽……高家以前是拥护皇后的势力，皇后被废后，这些人又试图让高贵妃来重新争取后位。赵家更是蠢蠢欲动，这些人从前都曾帮助皇后暗算他的生母。后宫永远重复着这样的勾心斗角与阴谋暗算……他替他的母亲报了仇，他将二十年前的人和事一一追查出来，他这一生做的最得意的一件事情，也就是如此吧？

什么高相，什么赵家，什么顾剑，甚至还有月娘。

我听不懂。

尤其他说到赵良娣时的口气，就像碾死了一只蚂蚁一般轻描淡写。

他与之恩爱了三年的女人，他曾经如珠似宝的女人。

竟然全是演戏？

竟然连半分恩情都没有？

从前我很讨厌赵良娣，尤其她诬陷我的时候。可是这一刻，我只觉得她好生可怜，真的是好生可怜。

李承鄞的心，一定是石头刻成的吧。莫说是一个人，就算是一只猫，一只狗，养了三年，也不忍心杀死它吧……我以为三年了，事情会有所改变，可是唯一没有变的就是他。不管他是不是曾经跳进忘川里，不管他是不是忘了一切，他都永远不会忘记他的权力，他的阴谋。他总是不惜利用身边的人，不惜利用情感，然后去达成自己的目的。

他竟然伸了伸手，想要摸我的脸。

我觉得厌恶："走开！"

李承鄞道："他们不会伤到你的，他们都是羽林郎中的神射手，裴照亲自督促，那些箭全落在你身边，不会有一支误伤到你。我不该拿你冒险，其实我心中好生后悔……"

"那阿渡呢？"我冷冷地看着他，"阿渡若是同顾剑一起死了……"

他又怔了怔，说道："小枫，阿渡只是个奴婢……"

我"啪"一声打在他脸上，他亦没有闪避，我气得浑身发抖："她拿自己的命护着我，她千里迢迢跟着我从西凉来……阿渡在你眼里只是个奴婢，可在我心里她是我姐妹。"我想到顾剑，想到他为了救阿渡而死，想到他说，他说他可不能再让我伤心了。连顾剑都知道，如果阿渡死了，我也会伤心而死的。

李承鄞伸出手来，抱着我，他说："小枫，我喜欢你。那天我生着病，你一直被我拉着手，直到发麻也不放开，那时候我就想，世上怎么有这么傻的丫头，可是我没想过，我会喜欢你这个傻丫头。你被刺客抓走的时候，我是真的快要急疯了……那时候我想，若是救不回来你，我该怎么样……我从来没有怕过……可是你回来了，你说你喜欢顾小五，我知道顾小五就是顾剑，我嫉妒得快要发了狂。对，我不愿留他性命，因为他不仅仅是刺客，还是顾小五。现在顾小五已经死了，是我不对，我不应该杀他，可是小枫，我是不得已，从今后再没有人能伤害你，我向你保证，你信我一次，好不好？”

我的眼泪掉在我自己的手背上，我怎么这样爱哭呢？

三年前我从忘川上跳下去的时候，万念俱灰，我只想永远地忘记这个人。我终于真的将他忘了，我只记得嫁给李承鄞之后的事情，他是那样英俊，那样温文儒雅，那样玉树临风。那时候我一心一意盼着他能够喜欢我，哪怕他能偶尔对我笑一笑，亦是好的。

现在他将我抱在怀里，说着那样痴心的话，可是这一切，全都不是我想要的。

我摇了摇头，将自己的手从他手里抽出来：“他不是顾小五，顾小五早就已经死了。”

李承鄞怔怔地瞧着我，过了好半晌才说：“我都已经认错了，你还要怎么样？”

我觉得疲倦极了，真的不想再说话，我将头倚靠在柱子上：“你原来那样喜欢赵良娣，为了她，天天同我吵架。可是现在却告诉我说，你是骗她的。你原来同高相国来往最密切，现在却告诉我说，他大逆不道，所以满门抄斩……你原来最讨厌我，口口声声要休了我，现在你却说，你喜欢我……你这样的人……叫我如何再信你……”

李承鄞停了一停，却并没有动：“小枫，我是太子，所以有很多事情，我是不得已。”

我突然笑了笑：“是啊，一个人若是要当皇帝，免不了心硬血冷。”

当初顾剑对我说这句话的时候，我浑没半分放在心上，现在我终于明白了。

一个人朝着帝王的权位渐行渐近，他将屏弃许多许多热忱的情感。比如我和阿渡之间的情谊，他就无法理解，因为他没有。他从来不曾将这样的信任，给予一个人。

我问："如果有一天，我危及到你的皇位、你的江山、你的社稷，你会不会杀了我？"

李承鄞却避而不谈："小枫，比皇宫更危险的地方是东宫，比当皇帝更难的是当太子……我这一路的艰辛，你并不知道……"

我打断他的话："你会不会，有一天也杀了我？"

他凝视我的脸，终于说："不会。"

我笑了笑，慢慢地说："你会。"

我慢慢地对他说："你知不知道，有一个地方，名叫忘川？"

他怔怔地瞧着我。

"忘川之水，在于忘情……"我慢慢地转过身，一路哼唱着那支熟悉的歌谣，"一只狐狸它坐在沙丘上……坐在沙丘上，晒着太阳……噫……原来它不是在晒太阳，是在等骑马路过的姑娘……"

我知道，我心里的那个顾小五，是真正的死了。

李承鄞明明知道赵良娣派人用慢毒毒死绪宝林，可是他一点儿都不动声色。

与他有过肌肤之亲的女人，命如草芥一般。

李承鄞明明只不过利用赵良娣，可是他还能每天同她恩爱如海。

与他有过白头之约的女人，亦命如草芥一般。

李承鄞明明知道赵良娣陷害我，可是他一点儿都不动声色，仍旧看着我一步步落入险境，反倒利用这险境，引诱顾剑来，趁机将顾剑杀死。

他不会再一次跟着我跳下忘川。

我心里的那个顾小五，真的就这样死去了。

我衣不解带地守在阿渡身边，她的伤势恶化发烧的时候，我就想到顾剑，上次是顾剑救了她，这次没有了。

阿渡发烧烧得最厉害的时候，我也跟着病了一场。

那天本来下着暴雨，我自己端着一盆冰从廊桥上走过来，结果脚下一滑，狠狠摔了一跤。

那一跤不过摔破了额头，可是到了晚上，我也发起烧来。

阿渡也在发烧，李承鄞说是阿渡将病气过给了我，要把阿渡挪出去。他说我本来才养好了病，不能再被阿渡传染上。

是谁将阿渡害成这样子？

我怒极了，拿着金错刀守着阿渡，谁都不敢上前来。

李承鄞也怒了，命人硬是将我拖开。

阿渡不知道被送到哪里去了，我被关在内殿里头，我没力气再闹了，我要我的阿渡，可是阿渡现在也不知道去哪里了。

我不吃饭，也不吃药，永娘端着药来，我拼尽了力气打翻了她手中的药碗，我只要阿渡。这东宫我是一天也呆不下去了，我要阿渡，我要回西凉。

我昏昏沉沉地睡了一整天，一直做着噩梦。我梦见阿娘，我梦见自己流了许多眼泪，我梦见阿爹，他粗糙的大手摸着我的发顶，他对我说："孩子，委屈你了。"

我不委屈，我只觉得筋疲力尽，再不能挣扎。像是一条鱼，即将窒息；又像是一朵花，就要枯萎。

李承鄞和东宫，是这世上最沉重的枷锁，我已经背负不起。

后来永娘将我轻轻地摇醒，她告诉我说："阿渡回来了。"

阿渡真的被送回来了，仍旧昏迷不醒地躺在床上，也不知道李承鄞如何会改了主意。

我摸着阿渡的手，她的手比我的手还要烫，她一直发着高烧，可是只要她在这里，我能陪着她，就好。

永娘并没有说什么，只说：“阿渡回来了，太子妃吃药吧。”

我一口气将那一大碗苦药喝完了，真是苦啊，我连压药的杏饯都没有吃。我朝永娘笑了笑，她却突然莫名其妙地掉了眼泪。

我觉得甚是奇怪，问：“永娘，你怎么了？”

永娘却没有说话，只是柔声道：“太子妃头发乱了，奴婢替您重新梳吧。”

犀梳梳在头发中，很舒服。永娘的手又轻又暖，像是阿娘的手一般。她一边替我梳着头发，一边慢慢地说道：“记得那时候太子妃刚到东宫，就病得厉害，成宿成宿地烧得滚烫。太医们又不敢随便用药，怕有个好歹。奴婢守在您身边，那时候您的中原话还说得不好，梦里一直哭着要嬗子，要嬗子，后来奴婢才知道，原来嬗子就是西凉话里的阿娘。”

我都忘了，我就记得刚到东宫我病过一回，还是永娘和阿渡照顾我，一直到我病好。

“那年您才十五岁。”永娘帮我轻轻将头发挽起来，“一晃三年就过去了。”

我转过头看她，她对着我笑了笑：“娘娘的芳辰，宫中忘了，殿下也忘了，今天娘娘十八岁了。”

我真的忘了这些事，阿渡病得死去活来，我哪记得起来过生日。宫里掖庭应该记得这些事，可是据说现在宫中乱得很，高贵妃出了事，其余的人想必亦顾不上这样的琐事。

只有永娘还记得。

她用篦子细心地将我两侧的鬓发抿好：“从今以后，太子妃就是大人了，再不能任性胡闹了。”

任性胡闹？

我觉得这四个字好遥远……那个任性胡闹的我，似乎早就已经不在了。三年前她就死在了忘川的神水中，而我，只是借着她的躯壳，浑浑噩噩，又过了三年。我把一切都忘记，将血海深仇都忘记，跟着仇人，过了这三年。直到，我再次爱上他。

他却永远不会想起我了。

幸好，我也宁愿他永远不会想起我。

阿渡的伤渐渐好起来的时候，夏天已经快要结束了。

在养伤的时候，她打着手势告诉我一些事情，比如，顾剑是怎么救的她。原来最早的那次，因为我要顾剑救她的内伤，结果顾剑为此折损了一半的内力。若不是这样，他也不至于死于乱箭之中。

阿渡同我一样傻气。

我慢慢地比划出一句话，我问她："你是不是喜欢他？"

阿渡没有回答我，她的眼睛里有一层淡淡的水雾，她转过脸看着窗外的荷花，不一会儿就转回脸来，重新对着我笑。

我明明知道她哭了。

这丫头同我一样，连哭起来都是笑着对人。

从阿渡那里，我知道了许多事，比如第一次李承鄞遇刺，阿渡出去追刺客，被刺客重伤。我一直以为那真的是皇后派出来的人，可是最后阿渡却发现不是。

"是殿下的人。"阿渡在纸上写，"孙二为首。"

我被这个名字彻底地震到了。孙二？如果孙二是李承鄞的人，那么皇后是冤枉的？根本不是她派人来行刺李承鄞，而是李承鄞自己的苦肉计？在鸣玉坊的时候，又是孙二带着人去泼墨闹事，将我和李承鄞引开，这中间的阴谋，全与李承鄞脱不了干系？

他到底做了什么？李承鄞他，到底做了些什么……

阿渡一笔一划在纸上写着，断续地告诉我：当日她在鸣玉坊外觉得情形不对，就尾随孙二而去，想查看个究竟，不想被孙二发现，孙二手下的人武功都非常高，她寡不敌众，最后那些人却没有杀她，只是将她关在一个十分隐秘的地方。幸好几天后顾剑将她救了出去，并且带她去破庙见我。她质问顾剑为什么将我藏在破庙里，才知道顾剑原来和孙二都是受李承鄞指使。而原本李承鄞让顾剑去挟制陛下，是想让陛下误以为有人阻挠他追查陈家旧案。谁知我会冲出来自愿换作人质，所以顾剑才会将计就计带走我。

我已经不敢去想，也不愿去想，我只觉得每每想到，都像是三九隆冬，心底一阵阵地发寒。李承鄞现在于我，完全是一个陌生的人，一个可怕的陌生人，我永远也想不出他还能做出什么事来。三年前他做过的一切那样可怕，三年后他更加可怕。他设下圈套杀顾剑，是不是想杀人灭口？顾剑明明是他的表亲，替他做了那么多见不得光的事情。李承鄞连阿渡都不顾惜，是不是永远也不想让我知道一些事情。

我觉得心里彻底地冷了，他到底在做什么？我第一次觉得，这世上的人心这样可怕，这东宫这样的可怕，李承鄞这样的可怕。

可怕到我不寒而栗。

我和阿渡仍旧被半软禁着，现在我也无所谓了。在这寂寞的东宫里，只有我和她相依为命。

月娘来看过我几次，我对她说："你一个人在宫里要小心。"

帝王的情爱，如何能够长久。皇帝将她纳入宫中，只是借着她的名头替陈家翻案，宫里的美人那样多，是非只怕比东宫还要多。高贵妃急病而卒，私下里传说她是因为失势，所以吞金自尽。宫里的事情，东宫里总是传得很快。

我知道月娘的处境很微妙，皇帝虽然表面上对她仍旧宠爱，但是她毕竟出身勾栏，现在朝中新的势力重新形成，陛下又纳了新的妃子。大臣们劝说他册立一位新皇后，但陛下似乎仍没拿定主意。

如果有了皇后，不知道月娘会不会被新皇后忌妒。永娘对我说过前朝兰妃的事，她是因为出身不好，所以被皇后陷害而死的。我实在不想让月娘落到那样的下场。

月娘嫣然一笑："放心吧，我应付得来。"

她弹了一首曲子给我听。

"采莲南塘秋，莲花过人头，低头弄莲子，莲子清如水……"

月娘的声音真好听啊，像是柔软的雾，又像是荷叶上滚动的清露，更像是一阵风，吹过了高高的宫墙，吹过了秋千架，吹过了碧蓝的天，吹过了洁白的云……那碧蓝的天上有小鸟，它一直飞，一直飞，往西飞，飞回到西凉去，虽然西凉没有这样美的莲塘，亦没有采莲的美人，可是西凉是我的家。

我想起从前在鸣玉坊的日子，那个时候我多么快活，无忧无虑，纵情欢歌。

我叹息："不知道下次听你唱曲，又是何时了。"

月娘说道："我再来看你便是了。"

我没有说话，我已经决心回西凉去了。

阿渡的伤好了，我们两个可以一起走了。

李承鄞命裴照选了好些人跟随在我左右，名义上是为了保护我，其实是看守罢了，那些人看守得十分严密，如果我同阿渡硬闯出去，我想是不成的。所以只能见机行事。

七月初七的乞巧节，对宫中来说是个热闹的大日子。因为陛下的万寿节也正巧是这一天，所以从大半个月前，宫中就张灯结彩，布置苑林，添置新舟。这天的赐宴是在南苑池的琼山岛上，岛上有花萼楼与千绿亭，都是近水临风、消暑的好地方。

李承鄞一早就入宫去了，我比他稍晚一些。万寿节陛下照例要赐宴群臣，所以承德殿中亦有大宴。而后宫中的宴乐，则是由陛下新册的贤妃主持的，安排得极是妥当。我从甘露殿后登舟，在船上听到水边隐隐传来的乐声，那些是被贤妃安排在池畔树阴下的乐班，奏着丝竹。借着水音传来，飘渺如同仙乐。

正式的宴会是从黄昏时分开始的，南苑池中种满了千叶白莲，这些莲花花瓣洁白，千层重叠，就是没有香气。贤妃命人在水中放置了荷灯，荷灯之中更置有香饼，以铜板隔置在烛上，待烛光烘焚之后香气浓烈，远远被水风送来，连后宫女眷身上的熏香都要被比下去了。临水的阁子上是乐部新排的凌波舞，身着碧绿长裙的舞姬仿佛莲叶仙子一般，凌波而舞。阁中的灯烛映在阁下的水面波光，流光潋滟，辉映闪耀得如同碎星一般。

陛下对这样的安排十分满意，他夸奖贤妃心思灵巧。尤其是荷灯置香，贤妃笑吟吟道："这哪里是臣妾想出来的，乃是臣妾素日常说，莲花之美，憾于无香。臣妾身边的女官阿满，素来灵巧，终于想出法子，命人制出这荷香灯来，能得陛下夸奖，实属阿满之幸，臣妾这便命她来谢恩吧。"

那个叫阿满的女官，不过十六七岁，姗姗而出，对着陛下婷婷施一礼，待抬起头来，好多人都似乎吸了口气似的，这阿满长得竟然比月娘还要好看。所有人都觉得她清丽无比，好似一朵白莲花一般。陛下似乎也被她的美貌惊到了，怔了一怔，然后命人赏了她一对玉瓶，还有一匣沈水香。我还以为陛下又会将她封作妃子，谁知陛下突然对李承鄞说道："鄞儿，你觉得此女如何？"

李承鄞本来坐在我的对面，他大约是累了，一直没怎么说话。现在听到皇帝忽然问他，他方才瞧了那阿满一眼，淡淡地道："是个美人。"

陛下道："你身边乏人侍候，不如叫阿满去东宫，我再命掖庭另选人给贤妃充任女官。"

李承鄞说道：“儿臣身边不缺人侍候，谢父皇好意。”

我忍不住动了动，陛下问：“太子妃有什么话说？”

我说道：“父皇，殿下脸皮薄，不好意思要。阿满长得这么漂亮，他不要我可要了，请求陛下将阿满赏赐给我吧。”

陛下哈哈一笑，便答允了。

我知道李承鄞瞪了我一眼，我可不理睬他。贤妃似乎甚是高兴，立时便命阿满去到我案边侍候。半夜宴乐结束之后，出宫之时，她又特意命人备了马车相送阿满，随在我的车后。

宫中赐宴是件极累人的事，尤其顶着一头沉重的钗钿。车行得摇摇晃晃，几乎要把我的颈子都摇折了，我将沉重的钗钿取下来，慢慢地吁了口气，但愿这样的日子，今后再也不会有了。

最后车子停下来，车帷被揭开，外头小黄门手提着灯笼，放了凳子让我下车。我刚刚一欠身，突然李承鄞下了马，气冲冲地走过来，一脚就把凳子踢翻了。吓得那些小黄门全都退开去，跪得远远的。

“你干什么？”我不由得问。

结果他胳膊一伸，就像老鹰抓小鸡一般，将我从车里抓出来了。

阿渡上前要来救我，裴照悄无声息地伸手拦住她。李承鄞将我扛在肩上，我破口大骂，然后看到阿渡跟裴照打起来了，裴照的身手那么好，阿渡一时冲不过来。我大骂李承鄞，乱踢乱咬，使劲掐他的腰，把他腰带上嵌的一块白玉都抠下来了，他却自顾自一路往前走，将我一直扛进了丽正殿里。

“砰！”

我的脑袋撞在了瓷枕上，好疼啊！李承鄞简直像扔米袋子似的，就把我往床上一扔。我马上爬起来，他一伸胳膊又把我推倒了。隔了好几个月没打架，果然手脚迟钝了不少。我们两个只差没把大殿都给拆了，内侍曾经在门口探头探脑，结果李承鄞朝他扔了个花瓶，“砰”地差点砸在他身上，那内侍吓得连忙缩了回去，还随手带上了门。这一场架打得我气喘吁吁，上气不接下气。到最后我终于累瘫在那儿了，一动也不想动。我不再挣扎，李承鄞就温存了许多。

李承鄞还是从后面抱着我，他似乎喜欢这样抱人，可是我枕着他的胳膊，总觉得硌人。

其实他可能也累极了，他的鼻息喷在我的脖子里，痒痒的。他喃喃地说着什么话，大抵是哄骗我的甜言蜜语。

我没有吭声。

过了好久他都没有说话，我慢慢地回头看，他竟然歪着头睡着了。

我伸手按在他的眼皮上，他睡得很沉，一动不动。

我小心地爬起来，先把襦裙穿好，然后打开窗子。阿渡悄无声息地进来，递给我一把剪刀。

我坐在灯下，开始仔细地剪着自己的指甲。

小心翼翼地不让指甲里的白色粉末被自己的呼吸吹出来。

这种大食来的迷魂药粉果然厉害，我不过抓破了李承鄞胳膊上的一点儿皮肤，现在他就睡得这样沉。

剪完指甲我又洗了手，确认那些迷药一点儿也不剩了，才重新换上夜行衣。

阿渡将刀递给我，我看着熟睡着的李承鄞，只要一刀，只要轻轻地在他颈中一刀，所有的仇恨，都会烟消云散。

他睡得并不安稳，虽然有迷药的效力，可是他眉头微皱，眼皮微动，似乎正做着什么梦。我轻轻地将冰凉的刀锋架在他的脖子上，他毫无知觉，只要我手上微微用力，便可以切开他的喉管。

他的嘴角微动，似乎梦里十分痛苦，我慢慢地一点一点用着力，血丝从刀刃间微微渗出来，已经割破他薄薄的皮肤，只要再往下一分……他在梦里似乎也感受到了这痛楚，脸上的肌肉开始扭曲，手指微动，像是要抓住什么。他似乎在大吼大叫，可是其实发出的声音极其轻微，轻得我几乎听不清。

我的手一颤，刀却“咣当”一声落在了地上，阿渡以为李承鄞醒了，急急地抢上来。我却用手掩住了自己的脸。

我终于想起来，想起三年前坠下忘川，他却紧跟着我跳下来，他拉住了我，我们在风中急速向下坠落……他抱着我在风中旋转……他不断地想要抓住山壁上的石头，可是我们落势太快，纷乱的碎石跟着我们一起落下，就像满天的星辰如雨点般落下来……就像是那晚在河边，无数萤火虫从我们衣袖间飞起，像是一场灿烂的星雨，照亮我和他的脸庞……天地间只有他凝视着我的双眼……

我一次一次在梦中重逢这样的情形，我一次又一次梦见，但我却不知道，那个人是他。

直到我再次想起三年前的事情，我却并没有能想起，耳边风声掠过，他说的那句话。

原来只是这一句：“我和你一起忘。”

忘川冰凉的碧水涌上来淹没我们，我在水里艰难地呼吸，一吞一吐都是冰冷的水。他跳下来想要抓着我，最后却只对我说了这样一句话。

“我和你一起忘。”

所有的千难万险，所有的一切，他原来也知道，他也觉得对不起我。

在忘川之巅，当他毫不犹豫地追随着我跳下来的时候，其实也想同我一样，忘记那一切。

他也明明知道，顾小五已经死了，同我一样，淹死在忘川里。

我们都是孤魂野鬼，我们都不曾活转过来。我用三年的遗忘来苟活，而他用三年的遗忘，抹杀了从前的一切。

在这世间，谁会比谁过得更痛苦？

在这世间，遗忘或许永远比记得更幸福。

阿渡拾起刀子，重新递到我手中。

我却没有了杀人的勇气。

我凝睇着他的脸，就算是在梦中，他也一样困苦。多年前他口中那个小王子，活得那样可怜，如今他仍旧是那样可怜，在这东宫里，没有他的任何亲人，他终究是孤伶伶一个，活在这世上，孤独地朝着皇位走去，一路把所有的情感，所有的热忱，所有的怜悯与珍惜，都统统舍去。或许遗忘对他而言是更好的惩罚，他永远不会知道，我曾经那样爱过他。

我拉着阿渡，掉头而去。

本来李承鄞让裴照在我身边安排了十几个高手，可是今天晚上我跟李承鄞打架，动静实在太大，这些人早就知趣地回避得远远的，我和阿渡很顺利地就出了丽正殿。

混出东宫这种事对我们而言，一直是家常便饭。何况这次我们计划良久，不仅将羽林军巡逻的时间摸得一清二楚，而且还趁着六月伏中，东宫的内侍重新调配，早将一扇极小的偏门留了出来。我和阿渡一路躲躲闪闪，沿着宫墙七拐八弯，眼看着就要接近那扇小门，忽然阿渡拉住了我。

我看到永娘独自站在那里，手中提着一盏灯，那盏小灯笼被风吹得摇摇晃晃，她不时地张望，似乎在等什么人。

我和阿渡躲在一丛翠竹之后，过了好久，永娘还是站在那里。

我拉了拉阿渡的衣袖，阿渡会意，慢慢拔出金错刀，悄悄向永娘走去。

不防此时永娘忽然叹了口气，扶着膝盖坐了下来。

阿渡倒转刀背，正撞在永娘的穴位之上，永娘身子顿时僵在那里，一动也不能动。

我伸出胳膊，抱了抱她发僵的身子，低声说道："永娘，我走了，不过我会想你的。"

在这东宫，只有永娘同阿渡一样，曾经无微不至地照顾过我。

永娘的嘴角微张，她的哑穴也被封了，不能发出任何声音。我又用力抱了抱她，发现她胸前鼓鼓的，硌得我生疼，不知道是什么东西，我取出来一看，竟然是一包金叶子。永娘的眼珠子还瞧着我，她的眼睛里慢慢泛起水光，对着我眨了眨眼睛，我鼻子一酸，忽然就明白了，她原来是在这里等我。

这包金叶子，也是她打算给我的。

我不知道该说什么才好，从前她总逼着我背书，逼着我学规矩，逼着我做这个做那个，逼着我讨好李承鄞……

所以准备逃跑计划的时候，我曾经十分小心地提防着她。

没想到她早就看出来了，却没有去报告李承鄞。如果她真的告诉了李承鄞，我们就永远也走不了了。

在这东宫，原来也有真心待我好的人。

阿渡扯着我的衣袖，我知道多留一刻便多一重被人发现的危险。我含着眼泪，用力再抱一抱永娘，然后拉着阿渡，悄悄遛出了那扇小门。

这扇门是留给杂役出入的，门外就是一条小巷，我们翻过小巷，越过好些民宅，横穿东市各坊，然后一直到天快要朦朦亮了，才钻进了米罗的酒铺。

米罗正在等着我们。她低声告诉我们说："向西去的城门必然盘查得紧，只怕不易混出去。今天有一队高丽参商的马队正要出城去，他们原是往东北走，我买通了领队的参商，你们便跟着他们混出城去。那些高丽人身材矮小，你们混在中间，也不会令人起疑。"她早预备下了高丽人的衣服，还有帽子和胡子，我和阿渡装扮起来，换上高丽人的衣衫，再黏上胡子，最后戴上高丽人的帽子，对着铜镜一照，简直就是两个身材矮小的高丽商人。

这时候天已经渐渐亮起来，街市上渐渐有人走动，客栈里也热闹起来，隔壁铺子打开铺板，老板娘拿着杨枝在刷牙，胖胖的老板打着呵欠，跟米罗搭讪说话。那些高丽人也下楼来了，说着又快又绕舌头的高丽话。自从骁骑大将军裴况平定高丽后，中原与高丽的通商反倒频繁起来，毕竟商人逐利，中原有这样多的好东西，都是高丽人日常离不了的。

我们同高丽商人一起吃过了饼子做早饭，便收拾了行装准备上路。这一队高丽商人有百来匹马的马队，是从高丽贩了人参和药材来，然后又从上京贩了丝绸茶叶回高丽。马队在院子里等着装货，一箱一箱的货物被驮上马背。那些马脖子上挂的铜铃咣啷咣啷……夹在吵吵闹闹的高丽话里，又热闹又聒噪。

我和阿渡各骑着一匹马，夹杂在高丽商人的马队里，跟着他们出城去。城门口果然盘查得非常严，有人告诉我们说城中天牢走失了逃犯，所以九门都加严了盘查，最严的当然是西去的城门，据说今天出西门的人都被逐一搜身，稍有可疑的人就被扣押了下来，送到京兆尹衙门去了。我和阿渡心中有鬼，所谓的走失逃犯，大约就是指我和阿渡吧。

因为每个人都要盘问，城门口等着盘查的队伍越排越长，我等得心焦起来。好容易轮到我们，守城的校尉认真验了通关文牒，将我们的人数数了一遍，然后皱起眉头来：“怎么多出两个人？”

领队的高丽人比划了半晌，夹着半生不熟的中原话，才让守城门的人明白，他们在上京遇上家乡的两个同伴，原是打仗之前羁留在上京的，现在听说战事平靖了，所以打算一起回去。

那人道：“不行，文牒上是十四人，就只能是十四人，再不能多一个。”

我突然灵机一动，指了指自己和阿渡，学着高丽人说中原话的生硬腔调："我们两个，留下。他们走。"

那校尉将我们打量了片刻，又想了想，将文牒还给领队，然后指了指我们身后的另两个高丽人，说："他们两个，留下。你们可以走。"

领队的高丽商人急了，比划着和那人求情，说要走就一起走，我也帮着恳求，那人被我们怪腔怪调的中原官话吵得头昏脑涨："再不走就统统留下思密达！"

我们犹是一副不死心的样子，围着那人七嘴八舌，这时后面等候的队伍越来越长，更多人不耐烦了，纷纷鼓噪起来。本来天朝与高丽多年交战，中原人对高丽人就颇有微辞，现在更是冷嘲热讽，说高丽人最是喧哗不守规矩。

那些高丽商人气得面红耳赤，便欲揎拳打架。校尉看着这些人就要打起来，怕闹出大事来，更怕这里堵的人越来越多，连忙手一挥："就刚才我指的那两个高丽人不准出城，其他的轰出去！"

我们一群人带马队被轰出了城门，那两名高丽商人无可奈何地被留在城内。我心中好生愧疚，领队却悄悄拉了拉我的衣袖，朝我伸了伸手。

我没弄懂他的意思，领队便捻着胡子笑起来，用不甚熟稔的中原话说："给钱！"

我大是惊诧："米罗不是给过你钱了吗？"

那领队的高丽人狡猾地一笑："两个人，城里，加钱。"

我想到他们有两个同伴被扣在了城内，便命阿渡给了他一片金叶子。

后来我深悔自己的大方。

那高丽人看到金叶子，眼睛里差点没放出光来。后来一路上，那高丽人时时处处都找借口，吃饭的时候要我们给钱，住客栈的时候要我们给钱，总是漫天要价。我虽然不怎么聪明，可是这三年来几乎天天跟阿渡在上京街头混，什么东西要花多少钱买，我还是知道的。寻常两片金叶子就可以买下一间宅子，那高丽人却吃一顿饭也要我们一片金叶子，把我们当冤大头来宰。我想反正这些钱全是李承鄞的，所以花起来一点儿也不心疼，再说他们确有同伴被拦在城里，让那些高丽人占点便宜也不算什么，于是只装作不懂市价而已。那些高丽人虽然贪婪，不过极是吃苦，每日天不亮就起床，直到日落才歇脚。每日要行八九个时辰，我三年没有这么长时间地骑马了，颠得我骨头疼，每天晚上一到歇脚的客栈，我头一挨着枕头就能睡着。

这天夜里我睡得正香，阿渡突然将我摇醒了。她单手持刀，黑暗中我看到她眼睛里的亮光，我连忙爬起来，低声问："是李承鄞的人追上来了？"

阿渡摇了摇头。也不知道是她不知道，还是她没猜出来。

我们伏在夜色中静静等候，忽然听到"嗤"的一轻声响，若是不留意，根本听不到。只见一根细竹管刺破了窗纸，伸了进来。阿渡与我面面相觑，那只细竹管里突然冒出白烟来，我一闻到那味道，便觉得手足发软，再也站不住，原来吹进来的这白烟竟然是迷香。阿渡抢上一步，用拇指堵住竹管，捏住那管子，突然往外用力一戳。

只听一声低呼，外头"咕咚"一声，仿佛重物落地。我头晕眼花，阿渡打开窗子，清新的风让我清醒了些，她又喂给我一些水，我这才觉得迷香的药力渐渐散去。阿渡打开房门，走廊上倒着一个人，竟然是领队的那个高丽人，他被那迷香细管戳中了要穴，现在大张着嘴僵坐在那里。阿渡拿出刀子搁在他颈上，然后看着我。

我唯恐另有隐情，对阿渡说："把他拖进来，我们先审审。"

阿渡将他拖了进来，重新关好门。我踢了那人一脚，问："你到底是什么人？"

那人甚是倔强："要杀便杀，大丈夫行走江湖，既然失手，何必再问。"

"哦，原来用迷香这种下三滥招数也算是大丈夫？"

那人脸上却毫无愧疚之意，大声道："为了赢，不择手段！"

我说："现在你可是输了！"

那人还待要犟嘴，阿渡在他腿上轻轻割了一刀，顿时血流如注。他便杀猪似的叫起来，再问他什么他都肯说。原来这个高丽人看我们出手大方，愈加眼红，便起了杀人劫财之意，原是想用迷香将我和阿渡迷倒，没想到刚刚吹进迷香，就被阿渡反戳中了穴道。

"原来是个假装成商人的强盗！"我又踢了他一脚，"快说！你到底害过多少人？"

那人涕泪交加，连连求饶，说他真的是正当商人，不过一时起了贪念，所以才会这样糊涂。从前从来没有害过人，家中还有七十岁的老母和三岁的幼子……

是不是每个人都是这样贪得无厌？这个高丽人想要更多的钱财，官员想要当更大的官，而皇帝永远想着要更大的疆域。所以年年征战，永无止息。

从来没有满足的时候。

我又想起了李承鄞，那个小王子，终究是一步一步，走到了今天。他的父皇用皇位诱惑着他，他便一步一步，走到了今天。

而我，其实只不过想要一个人，陪我在西凉，放马、牧羊。这样简简单单的欲望，却没有办法达成了。

阿渡轻轻地用刀柄敲在高丽人的头上，他头一歪就昏过去了。我和阿渡将他绑在桌子底下，然后堵上他的嘴。阿渡比划着问我要不要杀他，我摇头："这个人醒过来也不敢报官，毕竟是他先要谋财害命。就把他绑在这里吧，我们不能再跟他们一路了，正好改向西行。"

我们怕露了行迹，天没亮就离了客栈。骑马走了好一阵子，太阳才出来，到了下午，在一处集市上将马卖了，又买了一架牛车，我和阿渡扮成是农人与农妇的样子，慢慢往西行去。

追兵自然还是有的，很多时候大队人马从后头直追上来，我们这样破旧的牛车，他们根本就不多看一眼，风驰电掣般过去了。每到一城就盘查得更严，可是我和阿渡有时候根本就不进城，绕着乡间的小路而行。一路行来自然极是辛苦，也不知道走了有多久，终于走到了玉门关。

看到两山之间扼守的雄关，我终于振奋了起来。

只要一出关，就是西域诸国的地界，李承鄞哪怕现在当了皇帝，如果硬要派追兵出关去，只怕也会让西域诸国哗然，以为他是要宣战，到时候真打起仗来，不是那么容易的事。正因为如此，玉门关内亦张贴了缉拿钦犯的海捕文告，我和阿渡扮成男人的样子赫然被画在上头，不过名字可不是我们俩的。

说实话，那画画得可真像，李承鄞只见过一次我穿男装，难为他也能命人画得出来。

不过现在我和阿渡都是女装，海捕文告上通缉的江洋大盗可是男人，所以我和阿渡就排在了过关的队伍里。只是我们没有过关的文牒，怎么样混出关去，却是一桩难事。

我并不紧张，我包里有不少金银，阿渡武功过人，真遇上什么事，先打上一架，打不赢我们再用钱收买好了。

没想到这次我们既打不赢，也没法子收买。

我瞧着关下的将军。

裴照。

我觉得李承鄞真是狡猾，我便是绕着全天下跟他兜个圈子，仍旧得从玉门关出去，才能回去西凉。现在他派裴照来守住玉门关，挨个挨个盘查，就算是阿渡武功过人，试图硬闯，这玉门关常年驻着数万人的大军，真要打起来惊动了大军，我和阿渡只怕插着翅膀也飞不出去。

我对裴照笑了笑，裴照也对我笑了笑。

我说："裴将军，你怎么会在这里呢？"

裴照道："末将受殿下差遣，来这里追捕逃犯。"

我竟然还笑得出来："裴将军乃是金吾将军，统领东宫三千羽林，不知是何等逃犯，竟然惊动了将军，一直追到玉门关来。"

裴照不动声色，淡淡地道："自然是钦命要犯。"

我又笑了两声："钦命要犯……"

阿渡微微一动，关隘上头的雉堞之后，便出现了无数兵甲，他们引着长弓，沉默地用羽箭指着我们。

我叹了口气，对裴照说道："反正我今日无论如何都要出关去，你若是想阻我，便将我乱箭射死在关门之下吧，反正这样的事你也不止干了一次了。"

裴照却道："太子妃误解殿下了，殿下待太子妃，实在是一片痴心。"

我道："什么痴心不痴心，我和他恩断义绝，你不用再在我面前提他。"

裴照道："承天门失火，并不是灯烛走水。"

我微微一惊。

"上元万民同欢，实在没有办法关闭城门，殿下忧心如焚，唯恐刺客将太子妃挟制出城，再难追捕，所以狠心下令，命人暗中放火，烧了承天门。"裴照语气仍旧是淡淡的，"殿下为了太子妃，可以做出这样的事情，为何太子妃，却不能原宥殿下。"

这消息太让我震惊，我半天说不出话来。承天门乃是皇权的象征，自从承天门失火，朝中议论纷纷，皇帝为此还下了罪己诏，将失德的责任揽到自己身上。我做梦也没有想过，那不是偶然的失火，竟然是李承鄞命人放的火。

裴照道："殿下身为储君，有种种不得已之处。那日射杀刺客，误伤阿渡姑娘，乃是末将一意孤行，太子妃若要见罪，末将自然领受，太子妃不要因此错怪了殿下。"

我虽然没什么心机，却也不是傻子，我说道："你休在这里骗我了。"

裴照道："末将不敢。"

我冷冷地道："你有什么不敢的，不是君命难违么？没有他下令，你敢调动羽林军围歼？没有他下令，你敢叫人放箭？你将这些事全揽到自己身上，不过是想劝我回去，我再不会上你们的当。裴照，三年前我在忘川崖上纵身一跳，那时候我以为我再不会见到你们。这三年我忘了一切，可是你大约从来不曾想过，我竟然会重新想起来。李承鄞做的那些事情，我永远也不会原谅他，你今日不放我出关，我便会硬闯，要杀要剐随你们便是了。"

裴照神色震动地看着我，他大约做梦也没有想到我会想起一切事来，他怔怔地看着我，就像是要用目光将我整个人都看穿似的。我突然觉得心虚起来，这个人对李承鄞可不是一般的忠心，他今天到底会怎么做呢？

裴照沉默了好久，忽然道："不会。"

我觉得莫名其妙："什么不会？"

他抬起眼睛来看我："那日太子妃问，若是刺客抓着您，末将会不会也命人放乱箭将您和刺客一起射死？末将现在答，不会。"

我突然地明白过来，我朝阿渡打了个手势，阿渡拔出刀来，便架在我脖子里。

我说："开关！"

裴照大声道："刺客挟制太子妃，不要误伤了太子妃，快快开关。"

关门被打开，沉重的门扇要得数十人才能一分一分地推动，外头刺眼灼人的烈日直射进来，白晃晃的，晒在人身上竟微微发疼。

玉门关外的太阳便是这般火辣，我按捺住狂喜，便要朝着玉门关外策马奔去。

突然听到身后马蹄声大作，一队骑兵正朝这边奔驰过来。迎面旌旗招展，我看到旗帜上赫然绣着的龙纹，来不及多想，等再近些，那些马蹄踏起的扬尘劈头盖脸而来，我眯着眼睛看着这队越驰越近的人马，才发现为首的竟然是李承鄞。

我心猛然一沉。

我和阿渡催马已经奔向了关门。

我听到远远传来大喝："闭关门！殿下有令！闭关门！"

那些士卒又手忙脚乱开始往前推，想把关门给关上。

眼看着沉重的关门越来越近，中间的亮光却越来越少，那些人拼命推着门想要关上，越来越窄，越来越近，只有一匹马的缝隙了，眼看着来不及了。阿渡的马奔在前头，她回过头想要将我拉上她的马，我却扬起手来，狠狠地抽了她的马一鞭，那马儿受痛，长嘶一声，终于跃出了关门。

关门徐徐地阖上，我看到阿渡仓惶地回过头来看我，她兜转了马头想要冲回来，可是沉重的关门已经阖上，她的刀本来已经插进门里，但是什么也改变不了了。关门关了，铁栓降下来，我听到她拼命地想要斩断那铁栓，徒劳的削砍只是溅起星星点点的火花，她不会说话，也不能发出任何声音，我看着那刀尖在门缝里乱斩着，可每一刀，其实都是徒劳。

大队的羽林军已经冲上来，我转身朝着关隘奔去，一直奔到了城楼上。我伏到城堞之上，弯腰看到阿渡还在那里孤伶伶捶打着城门，那样固若金汤的雄关，凭她一人，又如何能够撼动半分？我看到她咧嘴在无声地哭泣，我忽然想起赫失，他将我托付给了阿渡，又何尝不是将阿渡托付给了我。如果没有我，阿渡也许早就活不下去了，正如同，如果没有阿渡，我也早就已经死了。

突厥已灭，阿渡比我孤苦一千倍一万倍，二十万族人死于月氏与中原的合围，可是这样的血海深仇，她却为了我，陪我在中原三年。

事到如今，我只对不起她一个人。

羽林军已经奔到了关隘之下，无数人簇拥着李承鄞下马，我听到身后脚步声杂沓，他们登上了关楼。

我倒没有了任何畏惧，只是静静地站在那里。

李承鄞的颈中还缚着白纱，其实我那一刀如果再深一点点，或许他就不能够再站在这里。

他独自朝着我走过来，而他每进一步，我就退一步。我一直往后退，直到退无可退，一直退到了雉堞之上。西风吹起我的衣袂，猎猎作响，就好像那天在忘川之巅。我站在悬崖的边上，而我的足下，就是云雾缭绕的万丈深渊。

李承鄞看着我，目光深沉，他终于说道："难道你就这样不情愿做我的妻子？"

我对他笑了笑，并没有答话。

他问我："那个顾小五，到底有哪里好？"

我的足跟已经悬空，只有足尖还站在城堞之上，摇摇欲坠。羽林军都离得非常远，沉默地注视着我。而李承鄞的目光，有着错综复杂的痛楚，仿佛隐忍，亦仿佛凄楚。

我仿佛做了一场梦，一切都和三年前一般，这三年来浮生虚度，却终究是，分毫未改。

我说："顾小五有哪里好，我永远也不会告诉你。"

李承鄞忽然笑了："可惜他已经死了。"

是，可惜他已经死了。

他说道："你跟我回去，我既往不咎，还是会对你好。不管你是不是还惦记着那个顾小五，只要你肯跟我回去，我便再不会提起此事。"

我对他笑了笑，我说："只要你答允我一件事，我就死心塌地地跟你回去。"

他脸上似乎一点儿表情也没有，只是问："什么事？"

我说："我要你替我捉一百只萤火虫。"

他微微一震，似乎十分费解地瞧着我。我的视线渐渐模糊，我却仍旧是笑着的："忘川之水，在于忘情……忘川的神水让我忘了三年，可是，却没能让我忘记一辈子。"

眼泪淌过脸颊，我笑着对他说："像你一直都忘了，多好啊。"

他怔怔地瞧着我，就像根本不懂我在说什么，我也不知道自己的表情，我明明是在对他笑的，可是却偏偏又在哭。我说："这一次，我是真的要忘了。"

我回转身，就像一只鸟儿扑向天空，就像一只蝴蝶扑向花朵，我毅然决绝地纵身跃下。我明明知道，这里再无忘川，下面是无数尖利的碎石，一旦跌下去，便是粉身碎骨。

我听到无数人在惊叫，李承鄞情急之下，抢上来抽出腰带便扬手卷住我。一切的一切，几乎都像三年前的重演。我整个人硬生生被他拉住悬空，而他也被我下冲的惯性，直坠到城堞边。他一手扶着堞砖，一手俯身拉住我，手上的青筋因为用力而暴起，他脖子里的伤口，开始渗出鲜血，大约已经迸裂，可是他并没有放手，而是大叫："来人！"

我知道一旦羽林军涌上来帮他，便再无任何机会，我扬起手来，寒光闪过他的眼前，他大叫：“不！”

我割裂了他的腰带，轻薄的丝绸断裂在空气中，我努力对他绽开最后一个笑颜：“我要忘了你，顾小五。”

我看到他眼中错愕的神情，还有颈中缓慢流出的鲜血，他似乎整个人受到什么突然的重创，竟然微微向后一仰。我看到血从他伤口中迸溅而出，落在我的脸上。我笑着看着他，他徒劳地似乎想要挽住我，可是只差了那么一点点，他的指尖只能挽住风，他凄厉的声音回响在我耳边：“是我……小枫……我是顾小五……”

我知道他终于想起来了，这便是我对他最大的报复。三年前他主持的那场杀戮，湮尽我们之间的情感；三年后我便以此，斩断我们之间所有的一切。

我看到他合身扑出，也许他想像三年前一样跟着我跳下来，可是这里不是忘川，跌下来只有粉身碎骨。我看到裴照拉住了他，我看到他反手一掌击在裴照的胸口，他定然用尽了全力，我看到那一掌打得裴照口吐鲜血，可是裴照没有放手，更多人涌上去，死死拖住了他。

天真蓝啊……风声呼呼地从耳畔响过，一切都从我眼前渐渐恍惚。

我仿佛看见自己坐在沙丘上，看着太阳一分分落下去，自己的一颗心，也渐渐地沉下去，到了最后，太阳终于不见了，被远处的沙丘挡住了，再看不见了。天与地被夜幕重重笼罩起来，连最后一分光亮，也瞧不见了。

我仿佛看见围观的人都笑起来，好多突厥人都不相信白眼狼王真的是顾小五杀的，所以他们仍旧存着一丝轻蔑之意。顾小五捧着那张弓，似乎弹琴一般，用手指拨了拨弓弦。弓弦铮铮作响，围观的人笑声更大了，他却在那哄笑声中连珠箭发，射下一百只蝙蝠。

我仿佛看见无数萤火虫腾空飞去，像是千万颗流星从我们指端掠过，天神释出流星的时候，也就是像这样子吧。成千上万的萤火虫环绕着我们，它们轻灵地飞过，点点萤光散入四面八方，就像是流星金色的光芒划破夜幕。我想起歌里面唱，天神与他眷恋的人，站在星河之中，就像这一样华丽璀璨。

我仿佛看见自己站在忘川之上，我的足跟已经悬空，山崖下的风吹得我几欲站立不稳，摇晃着随时会坠下去，风吹着我的衣衫猎猎作响，我的衣袖就像是一柄薄刃，不断拍打着我的手臂。他不敢再上前来逼迫，我对他说道：“我当初错看了你，如今国破家亡，是天神罚我受此磨难。”我一字一顿地说道，“生生世世，我都会永远忘记你！”

我仿佛看见当初大婚的晚上，他掀起我的盖头。盖头一掀起来，我只觉得眼前一亮，四面烛光亮堂堂的，照着他的脸，他的人。他穿着玄色的袍子，上面绣了很多精致的花纹。我在之前几个月，由永娘督促，将一本《礼典》背得滚瓜烂熟，知道那是玄衣、纁裳、九章。五章在衣，龙、山、华虫、火、宗彝；四章在裳，藻、粉米、黼、黻。织成为之。白纱中单，黼领，青褾、襈、裾。革带，金钩暐，大带，素带不朱里，亦纰以朱绿，纽约用组。黻随裳色，火、山二章也。

他戴着大典的衮冕，白珠九旒，以组为缨，色如其绶，青纩充耳，犀簪导，衬得面如冠玉，仪表堂堂。

那个时候，我以为我是第一次见到他。却不知道，我们早就已经见过，在西凉苍茫的月色之下。

我最后想起的，是刚刚我斩断腰带的刹那，他眼底盈然的泪光。

可是迟了，我们挣扎了三年，还是爱上了对方。这是天神给予的惩罚，每个饮过忘川之水的人，本来应该永远远离，永远不再想起对方。

我安然闭上眼睛，在急速的坠落之中，等待着粉身碎骨。

下落的力道终于一顿，想像中的剧痛还是没有来临，我睁开眼睛，阿渡清凉的手臂环抱着我，虽然她极力跃起，可是世上却没有人能承受这样巨大的下挫之力，我几乎能够清晰地听见她骨骼碎裂的声音，她硬生生地用她自己的身躯，当成了阻止我撞上大地的肉垫。我看到鲜血从她的耳中、鼻中、眼中流出，我大叫了一声："阿渡！"我双腿剧痛，根本没有办法站起来，我挣扎着爬起，手足无措地想要抱起她，可是些微的碰触似乎便是剧痛，她神情痛苦，但乌黑的眼珠看着我，眼神一如从前一般安详，丝毫没有责备之意。就像看到我做了什么顽皮的事情，或者就像从前，我要带她溜出去上街。我抱着她，喃喃地叫着她的名字。

我明明知道，西凉早就回不去了。我明明是想要她先走，可是我对不起她，我明明知道，她不会将我独自撇在这孤伶伶的世上。而我也知道，我不会独自将她撇在这孤伶伶的世上。阿渡已经阖上了眼睛，任凭我怎么呼唤，她也不知道了。

我听到城门"轧轧"打开的声音，千军万马朝着我们冲过来，我知道所有人都还是想，将我拉回那痛苦的人世，将我带回那座冷清的东宫。可是我再也不愿受那样的苦楚了。

我对阿渡说："我们一起回西凉去。"

我拾起阿渡的金错刀，刚刚阿渡拿着它砍削巨大的铁栓，所以上面崩裂了好多细小的缺口，我将它深深插进自己的胸口，却一点儿也不痛。也许这世上最痛苦的一切我都已经经历，死亡，还算什么呢?

血汩汩地流出来，我用沾满鲜血的双手握住阿渡的手，慢慢伏倒在她的身旁。我知道，我们终究是可以回家去了。

一切温度与知觉渐渐离我而去，黑暗渐渐笼罩。我似乎看到顾小五，他正策马朝我奔来，我知道他并没有死，只是去给我捉了一百只萤火虫。

现在，我要他给我系上他的腰带，这样，他就永远也不会离开我了。

我带着些微笑意，咽下最后一口气。

大地苍凉，似乎有人在唱着那首歌：

“一只狐狸它坐在沙丘上，坐在沙丘上，瞧着月亮。噫，原来它不是在瞧月亮，是在等放羊归来的姑娘……一只狐狸它坐在沙丘上，坐在沙丘上，晒着太阳……噫……原来它不是在晒太阳，是在等骑马路过的姑娘……”

原来那只狐狸，一直没能等到它要等的那位姑娘。

【终】